D0343588

BEDRIEGLIJKE VREDE

De Nieuwe Tijd 1

Van Markus Heitz zijn verschenen:

De Dwergen

1 De Dwergen

2 De Strijd van de Dwergen

3 De Wraak van de Dwergen

4 Het Lot van de Dwergen

De Donkere Tijd

1 Schaduwen boven Ulldart

2 De Orde van het Zwaard

3 Het Teken van de Duistere God

4 Het Oog van Tzulan

5 De Magie van de Macht

6 De Bronnen van het Kwaad

Ritus

Sanctum

Kinderen van Judas

Bloedportaal

Drakenvuur

De Nieuwe Tijd

1 Bedrieglijke vrede

Markus Heitz

BEDRIEGLIJKE VREDE

De Nieuwe Tijd 1

LUITINGH FANTASY

Oorspronkelijke titel: *Trügerischer Friede – Ulldart – Zeit des Neuen 1*
Vertaling: Jan Smit
Omslagontwerp: Karel van Laar
Omslagillustratie: M.R.P. Lap
Kaarten: Erhard Ringer
Illustratie binnenwerk: © Ciruelo via Agentur Schlück GmbH

ISBN 978 90 245 3154 7
NUR 334

www.boekenwereld.com
www.dromen-demonen.nl
www.watleesjij.nu

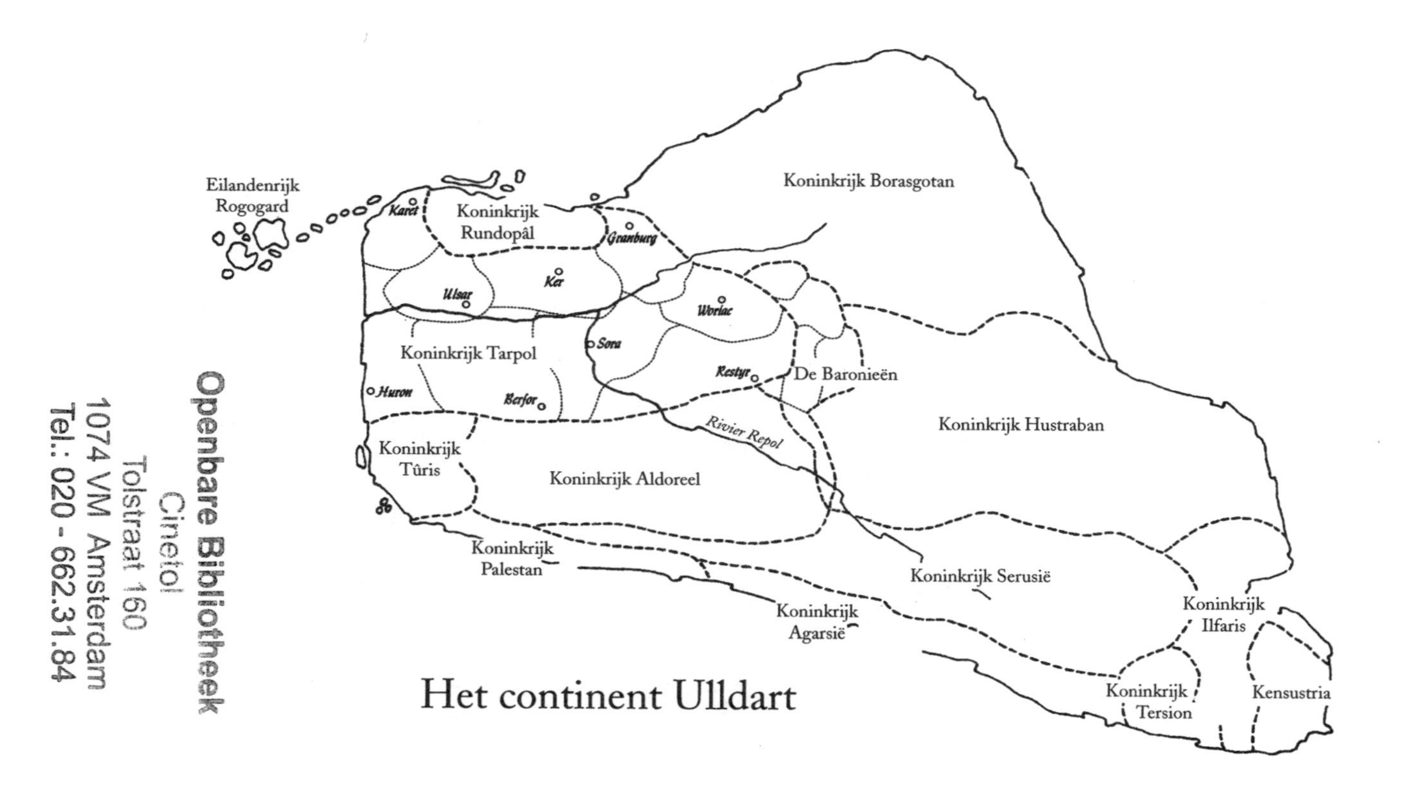

Het continent Ulldart

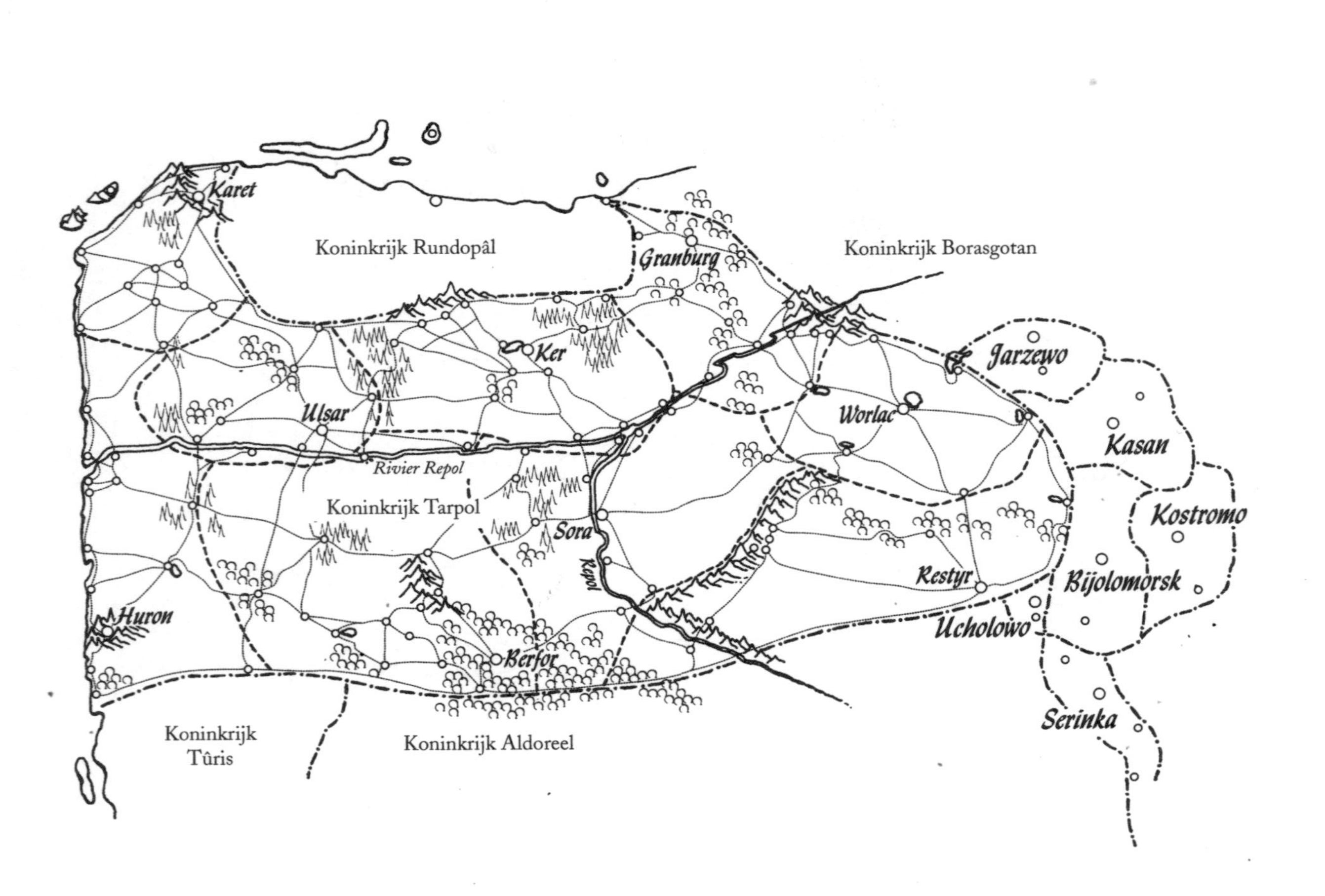
Koninkrijk Rundopâl
Koninkrijk Borasgotan
Karet
Granburg
Ker
Ulsar
Rivier Repol
Koninkrijk Tarpol
Sora
Repol
Huron
Berfor
Worlac
Jarzewo
Kasan
Kostromo
Bijolomorsk
Restyr
Ucholowo
Serinka
Koninkrijk
Tûris
Koninkrijk Aldoreel

Wat voorafging...

Lodrik Bardri¢, de jonge, onervaren Kabcar van Tarpol, ontwikkelde zich in de loop van de jaren tot een veelbelovende, maar later door duistere machten gemanipuleerde vorst. Als een van de weinige magiërs van Ulldart wist hij het ene na het andere land op het continent te veroveren, maar zonder het te weten baande hij ook de weg voor de terugkeer van de duistere godheid Tzulan.

Zowel zijn nicht en echtgenote Aljascha als zijn raadsman Mortva Nesreca, die door de God van het Kwaad was gestuurd, beheersten jarenlang heimelijk zijn denken en handelen. Lodriks oude vrienden werden vermoord of moesten vluchten. Stoiko, zijn vriend en vertrouwensman, belandde in de gevangenis, en zijn geliefde Norina vluchtte samen met zijn voormalige lijfwacht Waljakov naar het naburige continent Kalisstron. Mortva's meedogenloze intriges maakten Lodrik tot de machtigste maar ook eenzaamste man van heel Ulldart.

Uit Lodriks huwelijk met Aljascha kwam een drieling voort: de verwerpelijke, magisch begaafde Govan, de beeldschone, eveneens met magische krachten gezegende Zvatochna, en de verstandelijk beperkte maar oersterke Krutor.

Uit zijn relatie met Norina werd Lorin geboren, die opgroeide op het aangrenzende continent Kalisstron. Ook had Lodrik een affaire met een dienstmeisje, dat een zoon van hem kreeg. Deze jongen, Tokaro, kreeg binnen de elitaire ridderorde der Hoge Zwaarden een militaire opleiding.

Tokaro's leermeester was Nerestro van Kuraschka, de grootmeester van de orde, een man van trots en eer. Nerestro verloor zijn hart aan de Kensustriaanse priesteres Belkala, die uit haar vaderland was verbannen. Na een relatie vol hartstocht en strijd scheidden zich hun wegen en trok Belkala naar Ammtára, een stad waar mensen en moeraswezens vreedzaam samenleefden. Daar bracht zij hun dochter Estra ter wereld.

Inmiddels dreigden de ambitieuze plannen van de impopulaire vorst stuk te lopen. Vooral Kensustria, een land in het zuidoosten, bewoond door een raadselachtig, groenharig volk, toonde zich een taaie tegenstander en was moeilijk in te nemen. Bovendien zag Lodrik eindelijk in welk spelletje Mortva en Aljascha met hem speelden. Na verloop van tijd veranderde hij en voerde in de bezette gebieden belangrijke hervormingen door, die vooral het gewone volk ten goede kwamen. Aljascha werd uiteindelijk naar Granburg verbannen.

Net op het moment dat hij besloot ook afscheid te nemen van Mortva en zijn bondgenoten, werd hij op aandringen van Mortva door zijn eigen zoon en dochter, Govan en Zvatochna, verraden. Heel Ulldart was ervan overtuigd dat Lodrik in een steengroeve om het leven was gekomen.

De jeugdige Govan werd tot zijn opvolger gekroond. Waanzinnig geworden door het overmatige gebruik van magie, zette Govan de veroveringen meedogenloos voort en groeide uit tot een tiran die al spoedig het hele volk tegen zich in het harnas joeg. Wat Lodrik in zijn laatste jaren als Kabcar aan goeds voor zijn volk had gedaan, werd door zijn zoon teruggedraaid. Hij zocht steun bij de Tzulandriërs, een krijgersvolk van het continent Tzulandrië, en onder de Tzulani, de radicale aanhangers van de god van het Kwaad. Met zijn magische overmacht, het sluwe verstand van Zvatochna en door het manipuleren van de arme Krutor kon het niet lang meer duren voordat hij zijn doel – de onderwerping van het hele continent – zou hebben bereikt.

Maar Lodrik was niet dood. De magie had hem gered, en zo zocht hij in het verborgene naar mogelijkheden om zijn zoon de voet dwars te zetten. Als hij daar niet in slaagde, zou Tzulan terugkeren, zoals Mortva's bedoeling was.

In die tijd organiseerden Perdór, de koning van Ilfaris, en zijn hofnar Fiorell het verzet vanuit Kensustria. Torben Rudgass, een Rogogardische kaper, bracht de oude vrienden vanuit het verre Kalisstron naar Ulldart terug. Samen met de Kensustrianen, een vrijwilligersleger en de hulp van Lodrik, die een necromant geworden was, bonden ze de strijd aan met Govan en zijn vernietigende plannen.

Het kwam tot een beslissende slag, waarin Tokaro en de magisch begaafde Lorin samen met hun vader Lodrik en de vrienden van vroeger tegen Govan en zijn trawanten streden. Letterlijk op het laatste moment kon de terugkeer van de Donkere Tijd worden verhinderd, ook al eiste de slag talloze doden en gewonden.

Van Govan, Zvatochna en Mortva werd aangenomen dat ze waren gesneuveld, terwijl de Tzulandriërs de aftocht bliezen.

Een groot deel van het continent ligt nu in puin en moet worden opgebouwd, maar de mensen hebben weer hoop.

En toch zal spoedig blijken dat de vrede allesbehalve duurzaam is. Sommigen spreken zelfs van een verraderlijke rust...

De Nieuwe Tijd – dat geldt zowel voor Ulldart als voor mij.

Na het succes van *De Dwergen* is ook de Ulldart-aanhang gegroeid. Dit continent, vrij van alfen, orcs en dwergen, heeft de aandacht gekregen waarop ik altijd had gehoopt. Zo kan het leven doorgaan voor Lodrik en consorten. Mijn lievelingsschurk Mortva beraamt niet langer zijn onheilsplannen, maar ook zonder hem is het Kwaad nog sterk genoeg.

Met heel veel plezier ben ik teruggekeerd naar Ulldart, om losse eindjes – die de lezer misschien niet eens zijn opgevallen – aan elkaar te knopen en nieuwe draden te spinnen. Nieuwe, verrassende draden.

Mijn dank gaat naar mijn meelezers Nicole Schuhmacher, Sonja Rüther, dr. Patrick Müller en Tanja Karmann. En niet te vergeten naar mijn redactrice Angela Kuepper en uitgeverij Piper, die zich met zoveel zorg om Ulldart hebben bekommerd.

PROLOOG

Continent Ulldart, koninkrijk Borasgotan, vesting Checskotan, zomer van het jaar 1 Ulldraels (460 n.S.)

Op de binnenplaats van de vesting Checskotan brandden heldere vuren, die hun schijnsel over de eerbiedwaardige muren wierpen. De fakkels op de weergangen legden een rode gloed over de gracht aan de voet van de buitenste muur en gaven het water de kleur van gestold bloed. Het bolwerk, dat in de loop van de tijden al heel wat oorlogen had meegemaakt, leek bekoorlijk door al dat licht, maar ook afschrikwekkend door zijn karakter.

Nog maar zestien jaar geleden had deze burcht de laatste koning van Borasgotan, Arrulskhán IV, als toevluchtsoord gediend. In de tijden daarvoor was het een uitvalsbasis geweest voor veroveringen en een verdediging tegen aanvallen vanuit Hustraban.

De vesting stamde uit een bijna vergeten verleden, toen Borasgotan nog een grootmacht was geweest en de gebieden in het noorden had veroverd om de bodemschatten in bezit te krijgen. Daarbij waren de oorspronkelijke bewoners, de Jengorianen, zo goed als uitgeroeid. De laatste afstammelingen leefden nog altijd op de ontoegankelijke ijsvlakten.

Op deze koele zomeravond, niet lang na de slag bij Taromeel, dreigde alweer een nieuw conflict. Maar deze keer was de toekomst van het land een zuiver interne aangelegenheid, en een van de Borasgotanen dreigde te laat te komen.

Een ruiter gaf zijn voshengst luid vloekend de sporen, op weg naar het verzamelpunt dat door de edelen van het land was aangewezen om de nieuwe heerser van Borasgotan te kiezen. Zelfs in het schemerdonker was het reisdoel van de man duidelijk te onderscheiden. De vuren wezen hem de weg.

Zijn snelle nadering bleef niet onopgemerkt.

Een tiental torenwachters stelde zich in het gelid op de ophaalbrug op. Hun commandant brulde een bevel, ze lieten hun hellebaarden zakken en richtten de wapens naar de nieuwkomer. De pieken glinsterden vervaarlijk in de weerschijn van de fakkels als een niet mis te verstane boodschap aan de ruiter om halt te houden. De beslagen hoeven van het paard slipten op de planken en het scheelde maar een haar of het dier was gestruikeld toen zijn berijder het vlak voor de hindernis tot staan bracht.

De uitmonstering van de soldaten vormde een bonte verzameling. De een droeg het uniform van de gevallen Bardri¢-dynastie, waarop het symbool van de familie was vervangen door dat van Borasgotan: een gestileerd paardenhoofd in een krans van dennennaalden. Een ander ging gekleed in een eenvoudig wollen of leren wambuis met een borstkuras eroverheen. Zo kort na de val van Govan Bardri¢ en zijn bondgenoten was er over zulke bijzaken nog niet nagedacht.

Een oudere man in de versleten uniformjas van een kolonel en met een bontmuts op zijn hoofd stapte naar voren en salueerde. 'Goedenavond. Mag ik uw uitnodiging zien, alstublieft?' Hij nam de ruiter, die hij op een jaar of twintig schatte, onderzoekend op. Donkerbruin haar kwam onder zijn kap tevoorschijn en hij liet zijn kastanjebruine ogen hooghartig over de kolonel en zijn mannen glijden. Een edelman, dat stond wel vast.

'Natuurlijk.' De jongeman zocht in zijn zadeltas en reikte de militair een brief aan.

De kolonel las de uitnodiging haastig door en vergeleek de naam van de nieuwkomer met een lijst. 'Helaas, vasruc Raspot Putjomkin, u kunt niet tot deze bijeenkomst worden toegelaten,' mompelde hij, zonder op te kijken. 'De uitnodiging is gericht aan vasruc Bschoi. U hebt zijn naam wel doorgestreept en vervangen door de uwe, maar dat maakt u nog niet zijn plaatsvervanger.'

'Vasruc Bschoi is dood,' antwoordde Raspot onverstoorbaar, en hij haalde een tweede brief uit zijn zadeltas. 'Dit is de beëdigde verklaring van zijn weduwe, waarin ze zijn dood bevestigt en mij als zijn opvolger aanwijst, zowel in zijn ambt als bij deze bijeenkomst hier.' Aan het onwillige gezicht van de kolonel zag hij dat hij niet zo makkelijk tot dit verlichte gezelschap zou worden toegelaten. Hij koos voor de confrontatie, stak zijn kin naar voren en wierp de militair een vernietigende blik toe. 'Ik ben een Borasgotanische edelman, die alle recht heeft om over het lot van zijn vaderland te beslissen.'

De man knikte. 'Dat begrijp ik, vasruc, maar ik heb nu eenmaal mijn orders. Het spijt me, maar u zult de nacht voor de poort moeten doorbrengen.'

Raspot slingerde zich uit het zadel van zijn voshengst, sprong op de grond en liep op de militair toe. 'Wilt u zo vriendelijk zijn onmiddellijk iemand te roepen die over mijn papieren kan beslissen?' Hij bleef pas staan toen hij met zijn gezicht bijna dat van de oudere man raakte. Hij rook het zure zweet van de kolonel en zag het litteken aan de zijkant van zijn hals, dat hij aan een zware wond moest hebben overgehouden. 'Ik heb mijn hengst niet gespaard en ben vanuit het zuidoosten rechtstreeks hierheen gereden om van u mijn recht te krijgen.'

De kolonel hield de brieven over de leuning van de ophaalbrug en opende zijn vingers. Traag wapperden de blaadjes omlaag tot ze in het troebele water terechtkwamen en daar bleven drijven. De inkt begon onmiddellijk te vlekken. 'Welke papieren, vasruc?' vroeg hij onbewogen. 'De brieven die zojuist door de wind uit uw hand zijn gewaaid? Die zijn volgens mij niet meer te lezen.'

'De wínd?' Raspot maakte een beweging alsof hij zijn armen over elkaar wilde slaan, maar in plaats daarvan greep hij de kolonel bij zijn rechterschouder en gaf hem een zet waardoor hij van de brug stortte. Met een plons dook hij in het vuile water van de gracht. 'Dan moet de "wind" ze ook maar weer terugbezorgen,' riep hij naar beneden.

De soldaten lieten hun hellebaarden zakken en kwamen dreigend op hem toe. De vasruc liep achterwaarts naar zijn paard en hield zijn hand op het gevest van zijn sabel. 'Jullie krijgen mij echt niet van deze brug af. Zorg maar dat...'

'Wat is hier aan de hand?' dreunde het van achter de kantelen van de wachttoren. Een man van middelbare leeftijd in een prachtige mantel keek misnoegd op hen neer. Hoewel hij geen onderscheidingstekens droeg, moest hij een hoge edelman zijn. 'Saltan, wat doe je in de gracht?' Hij richtte zich tot Raspot. 'En u? Waarom maakt u zoveel drukte?'

In de veronderstelling dat hij de burchtheer voor zich had, maakte Raspot een korte buiging, stelde zich voor en verklaarde beknopt wat er was gebeurd. 'Helaas kan ik u mijn gelijk niet meer bewijzen, omdat de kolonel mijn papieren per ongeluk in het water heeft laten vallen. Hij is er wel achteraan gesprongen, maar tevergeefs,' besloot hij.

'Saltan, is dat waar?' De man met het grijze haar knikte naar twee soldaten als teken om hun aanvoerder de steile oever van de gracht op te hijsen. 'Heb jij in die brieven gelezen wat deze jongeman beweert?'

Saltan knikte proestend. Hij greep de uitgestoken hellebaarden vast en klom langs de oever uit het stinkende water. Blijkbaar durfde hij niet te liegen tegen zijn heer. Misschien was hij Raspot ook dankbaar dat die de edelman niet had verteld hoe smadelijk hij van de brug was geduwd.

'Kom dan binnen, vasruc Putjomkin, en wees welkom op Checskotan, de wieg van het nieuwe Borasgotan.' En met die woorden verdween hij weer achter de kantelen.

'Hartelijk dank.' Raspot stak zijn hand op als groet en leidde zijn hengst aan de teugel door de buitenpoort.

Daarachter stond de burchtheer hem al op te wachten. 'Ik ben hara¢ Fjanski, gastheer van deze belangrijke bijeenkomst en troonpretendent.' Met een knipoog voegde hij eraan toe: 'Zoals zoveel mensen die hier nu zijn. U soms ook?'

'Ik? Bij de wijze en rechtvaardige Ulldrael, nee!' haastte Raspot zich hem te verzekeren. 'Ik ben hier alleen om iemand van u te kiezen.'

'O ja? Wat verheugend.' Fjanski knikte hem toe. 'U bent nog jong en ongedeerd, dus ik neem aan dat u niet op de Mirakelheuvel bij Taromeel tegen de troepen van die geschifte Govan Bardri¢ en zijn zuster hebt gevochten?'

Raspot bloosde verlegen. 'U hebt gelijk, hara¢. Ik was thuis, om het landgoed van vasruc Bschoi tegen plunderende soldaten te beschermen.'

Fjanski klakte met zijn tong. 'Ook al zo'n onaangenaam kantje van de oorlog. Niet alleen op het slagveld heerste de dood, maar ook onze eigen troepen richtten heel wat ellende aan in het vaderland. Het wordt tijd dat de orde in Borasgotan wordt hersteld.'

Zij aan zij stapten ze door de tweede poort de grote binnenplaats van de indrukwekkende vesting op, waar de stallen, werkplaatsen en woonverblijven tegen de dikke muren leunden alsof ze zelfs in vredestijd nog beschutting zochten. De eenvoudige, maar heel verschillende kleding van de mensen die druk heen en weer liepen vertelde Raspot dat het gevolg van de genode edelen hier was ondergebracht.

'Ik begrijp het. Uit dankbaarheid voor uw inzet heeft de oude Bschoi u als zijn opvolger aangewezen.' Fjanski's gezicht werd nog ernstiger. 'U mag Ulldrael danken dat u voor die veldslag bent gespaard. Er zijn heel wat overlevenden die na dat gruwelijke bloedbad hun verstand hebben verloren. Die dappere Saltan is er slechts met de grootste moeite geestelijk weer bovenop gekomen.' Hij wenkte een staljongen om de voshengst over te nemen. Toen nam hij Raspot mee naar de voormalige troonzaal, waar de overige edelen aan een banket zaten. 'Later zal ik u naar uw kamer laten brengen, vasruc Putjomkin. Maar het werk gaat voor.'

Het was een grote zaal, die door de waanzinnige Kabcar zo kostbaar mogelijk was ingericht, zonder erop te letten of al die weelde wel bij de donkere, zware balken paste. Dure plafond- en wandschilderingen deden de toeschouwer duizelen, en een batterij kristallen kroonluchters zette de zaal in een schitterend licht. Op Raspot maakte het de indruk alsof hier een grillig, verwend kind aan het werk was geweest.

De tachtig gasten leken bijna nietig te midden van al deze pracht en praal. Zelfs met hun dure kleren en sieraden gingen ze verloren in dit geweld. Zachte gesprekken drongen tot de gastheer en de vasruc door. Hier en daar werd beschaafd gelachen en geschertst.

'Welkom in de slangenkuil,' glimlachte Fjanski hem waarschuwend toe. 'Hoor hoe ze sissen en blazen, hun giftanden in hun tegenstanders slaan en zich om hen heen slingeren. Wat sommigen voor een vriendelijke omhelzing houden, blijkt al snel een dodelijke wurggreep te zijn. Te veel adders hebben hun zinnen op de troon gezet.' Hij gaf de bode een teken, en naast Raspot dook een bediende op om zijn stoffige mantel aan te pakken. Daaronder kwam een niet bijster duur, maar smaakvol pak tevoorschijn. 'Wees op uw hoede, vasruc.'

De bode sloeg drie keer met zijn staf op de vloer en de gesprekken en het gelach verstomden. Bijna alle aanwezigen draaiden zich naar de ingang toe en namen de onverwachte bezoeker nieuwsgierig op. Wie was dat, aan de zijde van hara¢ Fjanski? Maar de norse gezichten ontspanden zich onmiddellijk toen ze zijn naam hoorden. In elk geval was hij geen concurrent voor de titel van Kabcar van Borasgotan.

'Eet, drink en maak kennis,' raadde de hara¢ hem op vaderlijke toon. 'We zullen moeten samenwerken als we onze macht in Borasgotan willen terugkrijgen.'

'Dan heeft het land dus een slangenbezweerder nodig,' verwees Raspot naar Fjanski's eerdere vergelijking.

'Goed gezien! Die ongelukkige hervormingen van Lodrik Bardri¢ liggen het gewone volk nog veel te vers in het geheugen. Ze moeten niet te lang aan zulke vrijheden wennen.' Hij klopte hem op zijn schouder en liep naar zijn plaats terug.

Raspot ging zitten naast een oude, door drankzucht getekende man met een netwerk van gebarsten bloedvaatjes onder zijn dichte baard. Zijn neus was buitensporig dik, als een rode vrucht die elk moment kon openspringen. In zijn uniform, waarop nog de onderscheidingen van Arrulskhán IV prijkten, leek hij een karikatuur van het verleden. Hij zou zeker niet worden gekozen.

Bedienden brachten Raspot een couvert, met een keus uit verschillende gerechten, van gestoofd wildbraad tot de heerlijkste vruchten en exotische desserts, die een vermogen moesten hebben gekost. Fjanski moest wel een geheime schatkist met parr bezitten om dit alles te kunnen betalen.

De jonge edelman had honger na zijn lange reis, en hoewel hij probeerde om beheerst te eten, werkte hij de maaltijd toch sneller naar binnen dan gewoonlijk.

Fjanski stond op en tikte met een lepel tegen zijn glas. De gesprekken verstomden. 'Bij Taromeel heb ik gevochten voor Ulldarts vrijheid,' begon hij zijn toespraak, 'en ik was aanwezig bij de onderhandelingen daarna. Met koning Perdór werd afgesproken dat wij onze volgende Kabcar of Kabcara uit onze eigen gelederen zouden kiezen. Daarvoor zijn we hier, op Checskotan. Laten we drinken op Borasgotan!' Hij hief zijn glas, en de gasten proostten. Fjanski zette zijn wijnglas weer neer en keek vorsend de zaal rond. 'Ik heb u gevraagd mij te zeggen wie aanspraak wil maken op de troon, en op welke gronden.' Een livreiknecht stapte op hem toe en gaf hem een rol papier, die Fjanski met een theatraal gebaar uitrolde en omhooghield, zodat iedereen kon zien hoeveel namen erop stonden. 'Tweeëntwintig kandidaten.' De hara¢ liet het aantal door de zaal galmen, over de bepruikte hoofden heen, terwijl er onder de edelen een opgewonden geroezemoes ontstond. 'Tweeëntwintig!' herhaalde hij met nadruk, voordat hij het papier achteloos op de lange tafel smeet. 'De lijst van onzinnige argumenten wil ik hier niet eens noemen.'

'En wat waren uw argumenten ook alweer, hara¢?' smaalde de man naast Raspot nonchalant. Er werd hatelijk gelachen toen hij smakkend een grote hap van een gebraden kwartel nam. Het vet droop langs zijn baard en hals. Voordat het in zijn kraag kon verdwijnen veegde hij het weg met de rug van zijn hand, die hij schoonwreef aan het tafelkleed.

Fjanski liet zich niet van zijn stuk brengen. 'Mijn waarde vasruc Klepmoff, ik heb er nooit een geheim van gemaakt dat ik dit land wil leiden. Ik heb die positie dan ook verdiend, in tegenstelling tot u.' Zijn grijsblauwe ogen dwaalden over de gezichten van de aanwezigen. 'Ik wil u er wel aan herinneren dat we geen tijd hebben voor intriges, omdat het volk van Borasgotan snel weer bij de teugel moet worden genomen voordat het te lang de wind van de vrijheid voelt die uit Tarpol overwaait. De toekomstige Kabcara, Norina, ondermijnt de rechten van de edelen, het volk roert zich en krijgt greep op de regering. Govan Bardri¢ was ons zo behulpzaam om na de machtsovername door zijn vader de Borasgotanen onder de knoet te brengen. Wij zullen die ketenen wat losser maken, zodat ze ons dankbaar zijn, maar we laten hen niet vrij!' Hij zwaaide met een gebalde vuist. 'Zijn we het daarover eens?' De mannen en vrouwen betuigden luid hun instemming. Raspot deed er het zwijgen toe, wat hem een onderzoekende blik van zijn buurman bezorgde. 'Laten we dan eensgezind het lied van de macht aanheffen. Geen kleine conflicten of ruzies meer, want daarmee versterken we de positie van de boeren en rijke burgers. Die zwetsen toch al te veel over een nieuwe tijd en gelijkberechtiging voor alle Borasgotanen.' Weer kreeg hij luide bijval.

'Is dat uw verkiezingspraatje, hara¢?' vroeg de kauwende Klepmoff verveeld. 'Heel geslaagd, maar toch zal ik niet op u stemmen.'

'Dat hoeft ook niet,' antwoordde Fjanski rustig. 'Het lijkt me beter iemand op de troon te zetten van onbesproken gedrag, iemand die geen vetes met anderen heeft en nooit iets met Arrulskhán of Govan Bardri¢ te maken heeft gehad. Dat zal op onze buurlanden een goede indruk maken, als duidelijk signaal van een nieuw begin. En wij zullen onze Kabcar van harte ondersteunen.' Een paar edelen lachten zacht.

Klepmoff smeet de kop van de kwartel op zijn bord. 'Een marionet, bedoelt u? En wie moet dat poppetje dan wel zijn, hara¢?' Fjanski tilde zijn rechterarm op en wees zwijgend naar Raspot. Klepmoff draaide zich abrupt opzij om de jongeman wat beter te bekijken. Toen barstte hij uit in een schaterlach, die door de meeste edelen werd overgenomen.

Raspot staarde verbluft naar de hara¢, die hem met dat voorstel nogal had overrompeld. De slangenbezweerder speelde een verrassend deuntje. Zijn blik ging naar de lachende edelen, die bijna niet tot bedaren kwamen. In een eerste opwelling had hij voor de eer willen bedanken, maar het hooghartige gelach van de mannen en vrouwen om hem heen maakte hem boos en koppig. Het was een belediging voor zijn eer als man en als vasruc.

'Wat is daar zo grappig aan?' vroeg hij op hoge toon, maar zijn woorden gingen verloren in het tumult. Dus sprong hij overeind en sloeg met zijn vuist op tafel. 'Ik vroeg wat er te lachen viel?' riep hij nijdig.

De kaarsvlammen op de tafels flakkerden, de kristallen kroonluchters trilden en rammelden. Alle lichtbronnen in de troonzaal doofden, en daarmee verstomde ook het gelach, om plaats te maken voor verschrikte uitroepen, het schrapen van stoelpoten en het metaalachtige geluid van zwaarden die uit de schede werden getrokken.

Bedienden kwamen toegesneld met brandende toortsen en fakkels, zodat even later in elk geval de tafel weer verlicht was. De meeste gasten waren overeind gesprongen en de hele zaal verkeerde in consternatie.

Opeens stond de onopvallende Raspot in het middelpunt van de belangstelling – wat hem zelf misschien nog wel het meest verbaasde. 'Waarom kijken jullie allemaal naar míj?' vroeg hij bevreemd.

Hara¢ Fjanski nam hem onderzoekend op. 'Heren, ik geloof dat we hier te maken hebben met een jongeman die over een gave beschikt die maar weinigen op dit continent ooit is gegund,' verklaarde hij. 'Vasruc Putjomkin, u bent gezegend met magie.'

'Ik? Nee, dat kan niet...'

Maar de hara¢ wilde van geen tegenspraak horen. 'Hoe is het anders mogelijk dat het vuur zich aan uw woede onderwerpt? Alle ramen zijn gesloten en ik heb geen tochtvlaag bespeurd. U wel?' richtte hij zich tot de anderen, die hun hoofd schudden en de man die ze zo-even nog hadden gehoond nu met angst en bewondering aanstaarden.

Op één na.

'Heel handig gespeeld, Fjanski,' riep Klepmoff, en hij kwam overeind uit zijn stoel. 'U kent deze knaap, dat is wel duidelijk, en u wilt hem op de troon zetten om daar zelf zo veel mogelijk van te profiteren.' Hij keek op en wees met zijn vinger naar het plafond. 'Ik durf er mijn hele bezit onder te verwedden dat daar gaten zijn geboord waardoor uw bedienden het licht hebben uitgeblazen om ons te verrassen.'

Fjanski spreidde zijn handen. 'Ik zweer u bij Ulldrael de Rechtvaardige dat ik helemaal niets met dit wonder te maken heb. Het was wel degelijk magie.'

'Leugens!' Klepmoff lachte de anderen uit. 'En jullie geloven hem! Wacht, ik zal het wel bewijzen. Eens kijken of die zogenaamde magie hier ook tegen helpt.' Bliksemsnel trok hij met zijn dikke rechterhand de eredolk die hij van Arrulskhán IV had gekregen uit de schede aan zijn riem en stootte ermee naar Raspots bovenarm.

Bijna had het wapen de arm van de jongeman bereikt toen het opeens afketste tegen een onzichtbare hindernis en uit elkaar spatte.

De scherpe metaalsplinters zweefden door de lucht, keerden zich tegen de aanvaller en drongen in zijn borst, zijn hals en zijn gezicht.

Bloedend zakte Klepmoff in elkaar op zijn stoel, die vervolgens als door een spookachtige hand werd opgetild en door de zaal heen geslingerd alsof de vasruc niet meer woog dan de kwartel die hij zojuist verorberd had.

Op een hoogte van vier passen sloeg Klepmoff tegen de muur, met een luid gekraak van brekende botten. Samen met de versplinterde restanten van de stoel stortte hij tegen de vloer. Onder het lijk was algauw een plas bloed te zien, die over het glanzende marmer stroomde.

Zwijgend weken de mannen en vrouwen nu voor Raspot terug. Zelfs de laatste ongelovigen kwamen overeind. Niemand durfde hem nog tegen te spreken.

De jonge edelman tilde zijn armen op en staarde vol onbegrip naar zijn handen. *Bezit ik magische krachten? Maar hoe beheers ik die?*

'Bij alle goden! Is er een betere troonpretendent denkbaar dan deze jonge edelman, die door Ulldrael is gezegend?' riep hara¢ Fjanski bijna euforisch. 'Wie stemt voor Raspot Putjomkin?' Als antwoord maakten alle edelen een diepe buiging voor de jongeman. 'Lang leve Raspot de Eerste, Kabcar van Borasgotan!' riep Fjanski, en hij glimlachte hem toe.

Raspot kon niet bevatten hoe zijn leven binnen enkele ogenblikken totaal op zijn kop was gezet. In zijn hart had hij grote twijfels of hij de last van de macht wel op zijn schouders nemen moest. Aan de andere kant zou zo'n kans zich niet nog eens voordoen.

'En zo heeft mijn vaderland een nieuwe Kabcar,' verklaarde Raspot, geërgerd dat zijn stem zo schor klonk, wat zijn gezag een beetje ondermijnde. 'Ik vraag u allen om het zwijgen te bewaren over mijn magische krachten. Anders kunnen onze buren vrezen dat Borasgotan zich onder mijn leiding tot een nieuwe oorlogsnatie zal ontwikkelen. En dat is niet mijn bedoeling.'

De edelen richtten zich op, gingen weer zitten en wachtten op de rest van de agenda, nu het hoogste ambt in het land zo onverwachts en spectaculair was vergeven.

Fjanski vroeg Raspot om zijn plaats aan het hoofd van de tafel in te nemen, en installeerde zich links van hem. Algauw ontstond er een levendige discussie over de wederopbouw van Borasgotan.

De uren verstreken. Het was lang na middernacht toen Raspot eindelijk de vergadering schorste, zodat iedereen wat slaap kon krijgen. De volgende dag zouden de besprekingen worden voortgezet. Een eind verderop lag een zwaar beschonken vasruca voorover op de tafel luid te snurken.

'Nou, hooggeboren Kabcar, hoe voelt u zich?' Fjanski schonk zich een glas wijn in, rook eraan en nam een slok. 'Had u in uw stoutste dromen kunnen denken dat u de machtigste man van Borasgotan zou worden?'

'Ben ik dat dan?' was Raspots wedervraag. Hij keek de hara¢ onderzoekend aan. 'Ik ben opgegroeid met de verhalen over Lodrik Bardri¢ en zijn raadsman Nesreca. Veel mensen zien hem als de feitelijke boosdoener, degene die verantwoordelijk was voor al het onheil, de duizenden doden en de rivieren van bloed waarin dit continent bijna is gesmoord.' Hij zag de uitdrukking op Fjanski's gezicht veranderen. De man keek betrapt. 'U bent het die over magische krachten beschikt, nietwaar, hara¢? U hebt Klepmoff gedood,' fluisterde hij. 'Wat is de bedoeling van deze maskerade? Moet ik soms uw Lodrik Bardri¢ worden?'

Fjanski's mond verstrakte, maar toen verscheen er een glimlach rond zijn lippen. 'In elk geval bent u slimmer dan Bardri¢ – of minder naïef.'

'U hebt me zelf gewaarschuwd voor deze slangenkuil. Ik wil de ware reden horen waarom ik uw plaatsbekleder zou moeten zijn, anders treed ik vannacht nog af.' Raspot maakte geen grapje. Hij leek vastbesloten zijn dreigement uit te voeren.

'Wilt u me nu bang maken?'

'De verkiezing zou weer helemaal opnieuw moeten worden gehouden, en wie weet wie er dan als winnaar uit de bus zou komen?'

Fjanski grijnsde. 'Goed, ik zal het u vertellen. Bschoi en ik hebben lang overlegd hoe het verder moest met Borasgotan. Helaas is hij te vroeg overleden, maar in zijn brieven schreef hij steeds over u en uw moed. Toen ik u op de brug zag en constateerde hoe gedreven u was, viel mijn keus definitief op u,' legde hij uit. 'Het gaat immers om uw en mijn vaderland, hooggeboren Kabcar. U bent een onbeschreven blad, zowel voor het volk als voor de landen om ons heen, zoals ik al zei. En dat meen ik.' Hij wierp een afwezige blik op de slapende vasruca, die mompelend haar hoofd omdraaide en een gemakkelijker houding zocht. 'Neem haar, bijvoorbeeld. Kijk hoe ze daar ligt: dronken, onbeheerst en onfatsoenlijk. Bepaald geen stralend voorbeeld. Bijna niemand van onze edelen heeft zich de afgelopen jaren onderscheiden door zijn moed of het respect verdiend van de bevolking. De meesten zijn alleen op hun eigen voordeel uit. In u, Raspot, krijgt het land misschien een Kabcar die niet alleen door de brojaken, vasrucs en hara¢s maar ook door de eenvoudige Borasgotanen wordt geaccepteerd. In de ogen van anderen beschikt u over magische gaven en bent u dus door Ulldrael uitverkoren. Wie zou beter geschikt zijn om eindelijk de noodzakelijke orde te scheppen in het land?'

Raspot begon te begrijpen wat Fjanski bedoelde. 'Anders blijft er ruzie en gaat de ellende gewoon door,' voltooide hij dat verontrustende visioen. Hij zuchtte diep, leegde in één teug zijn glas wijn en wierp het glas over zijn schouder. Met een klap sloeg het kapot tegen het marmer. 'Dan blijf ik dus Raspot de Eerste. Maar ik waarschuw u, hara¢ Fjanski. Anders dan Lodrik Bardri¢ heb ik een eigen wil, een eigen mening en mijn eigen plannen. Wilt u een marionet of een slang die naar uw pijpen danst? Vergeet het dan maar. Ook mij gaat het om het welzijn van ons land. Mijn eigen belangen en die van de edelen komen pas op de tweede plaats.' De Kabcar stond op. 'Naast een koning hoort een koningin. Ik ben van plan om snel te trouwen.'

'Natuurlijk. Ik zal de knapste dochters uit de hoogste kringen van het land voor een bal uitnodigen. Dan kunt u een echtgenote kiezen.'

'Niet nodig, hara¢ Fjanski. Mijn hart is al vergeven.' Raspot glimlachte. 'Ik zal haar laten komen voor onze bruiloft.'

'Ze is hopelijk wel een dame van stand, die bij u past, hooggeboren Kabcar?'

Prompt kwam het verrassende antwoord. 'Ze is de weduwe van vasruc Bschoi. Na de dood van haar man heeft ze mij haar liefde geschonken. Ik voelde me zelf ook tot haar aangetrokken, vanaf het eerste moment dat ik haar zag. Ze is heel verstandig en ze zal ons helpen bij de wederopbouw van Borasgotan.'

Fjanski keek niet echt gelukkig. 'Hooggeboren Kabcar, hebt u wel bedacht wat voor indruk dit huwelijk op het gewone volk zal maken? De man die u als erfgenaam heeft aangewezen is nauwelijks dood of u trouwt al met zijn nog treurende weduwe en kroont haar tot Kabcara...'

'Ik zie daar geen probleem in. Is er een betere manier om mijn dankbaarheid tegenover wijlen vasruc Bschoi te tonen dan zijn weduwe de hoogste positie in het land aan te bieden?'

'Bekijk het toch eens van de andere kant. Dan ligt de verdenking voor de hand dat u samen met de weduwe de dood van Bschoi hebt beraamd om hem uit de weg te ruimen om zijn plaats in bed te kunnen innemen.'

Raspot lachte. 'Daar ben ik helemaal niet bang voor. Bschoi is verdronken bij het vissen, onder het oog van talloze getuigen. Er is geen enkele suggestie dat het iets anders zou zijn dan een ongeluk.'

De hara¢ was niet overtuigd, maar hij liet het erbij. 'Het zij zo. Ik zal uw aanstaande graag ontmoeten,' zei hij met een buiging. 'En ga nu maar slapen, hooggeboren Kabcar, zodat u morgen weer fris en monter de besprekingen kunt leiden.'

'Dat geldt ook voor u.' Raspot liep naar de deur, pakte in het voorbijgaan een appel van een schaal en at die op.

Fjanski keek hem tevreden na en schonk zich nog een glas wijn in zodra de toekomstige vorst van Borasgotan uit de zaal verdwenen was.

Het had niet beter kunnen gaan. Alles verliep volgens plan en de jonge Putjomkin zou keurig in het gareel blijven, ondanks zijn dreigementen. Een marionet merkte nu eenmaal nooit wie er aan zijn touwtjes trok zolang hij niet de kans kreeg omhoog te kijken. 'Maar als je toch een gifadder blijkt te zijn, kleine Putjomkin, en je slangenbezweerder probeert te bijten, zal ik je tanden eruit trekken.' Hij stond op, zonder zijn glas neer te zetten, rekte zich uit en slenterde naar de deur. Zijn bed wachtte.

Nauwelijks was hij vertrokken, of de vasruca keek op. Ze veegde de broodkruimels uit haar gezicht en liep broodnuchter, zelfs niet slaapdronken, de zaal uit en de schemerige gang door naar haar kamer.

Daar schreef ze bij het zwakke schijnsel van een lamp een bericht op een velletje papier. Regel voor regel vulde het blad zich met merkwaardige tekens, die alleen voor ingewijden begrijpelijk waren. Toen vouwde ze het velletje op tot een vierkantje ter grootte van een duimnagel, stak het in een klein leren etui en liep naar haar hutkoffer.

'Ssstt!' fluisterde ze, toen ze een verborgen vakje opende. De duif die erin zat sloeg verschrikt zijn ogen op, koerde opgewonden en liet zich maar met moeite pakken.

De vasruca schoof het etui onder de borstriempjes van de vogel en aaide hem over zijn zachte kopje. 'Morgen in alle vroegte vlieg je naar Perdór om hem de boodschap over te brengen.'

Nauwelijks had ze dat gezegd of het dier flapperde nog één keer met zijn vleugels en bleef levenloos in haar handen liggen.

'Wat is er?' Voorzichtig schudde ze de duif heen en weer en tikte hem tegen zijn snavel. Maar het hielp niets. De vogel was dood.

Op hetzelfde moment kreeg de vrouw een zware klap in haar rug, waardoor ze tegen de tafel werd gesmeten. De dode duif viel uit haar hand en kwam op de planken vloer terecht, terwijl iemand de pruik van haar hoofd rukte en haar bij haar eigen, donkerblonde haar greep. Ruw werd ze omhoog en naar achteren getrokken.

De vasruca slaakte een kreet en sloeg wanhopig om zich heen. Haar wijde rok bleef haken achter een stoel, ze struikelde en viel. Het volgende ogenblik kreeg ze een schop tegen haar buik, die haar de adem benam en haar naar lucht deed happen.

Angstig keek ze om zich heen, maar zonder een spoor te ontdekken van haar aanvallers. Ze wist wat dat betekende. De hara¢ had haar vanaf het eerste begin voor een spionne aangezien. Nu nam hij haar te pakken, nadat hij haar een tijdje heimelijk had geobserveerd.

Drie of vier keer werd ze met haar gezicht tegen de grond geslagen. Bijna raakte ze bewusteloos, voordat iemand haar weer overeind hees.

'Fjanski, hou op!' riep ze onduidelijk. Bloed stroomde uit haar neus, haar lippen zwollen op en een paar voortanden zaten los. 'Laat me in leven. Ik zal je...'

De magische krachten van de edelman sloegen opnieuw toe, tilden de vasruca van de houten vloer en sleurden haar met grote snelheid naar het gesloten raam boven de binnenplaats.

Gillend van doodsangst sloeg ze haar armen voor haar gezicht en sloot haar ogen toen ze door het bontgekleurde glas naar buiten werd gesmeten en in een regen van scherven naar de keien stortte.

Bij toeval landde ze in een mesthoop. Paardenvijgen en stro braken haar val.

'Dank u, Ulldrael...' Tegen alle verwachting in had de vasruca het overleefd. Ze rolde opzij om snel van de stinkende maar onverwachts zachte helling omlaag te glijden en in de ochtendschemer uit Checskotan te ontsnappen. Geen van de wachtposten durfde haar iets te vragen en ook hara¢ Fjanski dook nergens op om het werk van zijn magie af te maken.

Maar toch had de vrouw haar god te vroeg bedankt.

Net wilde ze overeind komen op de keitjes van de binnenhof toen ze uit een ooghoek iets zag glinsteren en omhoogkeek.

Twee passen boven haar hingen nog al die grote en kleine scherven van de versplinterde, bontgekleurde ruit, als aan een waslijn in de lucht. Ze draaiden om hun eigen as als een speelbal van de wind, en weerkaatsten het schijnsel van de vuurtjes op de binnenplaats. Het was een bizar en tegelijk wonderschoon schouwspel, maar daarom niet minder dreigend.

'Genade, Fjanski!' riep ze smekend, maar de vlijmscherpe glazen dolken doken al op haar af.

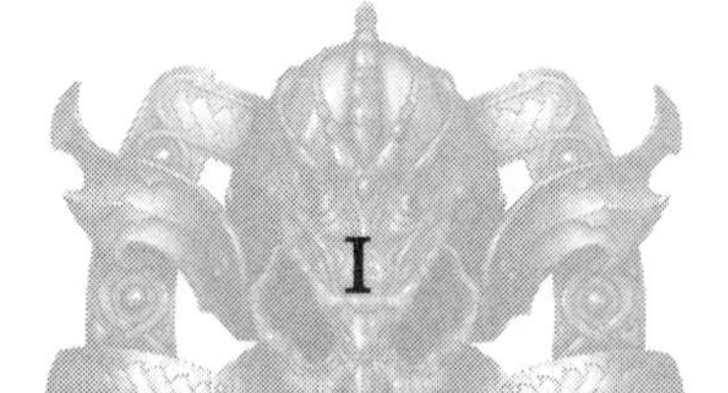

I

Continent Ulldart, koninkrijk Tarpol, hoofdstad Ulsar, zomer van het jaar 1 Ulldraels (460 n.S.)

Het leek alsof Ulldrael de Rechtvaardige de zomerzonnen toestemming had gegeven om met al hun energie vanuit de hemel neer te schijnen. Ze bezaten dubbel zoveel kracht als in het afgelopen, duistere jaar, toen Govan en zijn zus Zvatochna nog aan de macht waren geweest. De schitterende hemellichamen lieten duidelijk zien dat de Donkere Tijd voorbij was.

De gouden stralen drongen tot alle duistere hoekjes van de hoofdstad door en verjoegen de laatste angst uit de schemerige steegjes. Nog nooit was het in Ulsar zo zonnig geweest.

Ook de bewoners droegen daaraan bij. Govans afschrikwekkende architectuur begon langzaam te verdwijnen. De donkere, dreigende muren kregen een ander kleurtje, de ijzeren pieken werden van de daken gesloopt en de stenen demonen van de gevels gehakt.

Overal was het geluid van sloophamers en beitels te horen. Steenhouwers leefden zich uit op de huizen en gebouwen van de stad om alle sporen van het Kwaad te vernietigen. De gehate Tzulan-symbolen daalden als onschadelijk steenstof op de straatstenen en dakpannen neer, waar ze op gezette tijden door een regenbuitje werden weggespoeld en samen met de verpulverde demonen in de goot belandden.

Terwijl Tarpol zich op deze manier van de angst bevrijdde, was Norina Miklanowo, de toekomstige Kabcara van Tarpol, overal in de stad te zien. De lange vrouw met het golvende zwarte haar inspecteerde de vorderingen van de steenhouwers, hielp soms een handje mee en informeerde wat de mannen nog nodig hadden voor hun werk. En dat deed ze niet in kostbare gewaden en omringd door een decadente hofhouding, maar in de mantel van een brojakin en slechts geëscorteerd door een paar lijfwachten. Geen enkele vorst van Tarpol had ooit zo dicht bij het volk gestaan als zij.

Voor de gesloopte muren van de kathedraal, die Govan ter ere van Tzulan had opgericht en waarin hij zijn godheid mensenoffers had gebracht, kwam ze Matuc – de oude monnik met het houten been – weer tegen. In het verre Kalisstron had hij onverzettelijk zijn geloof in Ulldrael verdedigd, en na de opheffing van Govans verbod was hij naar zijn vaderland teruggekeerd om de leer van Ulldrael verder te verbreiden.

Nu stond hij in een kring van zijn aanhangers en sprak over de triomf van de Rechtvaardige. 'Norina Miklanowo!' riep hij verheugd toen hij de brojakin ontwaarde, en hij boog het hoofd voor haar. 'Eh... hooggeboren Kabcara, bedoel ik natuurlijk.' De mannen en vrouwen in hun dunne, donkergroene pijen maakten ruim baan voor haar, zodat de oude vrienden elkaar de hand konden schudden.

'Het is nog niet zover, Matuc, en jij bent een van de mensen die hooguit bij heel plechtige gelegenheden die titel hoeven te gebruiken. Alleen als het protocol dat absoluut vereist, wil ik die woorden van je horen,' glimlachte ze, en haar bruine ogen straalden. 'Je hebt het minstens net zo druk als ik. Denk een beetje om je leeftijd.'

'Ach, die ben ik allang vergeten. Overal horen de mensen het woord van Ulldrael zo graag,' antwoordde Matuc, zichtbaar gelukkig, en hij streek zich door zijn haren, waarin het grijs nu het zwart overheerste. 'Ik had nooit gedacht dat juist ík, die tegen zijn god in opstand kwam en hem op een ver continent weer terugvond, de Ulldrael-orde opnieuw zou mogen opbouwen.' Hij knikte naar de anderen. 'Nooit zullen de nieuwe oversten van onze orde zich meer te buiten gaan aan verkwisting en weelde. Alleen door eenvoud en het afzweren van persoonlijke rijkdom kunnen wij de mensen bezielen en de wil van Ulldrael vervullen.'

Norina's blik gleed over de puinhopen van de kathedraal. 'Vind je je oude vrienden nog wel terug?'

Er gleed een droevige uitdrukking over Matucs gezicht en zijn ogen stonden somber. 'Govan Bardri¢ is grondig te werk gegaan bij de vervolging van onze medebroeders. Omdat maar een handjevol Ulldrael-priesters het oude geloof afzwoer, zijn er tallozen door die gek vermoord en aan Tzulan geofferd.' Hij zuchtte diep. 'Maar ons werk draagt vrucht. Volgende maand al komt de Geheime Raad van onze orde in Tarpol voor het eerst bijeen en kunnen we met de wederopbouw beginnen.' Hij zag dat Norina's blik op de bergen marmer, graniet en gewone steen bleef rusten. 'Wat wil je daarmee doen?'

'Dat kan zo niet blijven liggen, in elk geval.' Norina huiverde even. Ze had dit gruwelijke knekelhuis nooit met eigen ogen gezien en kende het slechts uit de verhalen van de mensen en de bouwtekeningen die ze in het paleis gevonden had.

Maar in haar verbeelding vormden de puinhopen zich weer tot de duistere Tzulan-kathedraal en hoorde ze het gekerm van de honderden slachtoffers. Die waren hier in de raadselachtige kuil gesmeten die zich nog ergens onder de ravage moest bevinden.

'Het puin wordt in het meer bij de oude groeve gegooid. Niemand mag de stenen waaraan het bloed van zoveel Tarpolers kleeft nog ooit gebruiken voor de bouw van huizen of schuren. Morgen beginnen we met opruimen,' verklaarde ze, en ze liet haar stem dalen. 'Eerlijk gezegd ben ik bang voor wat we misschien nog zullen ontdekken.'

Matuc knikte begrijpend. 'Heel veel mensen vrezen dat, maar Ulldrael de Rechtvaardige zal waken over degenen die hier aan het werk gaan. Ik zal priesters sturen om voortdurend de zegen van de Rechtvaardige af te smeken. Neem me niet kwalijk, Norina Miklanowo, maar ik moet weer verder.' Hij maakte een buiging, maar zij stak hem haar hand toe. Ze namen afscheid met een handdruk, voordat hij weer vertrok, omringd door zijn volgelingen.

Norina wierp nog een laatste, bezorgde blik op de voormalige kathedraal en ging toen op weg naar huis, waar Lodrik en een hele lijst met problemen op haar wachtten. Ze had het gevoel dat alles zich herhaalde wat ze in haar jonge jaren samen met Lodrik tot stand had willen brengen: de afschaffing van de lijfeigenschap en de privileges van de adel.

Maar deze keer verwachtte ze niet veel verzet.

Het volk had geroken aan de vrijheid, en het juk van Govan had de afkeer van geldzuchtige brojaken en inhalige edelen nog groter gemaakt.

In gedachten verzonken, verdiept in haar hervormingen, groette ze werktuiglijk terug als de mensen haar op straat herkenden en eerbiedig knikten. Norina voelde zich niet boven het volk verheven, hoewel ze zich bewust was van haar macht. Maar de hooghartige houding van een Kabcara zoals Lodriks vrouw Aljascha die ooit tentoon had gespreid, was haar vreemd. Haar vader, een van de weinige Tarpoolse brojaken die deugden, had haar opgevoed volgens rechtvaardige principes en zonder enig gevoel van superioriteit. Geen wonder dat ze met haar opvattingen nu vijanden maakte onder degenen die alleen op hun eigen voordeel uit waren. Meer dan eens betreurde ze het dat haar vader er niet meer was. Zijn goede raad zou haar nu welkom zijn geweest.

Eindelijk stapte ze de smeedijzeren poort voor haar huis binnen. Op haar eigen verzoek woonde ze nog niet in het als een burcht versterkte paleis van de Bardri¢-dynastie. Daar zou ze pas na de kroning haar intrek nemen. Ze beklom de marmeren treden en liep naar de gezellige theekamer, waar ze Lodrik vermoedde.

Toen ze de deur opende, snoof ze een muffe lucht op, als van oude boeken en vergeelde gordijnen. Het was een ongezonde atmosfeer, hoewel de grote ramen openstonden en de warme zomerzon naar binnen viel.

Die lucht van verval was niet afkomstig van boeken of gordijnen, maar van de voormalige Kabcar van Tarpol, die met zijn rug naar haar toe in de schaduw stond, erop bedacht dat hij niet in het honingkleurige zonlicht kwam. Hij droeg zijn nachtblauwe mantel, die tot aan de taille strak om zijn lichaam sloot en daaronder uitliep in een wijde rok.

'Lodrik?'

'Het hart van mijn vroegere rijk klopt dus weer.' Lodriks blauwe ogen staarden melancholiek naar de drukke straten, de nieuwe daken en het bruisende leven dat in Ulsar weer was opgebloeid. Omdat hij zijn armen op zijn rug had, zag Norina dat hij in haar aanwezigheid zwarte handschoenen droeg. Dat was nieuw. 'Ik dank de goden dat Govan is verslagen.' Hij draaide zijn magere gezicht naar haar toe en glimlachte. Maar zelfs zijn lach leek droevig. 'Je was zo lang weg.'

Norina kwam op hem toe en sloot hem in haar armen, waarbij ze voelde dat hij weer magerder was geworden, met nog minder vlees op de botten. 'Er is veel te doen.' Haar blik ging verwijtend naar de tafel, waar zijn maaltijd nog onaangeroerd stond. 'Je moet meer eten, Lodrik.' Onderzoekend liet ze haar vingers over de stof van zijn zware mantel glijden. Daaronder voelde ze enkel huid en beenderen.

Hij lachte zacht. Zijn stem klonk zo diep als een kelder en zo zwaar als ijzer. 'Wat had ik dat zinnetje graag willen horen toen ik nog een kind was.' Met zijn rechterhand streelde hij haar haar en haar wang, voordat hij behoedzaam het kleine litteken op haar slaap kuste. Zijn lippen waren koud als ijs. 'En wat zeiden je onderdanen? Dat ze van je houden en je vereren, zoals je verdient?'

Norina omhelsde hem en verbaasde zich erover dat ze naar zijn hartslag luisterde om zeker te weten dat ze een levend mens en geen dode in haar armen hield.

Haar liefde voor hem was sterker dan haar afkeer van de griezelige aura die hem omgaf en mens en dier voor hem deed terugwijken. Behalve zijzelf wisten alleen zijn zoon Krutor en zijn onverzettelijke vrienden Stoiko en Waljakov het langere tijd in zijn nabijheid uit te houden. De angstaanjagende lucht leek zelfs door muren heen te dringen en veroorzaakte ook in aangrenzende kamers een onbehaaglijke, zelfs beklemmende atmosfeer.

Ze nam zijn handen en tilde ze even op. 'Sinds wanneer draag je deze handschoenen?'

Lodriks wasbleke gezicht stond ontwijkend. 'Mijn nagels en vingers zijn niet prettig om te zien, heel dun en knokig, als de klauwen van een roofvogel. Daarom verberg ik ze voor jou.' Hij keek langs haar heen en staarde naar zichzelf in de spiegel. Zijn droge, dorre haar werd steeds dunner en zijn blauwe aderen schemerden door de bleke huid heen. 'Je wordt al genoeg op de proef gesteld door hoe ik er nu uitzie. Ik vind het een wonder dat je toch met me wilde trouwen.'

Norina kende de depressieve verhalen van haar man maar al te goed. Hij wentelde zich in zelfmedelijden en schuldgevoel. 'Hou daarmee op,' zei ze, en ze gaf hem een kneepje in zijn handen. 'Help me liever met de voorbereidingen voor de bespreking met de edelen en brojaken.'

'Je hebt mijn raad niet nodig. Je bent altijd al verstandiger geweest dan ik.' Lodrik duwde haar zachtjes van zich af, ging in de stoel bij het raam zitten en schoof het gordijn opzij om de bedrijvigheid op straat te kunnen volgen. 'Je vader heeft je opgevoed alsof hij wist dat je op een dag Kabcara van Tarpol zou zijn.'

Hij keek hoe een moeder met haar drie kinderen van de markt terugkwam. Ze had een grote rieten mand met brood en meel bij zich, terwijl de kinderen trots een paar dikke kolen meedroegen en wedijverden wie die het langst omhoog kon houden. De vrouw lachte, blij om hun enthousiasme. Het vrolijke geroep ontroerde hem en deed het ijs van zijn onverschilligheid smelten.

Een van de kinderen, een jochie van tien, tilde de kool hoog boven zijn hoofd, draaide om zijn as en keek toevallig naar boven. Daarbij ontdekte hij Lodriks gezicht achter het raam. Geschrokken liet hij de kool vallen, die de straat door rolde.

De moeder wilde hem een uitbrander geven, maar de jongen wees opgewonden naar het raam. Lodrik hoorde hem iets zeggen over een 'geest' die hij had gezien.

Lodrik schoof het gordijn half dicht en trok zich terug, zodat hij niet herkend kon worden. Hij onderdrukte de neiging om de capuchon van zijn mantel over zijn hoofd te trekken. Niemand mocht hem zien.

Norina was het niet ontgaan. 'Nou, heb je nog nuttige adviezen voor me?' vroeg ze, om hem af te leiden. Ze wist hoe gevoelig hij was.

Hij liet zich tegen de zachte leuning zakken. 'Ze zullen zich net zo opstellen als toen ik nog een jonge Kabcar was en veranderingen wilde doorvoeren. Ze willen je op de proef stellen, om te zien hoe ver ze kunnen gaan. Nu Tarpol er weer bovenop komt, zullen zij alles doen om hun deel te krijgen.'

'O, dat krijgen ze wel, maar anders dan ze hebben gedacht. Binnenkort zijn die machtige mannen en vrouwen nog wel rijk, maar niet langer machtig – zonder speciale privileges of bijzondere rechten, en met ieder vijftig hectaren grond waarvoor ze moeten zorgen.' Ze wees naar de schrijftafel, waar haar plannen lagen. 'Ze kunnen zelf hun handen vuilmaken of mensen in dienst nemen, tegen een loon. De tijd van uitbuiting is voorbij.'

'Ik las dat al het andere akkerland aan de dorpen, steden en boerenhoeven vervalt.' Hij trok zijn handschoenen wat strakker. 'Alle lijfeigenen komen vrij en krijgen honderd waslec om zaaigoed en beesten te kopen. Klopt dat?'

'Ja. In Tarpol begint een nieuwe tijd, waarvan de invloed niet meer is terug te draaien.' Ze liep naar hem toe en kwam tegenover hem zitten. Zelf koesterde ze zich in het zonlicht en de warmte op haar huid, terwijl de schaduwen om haar heen nog dieper en zwarter leken, alsof Lodrik ze om zich heen trok om zich tegen het schijnsel te beschermen.

Op dat ogenblik viel haar nog eens op hoe sterk hij veranderd was, en niet alleen uiterlijk. Nadat ze uit haar jarenlange amnesie was ontwaakt, hadden haar vrienden haar verteld dat hij zich steeds meer tot een zelfbewuste leider had ontwikkeld, totdat Govan en Zvatochna hem in die steengroeve hadden willen doden.

Hoe hij die aanslag had overleefd, bleef een raadsel. Het kon geen wonder zijn van Ulldrael, als je zag hoe hij was veranderd. Steeds opnieuw vroeg Norina zich af wat er die dag gebeurd was, maar ze dwong hem niet het haar te zeggen.

'Ik ga uit Ulsar weg, Norina,' klonk het duister uit de schaduw. 'Ik kan de blikken van de mensen niet verdragen.' Lodrik zag dat ze wilde protesteren. 'Je hoorde toch dat die jongen bang voor me was en me een "geest" noemde?' ging hij snel verder. 'Dat klinkt nog onschuldig. Als ik in de hoofdstad zou blijven en nog meer mensen me zouden zien, zouden ze algauw veel ergere woorden gebruiken. En vroeg of laat zou dat ook op jou terugslaan.' Hij tilde zijn hand op en wees naar zijn misvormde gezicht. 'Dit is de prijs die ik heb betaald voor het overleven van de aanslag door mijn eigen zoon. Mijn magie heeft me gered, maar midden in het leven sterf ik nu af.'

Norina's bruine ogen schoten vuur. 'Je had me beloofd dat je me zou helpen, Lodrik. Alleen daarom heb ik de titel van Kabcara aangenomen. Ik heb jouw raad en jouw ervaring nodig.' Ze pakte zijn handen. 'Blijf bij me, alsjeblieft.'

'Mijn ervaring? Net toen ik eindelijk een onafhankelijke koers ging varen, werd ik door mijn eigen kinderen afgezet,' antwoordde hij bitter. 'Tijdens mijn regering heb ik veel te lang naar Nesreca en Aljascha geluisterd. Daarom wil ik niet dat ze later zullen zeggen dat ik jouw Mortva Nesreca was, Norina.' Lodrik boog zich naar voren en deed inderdaad aan een geestverschijning denken, zoals zijn bleke gezicht uit die donkere hoek opdook. Hij pakte haar vingers, bracht ze naar zijn mond en kuste ze zacht. 'Als ik uit Ulsar vertrek, ben ik nog niet uit jouw leven. Ik weet heel goed wat ik je heb beloofd, en daar zal ik me aan houden. Buiten de stad ligt het stamslot van de Bardri¢s, waar mijn vader ooit woonde en waar ik zelf ben opgegroeid.'

'Maar dat is geplunderd, zodra het nieuws van Govans dood bekend werd,' merkte ze op. 'Je zou nu een akelig huis aantreffen, kaal en verlaten. De mensen hebben hun woede erop gekoeld.'

'Ik maak het wel gezellig,' zei hij luchtig. In werkelijkheid bedacht hij hoe goed dat huis bij hem paste: leeg, kaal en dood. 'Ik laat je wel weten wat ik nodig heb, dan kun je het me sturen. Behalve jou wil ik daar niemand zien. Geen mens mag weten dat ik daar woon. Kun je me dat beloven?'

'Van mij zal niemand het horen.' Norina voelde dat het geen zin had om op hem in te praten. Het was voor hem meer een kwelling dan een genoegen om in de hoofdstad te wonen. 'Mij kun je niet verbieden om je te komen opzoeken, en ook Krutor zal zijn vader willen zien.'

'Jullie zijn allebei van harte welkom.' Lodrik stond op en trok Norina naar zich toe in de schaduw.

Ze had het gevoel dat het kouder werd om haar heen toen hij haar omhelsde, alsof haar eigen lichaamswarmte op hem overging. Ze huiverde en kreeg kippenvel op haar armen, maar toch bleef ze bij hem.

'Ik zal vannacht nog vertrekken.' Hij had haar huivering opgemerkt en liet haar los. Met een glimlach duwde hij haar terug, de zon in. 'Als iemand vraagt waar ik naartoe ben, zeg dan maar dat ik door Tarpol reis om er uit jouw naam op toe te zien dat er geen onrecht geschiedt.' Langzaam liep hij naar de deur. 'Als dat verhaal de ronde doet, zullen heel wat hara¢s en skagucs zich wel twee keer bedenken om over de schreef te gaan. Het heeft ook voordelen om een legende te zijn van wie iedereen houdt maar die niemand over de vloer wil hebben.' En Lodrik verliet de theekamer.

Met zijn vertrek verdween ook de drukkende atmosfeer. De kleuren van de tapijten werden helderder en de muffe lucht werd verdreven door de geuren van de zomer. De hele kamer leek vriendelijker en lichter zodra de voormalige Kabcar de deur uit stapte.

Norina trok de gordijnen opzij en opende de grote ramen nog verder, om licht en lucht binnen te laten. Ze sloeg haar armen om zich heen en tilde haar hoofd op. Toen sloot ze haar ogen en gaf zich over aan de zonnen, die de ijzige kou uit haar botten verjoegen.

Ze zou Perdór schrijven hoe Lodrik was veranderd en hem vragen om Soscha's onderzoek naar de magie nog extra te ondersteunen. Ergens moest toch een middel bestaan om hem zijn oude levensvreugde terug te geven. Ze was bereid er jaren op te wachten, om eindelijk weer de Lodrik in haar armen te kunnen nemen die ze zo goed kende en naar wie ze terugverlangde.

Uit liefde voor Lodrik nam ze de rest op de koop toe. Ze had hem al één keer in haar leven verloren. Geen enkel mens of geen enkele macht op Ulldart – hoe ontzagwekkend ook – zou de kans krijgen haar opnieuw de man te ontnemen aan wie ze haar hart gegeven had.

Norina zoog de schone lucht diep in haar longen. Ze vermande zich en liep met haar papieren naar haar werkkamer om de wetteksten door te nemen die ze de edelen en brojaken wilde voorleggen. Aandachtig bladerde ze de besluiten door, die onmiddellijk na haar inauguratie in werking moesten treden. Hier en daar noteerde ze wat opmerkingen, wijzigingen en verbeteringen.

Nadat ze vier uur achter haar schrijftafel had zitten werken stond Norina vermoeid op om wat eten klaar te maken.

Weer moest ze aan haar vader denken. Hij zou trots zijn geweest op Lodrik en op haar.

Continent Ulldart, zuidwestkust van Tûris, zomer van het jaar 1 Ulldraels (460 n.S.)

'Is het niet heerlijk om op de planken te staan en de frisse zeelucht in te ademen, zonder bang te hoeven zijn dat die Rogogardische piraten weer ergens opduiken?' Commodore Nicente Roscario wierp de hinderlijke krullen van zijn witte pruik naar achteren. Ze benamen hem het zicht op de eilanden die in de verte opdoemden. Hij floot zijn bediende en zwaaide met zijn lege wijnglas om zich te laten bijschenken. 'Gelukkig is de oorlog voorbij en zijn wij er nog redelijk vanafgekomen.' Tevreden keek hij toe hoe de jongeman zijn bokaal bijvulde. 'Uiteindelijk was het best gunstig voor de handel,' zei hij grijnzend, terwijl hij een slok nam. 'Op Palestan, de Handelsraad en onze koning! Moge onze schatkist steeds gevuld zijn.'

Naast Roscario stonden twee roerloze stuurlui, die de monoloog van de ijdele man gelaten aanhoorden en de snelle tweemaster *De Verheffing* op koers hielden naar hun reisdoel: de kale, grillig gevormde iurdum-eilanden van Tûris.

Naast wat zilver en goud kwam vooral het zeldzaamste metaal van het continent hier in veel ruimere mate voor dan in de rest van Ulldart, en dat wekte uiteraard de hebzucht van mensen die op snelle winst uit waren.

Het verwonderde de commodore dus niet dat er langs de kust zware vestingen waren aangelegd om een mogelijk vijandelijk schip te kunnen begroeten met een kruisvuur van katapulten en sinds kort ook bombardes die met ijskogels werden geladen.

'Het lijkt wel een reusachtige fluim van iemand met een longaandoening.' Roscario wees naar de geelgroene rotsen die zich achter de muren verhieven, soms steil en loodrecht, dan weer met golvende rondingen. Overal gaapten zwarte gaten, alsof de steen was aangevreten door reuzenwormen die daar een hol hadden gegraven. In werkelijkheid waren het sporen van de mijnbouw die hier al jaren plaatsvond.

De commodore zette zijn glas neer en pakte zijn verrekijker. 'Wat een troosteloze bende,' neuzelde hij. 'Oude schachten, afgegraven hellingen, verlaten mijnen, met daartussen wat gras dat door de zeewind is platgedrukt.' Zwierig schoof hij de kijker weer in elkaar. 'Zelfs een schaap zou er niet kunnen leven en zich nog liever in de afgrond storten.'

Zijn adjudant stormde de ladder naar het achterdek op. De lange panden van zijn kostbare, lichtblauwe brokaatmantel wapperden in de wind en in dit licht vroeg Roscario zich even af of zijn ondergeschikte niet duurder gekleed was dan hijzelf.

'Commodore!' hijgde de adjudant opgewonden, begeleid door het zachte gerinkel van de siergespen op zijn schoenen. 'Ik heb iets vreemds ontdekt.'

Misnoegd pakte Roscario de man bij zijn opvallende kraag en wreef de stof tussen duim en wijsvinger. 'Zodra we van onze missie naar Palestan zijn teruggekeerd, vervoeg jij je onmiddellijk bij je eigen kleermaker, mijn waarde Puaggi, om je een mantel te laten aanmeten die minder dan honderd heller kost!' zei hij verontwaardigd. 'Het kan me niet schelen dat je een achterneef van onze koning bent, in de hoeveelste graad dan ook, en je je deze kleren kunt veroorloven. Zolang je hier naast míj staat, kleed je je eenvoudiger dan ik! Is dat goed begrepen?'

Sotinos Puaggi, een jongeman van hooguit achttien, met een slank postuur en zo'n smal gezicht dat de wind een liedje floot langs zijn scherpe voorhoofd, keek passend beschaamd bij deze terechtwijzing. 'Neem me niet kwalijk, commodore, maar deze jas is een geschenk van de koning. Het zou van weinig respect getuigen als ik hem niet droeg.'

Roscario bracht zijn wandelstok omhoog en sloeg met de punt naar Puaggi's mantel, waardoor er een paar opgestikte parels losscheurden, die over de planken van het dek rolden en in de spleten verdwenen. Matrozen raapten ze heimelijk op, als drinkgeld voor de volgende kroeg waar ze terecht zouden komen. 'Goed, draag die mantel dan. Maar zoals hij nu is,' luidde Roscario's tevreden commentaar. 'Zo kan het ook.'

Puaggi staarde naar de scheur in zijn jas. Van verbazing en verontwaardiging over deze brutaliteit kon hij geen woord meer uitbrengen.

'Ja?' vroeg Roscario smalend. 'Wat sta je daar nou naar adem te happen, Puaggi, als een vis op het droge?'

De adjudant gaf geen antwoord. Het kon niets aan de feiten veranderen en zijn kapitein zou toch niet luisteren. In plaats daarvan stak hij hem de brief toe, die onder meer de volmacht van de Palestaanse koning voor deze diplomatieke missie bevatte. 'Ik heb iets vreemds ontdekt,' herhaalde hij.

'En wat mag dat zijn?' Roscario griste hem de envelop uit zijn hand, haalde er de twee velletjes uit en vouwde ze open met een duidelijk vertoon van ongeloof in de zogenaamde ontdekking van zijn adjudant. 'We liggen op de goede koers, het is de juiste datum en het weer is prachtig, mijn waarde Puaggi.' Hij hield het eerste vel omhoog. 'De opdracht van onze koning,' verklaarde hij, en hij wapperde met het tweede blaadje. 'En toestemming van de nieuwe koning van Tûris, hoogheid Bristel, om op dit eiland ruw iurdum te kopen en aan boord te nemen.' Hij wierp Puaggi de brieven in zijn wigvormige gezicht. 'Steek ze weer in de envelop en bewaar ze goed.'

De adjudant beheerste zich met moeite. 'Het vreemde, commodore,' hield hij vol, 'is dat we wel toestemming hebben iurdum te kopen, maar geen koninklijk bevel aan de Tûritische commandant van de vesting om ons door te laten.' In afwachting van een verklaring vouwde hij de papieren zorgvuldig op en borg ze in de envelop.

Roscario spreidde theatraal zijn armen, alsof hij de grote mast wilde omhelzen. 'Ach, mijn waarde! Zo vreemd is dat toch niet? Een nalatigheid, dat is alles. We zullen de commandant duidelijk uitleggen hoe het zit. Met die twee brieven en mijn welsprekendheid komen we de haven wel binnen.'

Tijdens de discussie was het schip weer een eind gevorderd. De boeg van *De Verheffing* sneed door het rustige water, dat zich als een rimpelloos blauw laken voor hen uitstrekte. De gunstige zuidenwind blies hen met kracht naar de kust, en al ver voor de smalle haveningang moesten ze de zeilen reven om niet met volle snelheid tegen de vestingmuur te knallen. Het grootzeil was ruim voldoende om de tweemaster een aardig vaartje te geven.

Voorlopig zouden ze even geduld moeten oefenen. Voor de feitelijke ankerplaats verhief zich een vestingmuur van zo'n vijftien passen hoog, die van talloze geschutsluiken was voorzien. Een ijzeren hek in die muur, aangetast door het zoute water en de elementen, versperde hun de doorgang.

Roscario stuurde een seiner het kraaiennest in om de soldaten van Tûris met vlagsignalen te laten weten met welke missie een Palestaans schip hier voor het eerst in de geschiedenis wilde aanleggen.

'Het is wel heel onnozel van Bristel om zich zijn monopolie op de zeehandel in iurdum door ons te laten aftroggelen,' zei de commodore grijnzend. 'We kunnen er een vermogen mee verdienen, tien keer zoveel als we voor de concessie hebben betaald.'

Inmiddels was de tweemaster de vestingmuur van het havenbekken tot op een halve mijl genaderd, maar er gebeurde niets.

'Ze zullen ons niet vertrouwen,' voorspelde Puaggi, en hij drukte zijn driekante steek wat steviger op zijn relatief bescheiden pruik, die in elk geval geen jaloezie opwekte.

Bij hoge uitzondering was Roscario het met hem eens, ook al zei hij dat niet. 'Reef het grootzeil,' beval hij kort. Zijn bootsmaten brulden de order over het dek, en de matrozen klommen al behendig het want in om het laatste zeil aan de ra vast te sjorren.

Onmiddellijk liep de snelheid van *De Verheffing* nog verder terug. De voorplecht, die door het tempo enigszins uit het water was gekomen, zakte volledig terug en remde het schip nog extra af. Afwachtend bleef de tweemaster voor de gesloten haveningang dobberen, terwijl de seiner nog altijd druk bezig was met zijn vlagsignalen. Het geluid van de wapperende wimpels drong tot het achterdek door. Na een tijdje onderbrak hij dit merkwaardige gesprek, boog zich over de rand van zijn mand naar de kapitein en legde zijn handen om zijn mond. 'Ze zeggen dat we geduld moeten hebben,' riep hij naar beneden. 'Het hek zit klem, maar het zal niet lang meer duren voordat ze het los hebben.'

'Heel goed. Zet de fok bij, en langzaam vooruit,' beval Roscario. 'Zie je hoe eenvoudig het is om aan iurdum te komen? Blijkbaar heeft de koning onze komst al gemeld. Je maakte je dus weer zorgen om niets, Puaggi.' Hij wierp een blik op de gescheurde mantel van zijn adjudant. 'Nou, niet helemaal,' verbeterde hij zichzelf met een gemeen lachje.

Het kleine zeil voor de boeg van de tweemaster ging omhoog en

De Verheffing maakte weer vaart toen het grote, roestige hek, zo hoog als de grote mast van het schip, langzaam en knarsend naar rechts schoof.

Stukje bij beetje werd de koopvaarders een blik gegund op de haven, die grote indruk maakte. Achter de muur lagen zo'n vijfendertig Tûritische iurdumschepen voor anker. De nieuwste modellen van Sinureds gevreesde oorlogsbodems dobberden rustig in de haven. Dankzij een met ijzer beslagen romp, een stormram op de boeg en een bewapening van katapulten en bombardes zouden ze zich zonder probleem een weg kunnen banen door een Rogogardische piratenvloot. De twee laatste, van machtshonger bezeten vorsten uit de Bardri¢-dynastie zouden deze oceaanreuzen graag bij de belegering van de eilandforten en havensteden hebben ingezet. Vooral het eilandenrijk Rogogard zou kwetsbaar zijn geweest voor de onvoorstelbare vuurkracht van deze bombardeboten.

Roscario floot tussen zijn tanden. 'Bij de verloren schatten van onze voorvaders! Daar geeft Tûris een van zijn geheimen prijs. Die schepen moeten in de laatste maanden van de oorlog door Govan Bardri¢ zijn gebouwd. Zo onnozel is Bristel dus niet. Hij heeft zich verzekerd van een uitstekende vloot, die geen kapers hoeft te vrezen,' mompelde hij.

De zware schepen, die door de Palestanen met verbazing werden begroet, waren zowel met zeilen als met een dubbele rij roeibanken uitgerust, zodat ze altijd konden uitvaren, ongeacht het gewicht van de lading.

'Verdomme, dat is een beangstigende vloot.' In zijn stem klonk de angst door dat Palestan met een nieuwe zeeroversnatie kon worden geconfronteerd. 'Alsof we nog niet genoeg hadden aan die vervloekte Rogogarders. Tuig is het, dat ons, eerlijke koopvaarders, het leven zuur maakt. Ach, waar zijn de roemrijke tijden gebleven toen elke tocht die we maakten nog met winst werd beloond? Nu is het al winst als het ons lukt een haven binnen te komen.'

'We moeten de Handelsraad bericht sturen. Misschien wil koning Bristel ons die vloot meegeven tegen de Tzulandriërs die zich in het noordwesten van ons mooie vaderland hebben ingegraven,' opperde Puaggi.

'Daar slaat u bij hoge uitzondering de spijker op de kop, adjudant. Er komt nog wel een kans om Bristel erin te luizen.' Hij genoot van de aanblik van de schepen. 'Als we die schepen voor ons laten vechten, zijn we in één klap niet alleen van die Tzulandriërs, maar ook' – hij knikte naar de bombardeboten – 'van dit gevaarlijke tuig verlost.' Met een voldane grijns keek hij Puaggi aan. 'Heb ik dat niet slim bedacht?'

Een enkele, doffe trommelslag klonk over het water.

De iurdumschepen lichtten tegelijkertijd het anker en de ene klap werd gevolgd door een ritmisch tromgeroffel, dat aanzwol tot een monotoon concert. Hier en daar werden bevelen geschreeuwd en kwam er antwoord. De eerste liederen onder de roeiers klonken al op.

'Eigenlijk was het míjn idee, commodore,' protesteerde Puaggi.

'Nee, nee,' hield Roscario vol, terwijl hij de manoeuvres volgde, 'jij zei "misschien". Ik heb het over feiten. Maar in bepaalde omstandigheden ben ik wel bereid jouw aarzelende suggestie te vermelden – afhankelijk van mijn stemming en jouw gehoorzaamheid.'

'Maar...'

'En ook van het aantal keren dat je me tegenspreekt. Begrepen?' voegde hij er bars aan toe. Maar toen glimlachte hij. 'Genoeg hierover. Kijk toch hoe vriendelijk die Tûrieten zijn. Je komt langs om ze een oor aan te naaien en ze vormen een erehaag die past bij de gelegenheid,' zei hij, terwijl hij een hand op zijn heup zette en een koninklijke pose aannam. 'Laten we genieten van deze ontvangst, Puaggi.'

De voorste van de galeien stak aan één kant de riemen in het water en draaide ter plekke om zijn as, zodat hij dwars naar de Palestanen kwam te liggen. De geschutsluiken klapten naar boven en witte wolkjes stegen op uit de vuurlopen van de bombardes. Even later drong het zware gedreun van de explosies tot *De Verheffing* door.

Vier passen voor de boeg van het Palestaanse schip spatte de eerste fontein op.

Onmiddellijk verdween de grijns van het gezicht van de verveelde commodore. 'Stelletje idioten!' Voor een saluut werd maar zelden scherpe munitie gebruikt, en zeker niet in de richting van de gast die men wilde verwelkomen. 'Hoe kun je zo dom zijn! Ik zal eisen dat de geschutsmeester op passende wijze wordt bestraft voor deze...' Toen er nog meer fonteinen rond de Palestaanse tweemaster opspatten, begon hij te vermoeden dat het eerste schot slechts de voorbode was geweest van een heel salvo. 'Ze schieten echt! Schandalig! Op ons...' Hij zweeg, totaal verbijsterd.

'Hard stuurboord! Weg van de ingang, zo dicht mogelijk langs de vestingmuur, zodat we in de dode hoek van die bombardes komen!' brulde Puaggi, die het eerst van de schrik bekomen was. Hij was immers niet alleen koopman, maar ook een goed opgeleide officier, die anders dan zijn commandant op de juiste wijze reageerde. 'Alle hens het want in! Hijs de zeilen. Gereedmaken voor het gevecht.'

Roscario liet hem begaan, balde zijn vuist en sloeg ermee op de reling. 'Begrijp je die Tûrieten nou? Wat willen ze bereiken?'

'Waarschijnlijk zijn we te vroeg aangekomen en hebben we iets gezien wat we niet hadden mogen zien,' opperde Puaggi, terwijl hij keek hoe de matrozen op grote hoogte langs de ra's en door het want klauterden om de zeilen uit te rollen die de tweemaster zijn beslissende snelheid gaven. Tot dat moment kon het schip zelfs door een voorbijdrijvende dode eend worden ingehaald.

'Dat verklaart dan nog niet waarom koning Bristel ons hier heeft toegelaten.' Roscario vloekte, tuurde naar de galei die weer om zijn as draaide en zijn andere zijde schietklaar maakte. 'Dit slaat nergens op.' Hij pakte zijn verrekijker en trok hem helemaal uit om het dichtstbijzijnde vijandelijke schip met maximale vergroting te kunnen bekijken. Langzaam bewoog hij de kijker van links naar rechts om te zien wat zich op het dek van de tegenstander afspeelde.

Bij toeval kreeg hij de gezagvoerder voor zijn lens, die zijn eigen kijker op de Palestanen had gericht. 'Bij alle valse munten! Dat zijn geen Tûrieten,' siste hij met opeengeklemde kaken. Hij kende die leren wapenrusting met zijn merkwaardige, ingebrande motieven en tekens, en de opgenaaide maliënkolder om het betrekkelijk dunne leer te versterken, zonder de drager onmiddellijk naar de bodem van de zee te sleuren als hij in een zeeslag overboord sloeg. Aan zijn avontuurlijke kapsel, met de grotendeels kaalgeschoren schedel, het hoekige, gladgeschoren gezicht en de woeste blik in de ogen van zijn tegenstander herkende Roscario de man als een voormalige bondgenoot van Palestan. Helaas waren de bondgenoten door alle veranderingen op Ulldart na de dood van Govan Bardri¢ gezworen vijanden geworden.

'Tzulandriërs,' snauwde de commodore. 'Bij alle monsters en demonen, wat hebben die vervloekte troepen van Bardri¢ hier nog te zoeken? Ze zouden toch op de terugtocht zijn vernietigd? Ik weet zeker dat ik zulke berichten heb gehoord.'

'Nee, niet allemaal. Twee van onze eigen vestingen zijn nog altijd in handen van de Tzulandriërs,' wees Puaggi hem terecht. Behalve angst voor de onverwachts opgedoken overmacht voelde de adjudant ook enige voldoening dat hij zijn commandant tijdig voor het mogelijke gevaar had gewaarschuwd. 'Koning Bristel wist natuurlijk dat de Tzulandriërs deze eilanden bezet hielden en heeft ons met open ogen in de val gelokt.'

De Verheffing voer nu op een afstand van hoogstens twee riemlengten langs de vestingmuur. Boven het schip openden zich de geschutsluiken in de muur, maar vanuit die hoek waren de Palestanen onmogelijk te treffen. De vuurmonden van de bombardes konden niet ver genoeg omlaag worden gericht zonder dat de kogels vanzelf uit de loop zouden rollen voordat het kruit was ontstoken. Er was dus nog hoop. Het ene zeil na het andere ving de wind om het Palestaanse schip bij de vijand uit de buurt te brengen.

Puaggi keek over zijn schouder, speurend naar mogelijke achtervolgers, en zag tot zijn ontzetting de boeg van de galei al door de havenmond naar buiten glijden.

De Magodan verstond zijn vak. Hij wachtte niet met de beschieting totdat zijn schip volledig het havenbekken had verlaten, maar gaf de bombardiers bevel te vuren zodra ze hun doelwit in het vizier hadden.

Het eerste kanon dreunde al, en het schot floot akelig dicht over de smalle achtersteven van het zeilschip, iets te hoog gericht om de kapiteinshut of het roer te treffen.

'Zoek dekking!' schreeuwde Puaggi, en hij sprong omlaag langs de ladder vanaf het achterdek. Hij landde met een klap beneden, rolde lenig over de planken en sprong weer overeind. Boven zijn hoofd klonk een dreun, en hij hoorde iemand kermen.

De kogel had de opbouw van het achterschip geraakt, was daar afgebogen en had de wegduikende Roscario zo ongelukkig getroffen dat de man doormidden was gekliefd en in twee stukken over de reling was geslingerd. Een van zijn schoenen lag nog op het dek, als een bloederige herinnering aan de commodore, zag Puaggi toen hij weer naar boven klom. Binnen één seconde was hij tot commandant gepromoveerd.

De Verheffing had inmiddels alle zeilen bijgezet en stormde op volle snelheid naar open zee. De afstand tussen het schip en de bombardes van de galei werd zienderogen groter.

'Koers houden!' beval Puaggi, en hij wees naar de knik in het uiteinde van de vestingmuur, die drie mastlengten voor hen uit naar links afboog. 'Vanaf dat punt hard stuurboord vooruit, zodat we in het verlengde van die dode hoek naar het noordoosten kunnen wegkomen.' De roergangers knikten.

Opnieuw klonk er een salvo, en de kogels sloegen gaten in het hout en de zeilen, maar gelukkig liepen *De Verheffing* en haar bemanning geen fatale voltreffer op. Door het verlies van een mast zou het schip veel snelheid hebben verloren en een eenvoudige schietschijf voor de galei geworden zijn. De voorlopige schade kon door de scheepstimmerlui wel in een rustig uurtje op zee worden hersteld. De slachtoffers onder de bemanning beperkten zich – op de dood van de commodore na – tot enkele gewonden die door rondvliegende splinters waren geraakt.

Inmiddels hadden ze het punt bereikt voor de lastige en riskante wending.

Puaggi hielp de mannen bij de bediening van het roer en wist de manoeuvre zo nauwgezet uit te voeren dat de tweemaster geen doelwit werd voor de bombardes van de vesting, een prestatie die door de bemanning met gejuich werd begroet. Maar de adjudant maakte zich wel zorgen toen de Tzulandrische galei weer om zijn as draaide voor een laatste salvo op het Palestaanse schip voordat het definitief buiten vijandelijk bereik zou komen.

'Bombardiers,' beval Puaggi, 'laad het geschut met een drievoudige kruitlading en twee kogels in iedere loop.' De mannen staarden hem ongelovig aan, waardoor kostbare seconden verloren gingen. 'Snel! Richten op de achtermast van de galei, vlak boven de waterlijn.'

Toen de order was uitgevoerd en Puaggi met een angstig gemoed bevel gaf om te vuren, klonk er een gebulder uit de vuurmonden van de bombardes zoals de mannen nooit eerder hadden gehoord.

De explosieve kracht van het kruit rukte drie van de bombardes uiteen. Ernstig verminkt door de messcherpe scherven werden de bombardiers en hun mannen door het ruim geslingerd. Wie zijn eerste verwondingen overleefde, sneuvelde door het geweld waarmee hij tegen de balken van het schip gesmeten werd. Hier en daar kwamen de planken van het dek omhoog en regenden zand en zaagsel door de kieren. Door de terugslag helde *De Verheffing* gevaarlijk naar bakboord. Trossen, munitie en alles wat niet nagelvast zat gleed naar links.

Puaggi klampte zich aan de reling vast om op de been te blijven. 'Volhouden, mannen! Het moet ons lukken, of we zijn voer voor de vissen.'

Inmiddels daalde er op de Tzulandrische galei een regen van ijzer neer, waartegen zelfs de verstevigde romp en de stalen platen niet bestand waren.

Dertien schoten troffen doel en veroorzaakten gaten ter grootte van een tafelblad. Ze scheurden de metaalplaten open, boorden zich door het hout en versplinterden de romp. Water stroomde het ruim binnen en de galei begon te zinken. Even later maakte het schip slagzij en was het niet langer in staat het vijandelijke vuur te beantwoorden.

De opgeluchte Palestaanse bemanning bejubelde Puaggi om deze gewaagde, maar geslaagde actie. Hoewel hij niet veel ouder was dan de scheepsjongen, accepteerden ze hem toch als hun nieuwe commodore.

Niets kon *De Verheffing* nu nog tegenhouden bij haar vlucht. De bombardes van de vesting vuurden nog wel, maar de kogels plonsden ver voor de achtersteven in zee.

Terwijl Puaggi de gelukwensen van de onderofficieren in ontvangst nam, voelde hij het zweet van onder zijn kleine pruik over zijn voorhoofd druppelen. Hij stond te trillen op zijn benen na het doorstane gevaar, maar voelde zich geweldig. Totdat de uitkijk een Tarvinische dharka signaleerde, met de Rogogardische vlag in top. De volgende aartsvijand had het alweer op de tweemaster voorzien.

'Aan de belastingontvanger ontsnapt en nu de struikrover in de armen gelopen,' vatte hij hun situatie samen. Hij wierp een blik op de gezichten van zijn mannen, die na zijn huzarenstukje blijkbaar nieuwe heldendaden van hem verwachtten.

Bij de nadering van het vijandelijke schip kwam hij op een krankzinnige inval. Het werd tijd dat de Palestanen bekend werden om hun onverschrokkenheid. Puaggi grijnsde als een brutale kwajongen, waardoor zijn smalle gezicht opeens veel breder leek. 'Gereedmaken voor de aanval!' schalde zijn bevel over het dek.

In de lange geschiedenis van de Palestaanse marine was het zelden of nooit voorgekomen dat een bemanning bij zo'n order een vreugdegehuil had aangeheven.

Continent Ulldart, koninkrijk Tarpol, provinciehoofdstad Granburg, zomer van het jaar 1 Ulldraels (460 n.S.)

'Kom maar bij me, Vahidin!' Zonder op haar dure, donkergroene jurk te letten liet Aljascha zich op haar knieën zakken en spreidde haar armen toen het jongetje lachend naar haar toe kwam, zich met zijn gezicht tegen haar hals wierp en zich blij tegen haar aan klemde. 'Wat ben je toch een wildebras,' berispte ze hem half ernstig, half geamuseerd. 'Ik zei toch niet dat je me omver moest lopen?' Ze trok zijn uniform glad, waarin hij eruitzag als een kleine koningszoon, en zette zijn muts recht.

Hij keek haar schuldbewust aan en hield haar verzoenend zijn leitje voor, waarop hij met krijt een tekening had gemaakt. Het was een voorstelling van een kleine en een grote figuur voor een gebouw. De zon scheen en er stonden een heleboel mensen om hen heen.

'Voor jou, mama,' zei hij, en hij keek haar met zijn magentakleurige ogen vol liefde aan. Heel even liet hij zijn pupillen hun drievoudig gespleten vorm aannemen en knipoogde tegen haar. 'Dat zijn wij,' zei hij, wijzend op de beide figuren. 'Die anderen, dat zijn de Granburgers. Jij bent hun koningin, en ze zijn blij.'

'Ach, wat lief van je.' Aljascha pakte het leitje aan. 'Het is bijna te mooi om uit te wissen.' Samen keken ze naar de kindertekening. 'Weet je wat? Ik zal hem bewaren en een nieuw leitje voor je kopen om op te tekenen.' Vahidins knappe gezichtje lichtte op; hij was trots op de prijzende woorden van zijn moeder. 'Maar, jongeman, hadden we niet afgesproken dat je dat kunstje met je ogen niet meer zou doen?'

'We zijn toch alleen?' antwoordde hij snel. 'Er is niemand bij.'

Aljascha liet zich niet tegenspreken. 'Vahidin, je houdt je aan je woord. En wat was dat ook alweer?'

Hij boog zijn hoofd. 'Dat ik het niet meer zou doen. Alleen als we samen oefenen,' herhaalde het jongetje bedrukt zijn belofte.

'Goed, schat.' Ze streelde zijn wang. 'Dit was de laatste keer, anders moet ik een straf voor je bedenken.'

Hij knikte opgelucht en keek haar weer vrolijk aan. Het krachtige purper rond zijn irissen was verdwenen en had plaatsgemaakt voor een warm en vriendelijk bruin. 'Mag ik weer gaan spelen?'

'Natuurlijk, Vahidin.' Aljascha nam zijn gezicht tussen haar handen, drukte hem een kus op het puntje van zijn neus en liet hem terug naar de tafel gaan, waarop hij met blokken een rijtje huizen bouwde.

Dat is ons huis en onze straat! zag Aljascha toen ze wat beter keek. Haar zoon was bezig de hele omgeving van hun bescheiden woning na te bouwen, met bijna griezelige precisie.

Ze wist dat hij al redelijk kon lezen en rekenen. Hij leerde het zichzelf, bijna zonder hulp van haar. Als hij in dit razende tempo vooruit bleef gaan, moest ze leraren aan huis laten komen, met wie Vahidin net zoveel tijd kon doorbrengen als hij wilde. Zijn leergierigheid leek niet te stillen.

Je bent een merkwaardig kind. Zoiets heeft Ulldart nog niet meegemaakt, dacht Aljascha toen ze opstond. Peinzend ging ze aan het tafeltje zitten waarop een glas melk stond, met koekjes. Vandaar observeerde ze haar zoon, die ze verafgoodde. Dat kon ze soms uren doen.

Wat haar juist zoveel genoegen deed, maakte het personeel in huis nogal onrustig. Ze vonden de jongen maar vreemd, alsof hij regelmatig een onverklaarbare groeistuip doormaakte. Aanvankelijk waren de dienstmeiden vol bewondering geweest over zijn scherpe, snelle verstand, maar dat was algauw omgeslagen in argwaan – reden voor Aljascha om al haar personeel te ontslaan en zich verder zelf om het huishouden en haar kind te bekommeren. Voor haar zoon nam ze de extra last van die dagelijkse beslommeringen in Granburg graag voor lief.

De jongen stapelde het ene blok op het andere, zonder te aarzelen of lang na te denken. Terwijl zijn leeftijdgenootjes hun eerste stapjes deden door de hobbelige straten en een paar korte, eenvoudige zinnetjes wisten uit te brengen, sprak Vahidin al vloeiend en bewoog hij zich zonder moeite. Niets aan dit kind was gewoon; en juist dat beviel Aljascha zo.

Wanneer zal de magie in je wakker worden? vroeg ze zich peinzend af, terwijl ze in zijn lieflijke gezichtje een gelijkenis met zijn vader probeerde te ontdekken.

Het zaad dat Mortva Nesreca bij hun talloze liefdesavonturen in haar schoot had vergoten, had een vrucht voortgebracht waaruit nu een boom groeide die alle andere in de schaduw stelde. Anders gezegd: met Vahidin zou ze haar macht weer terugkrijgen, eerst in haar voormalige baronie Kostromo en dan ook in Tarpol. Wat daarna kwam, zou ze wel zien. Ze had geleerd niet te veel ineens te willen.

Het ergerde Aljascha mateloos dat uitgerekend Norina Miklanowo, die kleine Granburgse hoer, nu op de troon zat – háár troon, waarnaar ze de afgelopen jaren tevergeefs haar handen had uitgestrekt. Noch dankzij Lodrik, noch met de hulp van Mortva, Govan of Zvatochna had zij, Aljascha, de kroon van Tarpol kunnen veroveren, en de laatste machtswisseling in het verre, mooie en moderne Ulsar had haar helemaal niets opgeleverd. Nog altijd zat ze in dit min of meer comfortabele huis in Granburg en moest ze zich behelpen met een karige toelage, die de gouverneur haar aan het begin van iedere maand uitbetaalde. In elk geval was haar huisarrest opgeheven.

Zelfs Aljascha's favoriete tijdverdrijf – mannen – was in deze gure provincie op de achtergrond geraakt. Vroeger had ze elke week met een andere man het bed gedeeld, maar die tijd was voorbij. Haar zorg om Vahidin, die zich zo snel ontwikkelde, liet geen intieme betrekkingen en amoureuze avontuurtjes toe, dus had ze zich voor het eerst uit het openbare leven teruggetrokken. De voormalige machtigste vrouw van Ulldart had haar bestaan nu volledig rond haar zoon georganiseerd. Niets was belangrijker dan hij, en voor het eerst in haar leven voelde ze zich echt moeder. Dat was bij de drieling wel anders geweest.

Er werd luid aangebeld, harder dan gepast was.

'Speel maar verder, Vahidin,' zei Aljascha, en ze stond op. 'Ik heb bezoek.'

Bij hoge uitzondering verheugde ze zich op de gasten, want het waren mensen met hetzelfde doel als zij, die uitstekend in haar plannen pasten. Nu zou ze bewijzen hoe goed ze het spel van list en intrige beheerste. Haastig liep ze de hoge kamers door en de trap af naar de voordeur, waar ze door het kijkgaatje tuurde.

Voor de deur stonden drie onopvallende mannen, eenvoudig gekleed als rondreizende timmerlui uit het naburige Borasgotan. Ze hadden hout en gereedschappen bij zich.

De roodharige vrouw, die ondanks haar gevorderde leeftijd nog niets aan schoonheid had ingeboet en met de lichte rimpels om haar groene ogen nog aantrekkelijker was dan ooit, opende de deur. 'Nou, dat zal tijd worden,' begroette ze de mannen bars en op luide toon, voor het geval toevallige voorbijgangers haar zouden horen. 'In de tussentijd hadden die balken allang kunnen instorten.' Ze deed een stap terug en liet de mannen binnen. Nauwelijks was de deur achter hen dichtgevallen of ze liet haar masker vallen. Met een vriendelijke glimlach wees Aljascha haar bezoekers naar de deur aan de linkerkant, die in de salon uitkwam. 'Ik ben blij dat u mijn uitnodiging hebt aangenomen.'

De mannen gingen om de tafel zitten en wierpen hun planken en gereedschappen achteloos in een hoek.

Aljascha schonk thee in kopjes van dun porselein en schoof het melkkannetje en het blad met kersenjam, room en suiker naar haar gasten toe. 'Bedien uzelf, als u wilt. Er is hier geen personeel.'

De mannen waren tussen de dertig en veertig jaar oud, gemiddeld van uiterlijk en postuur, zodat niemand hen op straat zou opmerken. Ze waren nergens aan te herkennen. Hun fanatieke geloof in Tzulan, de Geblakerde God van het onheil, stond niet op hun gezicht te lezen.

Aljascha was zich bewust van de begrijpelijke onrust van haar bezoekers. Officieel was hun cultus in Tarpol verboden, en bovendien wilde de meerderheid van de bevolking niets meer met de Geblakerde God te maken hebben. Er waren al ettelijke priesters vermoord, en de laatste Tzulan-tempels waren in vlammen opgegaan of aan Ulldrael de Rechtvaardige overgedragen.

'In dit huis hoeft u nergens bang voor te zijn,' stelde ze het drietal gerust. 'Perdórs verspieders zijn niet meer in mij geïnteresseerd. Voor hen en voor de rest van Tarpol ben ik slechts een herinnering, die geen aandacht waard is. In dat opzicht heeft een ballingschap, of hoe je mijn leven wilt noemen, ook voordelen.'

De oudste, een aantrekkelijke man van een jaar of veertig, boog zijn hoofd. 'Ik ben Lukaschuk, priester van Tzulan, en ik wil u hartelijk danken voor deze ontmoeting, Aljascha Radka Bardri¢.' Hij deed jam in zijn thee en keek zijn gastvrouw nieuwsgierig aan, met iets van onverholen verlangen in zijn bruine ogen. Bij de meeste mannen wekte Aljascha nog altijd begeerte op, en die zwakheid van het sterke geslacht gebruikte ze om haar aanbidders aan zich te binden. 'Graag horen we waarover u ons wilt spreken.'

'Wij allemaal, Lukaschuk – of beter gezegd, de Tzulani en ik – bevinden ons in dezelfde nederige positie. Ooit stonden we aan de top, maar met geweld zijn we daar verdreven.' Aljascha schonk het drietal een glimlach, even minzaam als ze eerst thee had ingeschonken. Haar valse vriendelijkheid werd maar door heel weinig mensen doorzien. 'Maar wie of wat kan ons verhinderen onze oude plaats weer in te nemen?'

'De bevolking van Ulldart?' lachte de man links van Lukaschuk bitter.

'Onzin! De mensen luisteren altijd naar de machthebbers,' reageerde ze minachtend, met de duidelijke suggestie dat ze geen waardering had voor zwakke mannen. 'Zodra wij weer het heft in handen hebben, bepalen wij tot wie zij bidden.' Hoewel ze hem verbaal de les las, keek ze de man aan met een zwoele belofte in haar groene ogen, die de scherpe kantjes van haar woorden sleep. 'We zullen klein beginnen. Kostromo en Tarpol zijn maar een aanzet. Van daaruit richten we ons op Hustraban en Borasgotan.'

Lukaschuk dronk van zijn thee, veegde langs zijn snor en knikte waarderend bij de kwaliteit van de kersenjam. 'En hoe denkt u dat te bereiken?'

'Met hulp van u, de Tzulani, wil ik de baronie en mijn eigen koninkrijk Tarpol heroveren. Ik zal... nee, ik bén, de rechtmatige Kabcara van Tarpol. In mij, anders dan in die concubine van de voormalige koning en mijn ex-echtgenoot, Lodrik Bardri¢, stroomt wel degelijk het koninklijke bloed van het huis Bardri¢. Ook de bepaling van mijn ex-man dat ik na onze scheiding al mijn rechten heb verspeeld doet geen afbreuk aan mijn aanspraken op de troon.'

Lukaschuk wisselde een snelle blik met de twee anderen. 'En welke rol spelen wij daarin?' Hij gooide zijn lange, donkerbruine haar naar achteren. 'Zoals u weet, staat Norina Miklanowo hoog aangeschreven...'

'... en hoe langer wij wachten, des te steviger zal ze in het zadel zitten,' vulde Aljascha aan. 'Ik ken de wegen van de diplomatie. Ook ik kan beweren dat ik opkom voor hervormingen, vrijheid en gelijkberechtiging, maar de Tzulani en ik zouden wel beter weten.'

'Voordat u aanspraak wilt maken, zult u die Miklanowo toch uit de weg moeten ruimen,' merkte Lukaschuk onverschillig op.

'Offer haar aan Tzulan,' lachte Aljascha klaterend. 'Dan wordt iedereen er beter van.'

De mannen grijnsden.

'Dus u verwacht van ons, vasruca, dat wij uw diplomatieke pogingen om de troon te heroveren zullen ondersteunen met acties waarvan u ons bijtijds op de hoogte brengt. En wat mogen wij in ruil daarvoor verwachten?' wilde Lukaschuk weten.

'De garantie dat Tzulan in elk geval in de baronie en later ook in Tarpol weer in alle openlijkheid mag worden vereerd. Ik zal de tempels en de priesters door mijn soldaten laten beschermen,' lichtte Aljascha stralend haar voorstel toe. Zoals hij haar aankeek, was ze ervan overtuigd dat ze hem met wat voorgewende interesse en aanvallige blikken om haar vinger zou kunnen winden. 'Bovendien zal ik alle rechtmatig ter dood veroordeelde criminelen aan jullie overdragen, zoals mijn zoon Govan dat vroeger ook deed. Wat jullie met hen doen, is jullie zaak. Als ze maar sterven.' Ze lachte haar stralend witte tanden bloot en deelde glimlachjes en thee rond. 'Had ik al gezegd dat ook de rechtspraak grondig zal worden gewijzigd, zodat er op veel meer vergrijpen de doodstraf komt te staan?'

Ze nam de tijd om de mannen wat scherper op te nemen en hun gezichtsuitdrukking te peilen.

Alle drie schenen ze wel iets te voelen voor haar aanbod. Vooral Lukaschuk leek blij dat de Tzulani weer een kans kregen hun verloren macht te heroveren. Maar ook merkte Aljascha de reserve en scepsis in hun ogen, de twijfel aan die ambitieuze en voorlopig nog onuitvoerbare plannen. Dus speelde ze haar troefkaart uit.

'Ik vraag me af hoe het er nu voor staat met jullie god,' zei ze als terloops. 'Jarenlang hebben we Arkas en Tulm aan de hemel zien staan. De ogen van de Geblakerde God kwamen steeds dichterbij, tot aan die dag op de Mirakelheuvel van Taromeel. Nu zijn ze verdwenen. Is hij door zijn goddelijke broers en zusters voorgoed vernietigd, zoals de mensen zeggen?'

'Tzulan kan nooit vernietigd worden,' protesteerde Lukaschuk onmiddellijk, een beetje zuur.

'Dus zijn geest is jullie na een gebed verschenen? Heeft hij jullie verzekerd dat zijn terugkeer een kwestie is van uitstel maar geen afstel?' ging Aljascha keuvelend verder, terwijl ze opzettelijk het blad met de kersenjam nog eens naar hem toe schoof. 'Neem me niet kwalijk dat ik het vraag, maar ik maak me wat ongerust over de macht van het Kwaad. Is het wel opgewassen tegen Ulldrael, of onderhandel ik hier met de verkeerde mensen en kan ik beter de Tzulandriërs op de thee vragen?' Aljascha vroeg het zo suikerzoet dat de drie mannen het haar niet kwalijk konden nemen. Door een vrouw met haar lieftalligheid, haar smetteloze huid en haar volmaakte figuur hadden ze zich met liefde laten beledigen.

'Onze god is met ons en staat ons bij,' luidde het korte antwoord van Lukaschuk. 'Dat zult u wel zien aan het succes van onze acties, vasruca – wat u ook van ons mag vragen. Het is juist een voordeel als de meeste mensen denken dat Tzulan is vernietigd. Wíj weten dat het níét zo is.' Hij knikte haar toe. 'Uw aanbod klinkt goed, vasruca. Ik zal het de leider van onze gemeente voorleggen, dan kan hij beslissen of wij u zullen helpen.'

Zwijgend dronken beide partijen hun thee, in gedachten al bij het visioen van een veelbelovende toekomst.

Lukaschuk en zijn beide metgezellen wachtten nog een uurtje

voordat ze vertrokken, om eventuele spionnen de indruk te geven dat ze werkelijk een klus hadden gedaan. 'Ik meld mij weer zodra onze hogepriester heeft besloten wat wij moeten doen of laten.' Met een buiging nam hij afscheid van haar. 'De Geblakerde God zegene u en uw kind.'

'Dank u, Lukaschuk. Geloof me, Tzulan heeft mij al gezegend door mij Ischozars zoon te schenken. Zeg dat maar tegen uw hogepriester,' antwoordde ze zo vriendelijk en vol overtuiging dat de man haar verbaasd aankeek en bijna vroeg wat ze bedoelde.

Maar hij bedacht zich en zette zijn voet op de drempel. 'Dank u voor uw gastvrijheid, vasruca,' zei hij luid. 'En waarschuw ons vooral als de balken het niet houden.' Met die woorden verdwenen de mannen de straat door.

Aljascha vergrendelde de deur en liep terug naar Vahidin, die bijna klaar was met zijn uit blokken opgebouwde straat. Met zijn kleine vingertjes schoof hij de laatste vooruitstekende randjes in de houten muren glad.

Verdiept in zijn lastige karwei merkte hij zijn moeder pas op toen ze hem liefdevol over zijn wang streek. Geschrokken kromp hij ineen, waardoor de muur aan het wankelen werd gebracht. De wand van blokken helde gevaarlijk naar links, de bovenste rij begon al te schuiven en dreigde weg te glijden, maar opeens stond de hele constructie doodstil, zonder dat er nog maar iets bewoog.

Verbluft keek Aljascha toe. De jongen maakte van het moment gebruik om onbevreesd zijn hand uit te steken en de zaak weer recht te zetten. Zijn bouwwerk was gered.

'Klaar, mama!' riep hij trots, en hij strekte zijn armen, waaraan ze hem overeind trok. 'Vind je hem mooi, mijn straat? De Kabcara Aljascha Straat, heb ik hem genoemd.'

Ze nam hem in haar armen en drukte hem een overgelukkige kus op zijn wang. 'Dank je wel, Vahidin. Maar hoe kwam het nou dat die muur daarnet niet omviel?'

Hij haalde zijn schouders op en deed alsof het hem een raadsel was. 'Weet niet.'

'Maar hij was toch bijna omgevallen toen ik jou liet schrikken?'

'Ik wilde gewoon dat hij niet zou omvallen,' antwoordde hij naar waarheid, 'en het is ook niet gebeurd.'

Aljascha juichte inwendig. Zijn magie was ontwaakt! Ze keek hem doordringend aan. 'Vahidin, heb je al eens eerder iets gewild wat daarna ook gebeurde?'

Hij dacht even na. 'Ja,' knikte hij toen, en hij staarde naar haar gezicht. 'Is dat slecht? Mag ik dat niet meer doen?'

Ze klemde hem tegen zich aan en wiegde hem heen en weer. 'Nee hoor, mijn lieve Tadc,' lachte Aljascha, en ze deed alsof ze met haar duim en wijsvinger zijn neus wilde stelen. 'Ik vind het heel fijn dat je dat kunt, maar het is net als bij die truc met je ogen.' En ze hief haar wijsvinger op.

'Alleen om te oefenen, en als er niemand bij is,' zei hij meteen. 'Dat beloof ik, mama.' Hij sloeg zijn armen om haar hals. 'Ik hou van je,' fluisterde hij. 'En ik zal nooit wensen dat je doodgaat, alleen dat je altijd bij me blijft.'

Onwillekeurig voelde Aljascha een rilling over haar rug lopen. Ze keek in zijn bruine ogen en zei: 'Wij moeten allebei nog veel oefenen, Vahidin, zodat je wensen zo in vervulling gaan als je het graag wilt.'

Hij trotseerde haar blik, totdat het onprettig voor haar werd. Ze voelde een paar lichte steken in haar hoofd, die overgingen in een onaangename, zeurende pijn. Opeens werd ze duizelig. 'Hou daarmee op,' zei Aljascha. Ze probeerde niet bang of streng te klinken, om hem niet onzeker te maken. Toen zette ze hem op de grond, waar hij meteen haar hand weer pakte.

'Heb ik je pijn gedaan, mama?' vroeg hij met een dun stemmetje, terwijl hij haar aankeek met grote ogen, waarin het bruin weer moest wijken voor magenta. 'Dat... wilde ik niet!' Een traan welde op uit zijn ooghoek en biggelde langs zijn neus naar zijn bovenlip, waar hij hem met zijn mouw wegveegde. 'Het spijt me zo! Ik wilde alleen weten wat je wens was, zodat ik die kon vervullen...'

Aljascha glimlachte geforceerd. 'Ik mankeer niets, Vahidin. Ga maar naar de badkamer en kleed je uit. Het is tijd voor je bad.'

'O, fijn!' riep de jongen, blij en opgelucht. Hij klapte in zijn handen. 'Dan maak ik dieren van zeepschuim en laat ze leven,' juichte hij. Hij liep naar de deur en de gang door, terwijl hij nog honderduit praatte.

Aljascha voelde iets warms over haar mond en kin druppelen. Ze draaide zich om naar de spiegel boven het buffet en zag haar krijtwitte gezicht. Een dun, dieprood straaltje bloed sijpelde uit haar linker neusgat en trok een vochtige streep over haar lelieblanke huid. Ze moest zich met twee handen aan het buffet vastgrijpen, anders zou ze in elkaar zijn gezakt. Ten slotte nam haar duizeligheid weer af en wiste ze het bloed van haar gezicht, happend naar adem.

'Mama?' hoorde ze Vahidin roepen. 'Ik heb het hout in de kachel gegooid. Kom je het vuur aansteken of moet ik...'

'Nee, wacht,' riep ze terug. 'We zullen het water samen verwarmen.' Aljascha stapte de salon uit en liep naar haar zoon, vastbesloten hem te helpen nog sneller vooruit te gaan.

Toen ze hem naakt voor de badkuip zag staan, leek hij alweer gegroeid.

II

Continent Ulldart, koninkrijk Tûris, vrije stad Ammtára, late zomer van het jaar 1 Ulldraels (460 n.S.)

'En belooft u als voorzitter van de Vergadering van Getrouwen altijd het welzijn van de stad boven uw eigen belangen te stellen, naar eer en geweten uw besluiten te nemen en zowel Ammtára als haar bewoners voor onheil te behoeden?'

Geroerd door die plechtige woorden liet Pashtak een emotioneel gegrom horen voordat hij zijn brede mond met de scherpe, lange tanden opende en antwoord gaf. 'Ik beloof bij de goden dat ik Ammtára met mijn leven zal beschermen, desnoods alleen en ongewapend,' zwoer hij voor de ogen en oren van de hele bevolking, die zich op het grote plein voor het raadhuis had verzameld. Het waren zoveel mensen, dat ze tot in de omliggende straten en stegen stonden om te luisteren hoe Pashtak zijn ambtseed hernieuwde.

'Dan bent gij, Pashtak, tot onze hoogste rechter en aanvoerder gekozen.' Slrnsch, een in menselijke ogen nogal lelijk, klein schepsel met een dikke vacht, een gebit als een wolf en spieren als een stier, stak hem zijn hand toe. 'Als vertegenwoordiger van de inwoners van Ammtára, zowel mensen als andere wezens, spreek ik ons vertrouwen in u uit. U kunt altijd op ons bouwen. Als u onze hulp nodig hebt, op welke manier dan ook, laat het ons dan weten.' Met een vrolijk gesis stapte hij weer terug, zodat Pashtak alleen op het podium achterbleef. Alle ogen waren nu op hem gericht.

Pashtak voelde zich duidelijk onprettig, zoals te zien was aan de kleine, rode pupillen van zijn gele ogen. Hij stond niet graag in het middelpunt van de belangstelling en werd liever niet aangestaard.

Zijn neiging om ervandoor te gaan werd steeds sterker, en zijn vacht legde zich plat tegen zijn gedrongen, krachtige lijf.

Het volk verwachtte een toespraak, maar hij had niets voorbereid. Zijn klauwhanden plukten aan de stof van zijn nieuwe mantel, die Shui voor hem had genaaid. Ondertussen werden in de stad weddenschappen afgesloten hoe lang het zou duren voordat die jas weer vuil of gescheurd zou zijn. 'Vrienden, onze stad heeft haar bijdrage geleverd aan de ondergang van de waanzinnige Govan, en daarop zijn we trots,' begon hij weifelend, maar tot zijn verbazing kreeg hij onmiddellijk bijval vanaf het plein. 'We blijven een vrije stad en zullen opnieuw bewijzen dat mensen en anderen samen in vrede kunnen leven. Ammtára betekent vriendschap, en juist dat willen we het hele continent laten zien.' Weer klonk er een instemmend gejubel. 'We hebben gekozen voor de goede kant, en zie hoe prachtig onze stad er nu bij ligt! Overal verrijzen gebouwen, het moeras is drooggelegd en we hebben genoeg plaats voor nog meer huizen. De Donkere Tijd is voorbij, en voor Ammtára breken nu gouden tijden aan!' *Zo is het wel voldoende*, besloot Pashtak. Hij zwaaide nog eens en wilde toen haastig van het podium stappen, maar Slrnsch stuurde hem terug. 'O, ik was nog iets vergeten,' bekende hij verlegen, met een verontschuldigend gebrom. 'Laten we feestvieren!'

Hijzelf en de andere leden van de vergadering werden nu luid toegejuicht. Mensen en moeraswezens scandeerden zijn naam en klapten in hun handen, blij en opgelucht dat er nu een einde was gekomen aan alle onzekerheid voor Ammtára.

Pashtak daalde het trapje af en werd onmiddellijk besprongen door vier van zijn kinderen, die als klitten aan hem bleven hangen.

Shui, zijn katachtige vrouw, kwam zuchtend naar hem toe. 'Kijk je jas nou toch weer,' zei ze verwijtend, en ze bekeek een scheur in de schouder. 'Ik had kunnen weten dat het niet lang goed zou gaan.'

'Is dat mijn schuld?' Piepend van ellende probeerde hij zich te verdedigen. 'Shui, je hebt zelf gezien dat ik er helemaal niets aan kon doen!'

Ze grinnikte en boog zich spinnend naar zijn oor. 'Ik plaag je maar, lieve man. Dat scheurtje heb ik er opzettelijk in genaaid. Het is een magische scheur, die alle andere vlekken, scheuren en ongerechtigheden zal voorkomen.' Ze knipoogde, verzamelde haar kroost en ging op weg naar huis. 'We gaan straks eten,' herinnerde ze hem. 'Neem jij Estra mee? Ik heb je lievelingseten gemaakt.'

'Natuurlijk, Shui.' Pashtak grijnsde. *Ze is gewoon de beste*, dacht hij, en hij keek haar na. Maar algauw werd hij door andere leden van de vergadering bij zijn arm gepakt en meegetrokken. Als voorzitter kon hij zich hier niet aan onttrekken. Hij moest meedoen met het feest.

Even later stond hij tussen de bewoners van Ammtára, die hem op de schouder klopten en hem het ene glas na het andere aanboden, totdat de gebouwen aan het plein om hem heen leken te draaien.

'Neem me niet kwalijk,' verontschuldigde hij zich een beetje moeizaam. 'Mijn vrouw wacht met het eten.'

'En vrouwen moet je niet laten wachten,' lachte een man. 'Dat kan heel verkeerd aflopen, zelfs voor de machtigen van de stad.' De omstanders stemden daar vrolijk mee in. Ze wensten hem nog een fijne dag en lieten hem toen gaan.

Grijnzend – waarbij hij zijn scherpe tanden ontblootte, zodat hij op een argeloze toeschouwer nogal dreigend overkwam – liep hij door Ammtára, blij met de aanblik van de nieuwe huizen, die niet langer de woede van Govan hoefden te vrezen. Hij slaakte een tevreden zucht.

Alles keerde zich nu ten goede. Het besluit om zich tegen de grootheidswaanzin van Govan Bardri¢ te verzetten en de fanatieke Tzulani uit de stad te verbannen, had toch goed uitgepakt. Daardoor hadden ze veel meer vertrouwen gekregen van de dorpen en steden om hen heen. Hij streek met een van zijn klauwhanden over een muur en voelde de warmte van de stenen, die de kracht van de beide zonnen hadden opgezogen. Ammtára kon nu groeien en gedijen. Mensen en moeraswezens zouden in elk geval binnen de stad eendrachtig kunnen samenwonen. Een goed begin.

Pashtak had het gevoel dat hij op wolken liep. Hij snoof allerlei luchtjes op, van blijdschap en zomer, maar ook etensgeuren. Eten! Opeens was zijn vrolijke stemming verdwenen. In gedachten zag hij Shui, met een pollepel in haar hand die ze dreigend naar hem ophief. Hij was helemaal vergeten dat hij thuis werd verwacht voor het eten. En ook had hij Estra nog niet gevonden.

Zijn haren kwamen overeind en hij mekkerde van schrik. Het zag er niet goed voor hem uit als hij geen geloofwaardig excuus had. Hij kende zijn vrouw veel te goed om met een doorzichtig leugentje bij haar aan te komen.

'O, daar ben je!' zei een stem achter hem opgelucht.

Hij draaide zich om en zag Estra staan. Dat probleem was in elk geval opgelost. Hij hoefde haar niet meer te zoeken. 'Je hebt je titel van inquisiteur alle eer aangedaan,' zei hij waarderend, terwijl hij zogenaamd de muur inspecteerde waar hij tegenaan leunde. 'Dit cement is echt heel verschillend van kwaliteit. Op den duur zou dat voor de duurzaamheid toch...'

Estra, die een jurk tot op haar lichtbruine enkels droeg, grijnsde bijna boosaardig. 'Je hoeft míj niet uit te leggen waarom je te laat bent voor het middageten. Zeg dat maar tegen Shui.' De jonge vrouw boog haar hoofd en haar halflange haar viel over haar opstaande kraag. 'En als ik je een advies mag geven: Ik zou niet over een slechte kwaliteit cement beginnen.'

Onderzoekend keek hij in haar karamelkleurige ogen, met de dunne, gele cirkel die als een vatting om haar zwarte pupillen lag. 'Geen goed idee?'

Estra kwam lachend naar hem toe en gaf hem een arm. 'Nee, echt niet. Maar als dank dat jij me inquisiteur van Ammtára hebt gemaakt kan ik je misschien een excuus verschaffen.'

Pashtak merkte dat de geur van het meisje was veranderd. Ze verspreidde nu de lucht van een volwassen mensenvrouw, en hij trok de conclusie dat ze inmiddels vruchtbaar was. 'Hoe dan?'

'Nou, ik breng je naar de poort, waar iemand wacht die je wil spreken,' antwoordde ze geheimzinnig. 'Later kun je met een gerust hart tegen Shui zeggen dat die ontmoeting geen uitstel kon lijden.'

Hij floot mismoedig. 'Dan vraagt ze natuurlijk waarom ik die bezoeker niet mee naar huis genomen heb.' Maar het was wel een opluchting dat hij nu een betere smoes had dan het cement. 'Hoe staat het met je onderzoek naar de fanatieke Tzulani-sekte in de stad?' vroeg hij, nu hij haar toch onder vier ogen sprak. 'Probeert dat tuig zich nu hier te vestigen, na de nederlaag van hun aanvoerder?'

Estra sloeg een verlaten steegje in, waar ze niemand tegenkwamen. Niet iedereen hoefde te horen wat de inquisiteur en de voorzitter van de vergadering te bespreken hadden. 'De poortwachters meldden dat twee grote groepen na de slag bij Taromeel toegang probeerden te krijgen tot de stad. Ik heb opdracht gegeven ze in de gaten te houden,' vatte ze de situatie samen. 'Voorlopig lijken ze nog heel vreedzaam en zoeken ze enkel onderdak. Een van die families heeft een aanvraag ingediend om een huis te mogen bouwen op het drooggelegde moeras.'

'Hangen ze in de buurt van de oude Tzulan-tempel rond?'

'Nee. Ze zoeken werk en ze melden zich bij de bouwplaatsen, als dagloners.' Estra keek Pashtak aan. 'Ik geloof ze wel als ze zeggen dat ze geen problemen willen maken.'

'Je gelóóft ze wel? Een inquisiteur mag niet alleen op haar gevoel vertrouwen.'

Nu grijnsde ze. 'Zei ik dat ik ze met mijn gevoel had onderzocht? Nee, ik heb bij ze ingebroken en in hun spullen gekeken. Óf ze hebben alle aanwijzingen zo goed verborgen dat zelfs ik niets kon vinden, of het zijn inderdaad dagloners, zoals ze zelf beweren.'

Pashtak knorde tevreden. 'Ik hoor het al. Je weet wat het betekent om een onderzoek in te stellen. Maar toch blijf ik bang dat het Tzulan-geloof onze stad in gevaar zou kunnen brengen.'

'Omdat veel van de moeraswezens en ook een paar mensen zich openlijk tot de Geblakerde God hebben bekend?' zei ze.

Hij knikte. 'Govan pleegde zijn daden in naam van Tzulan, en natuurlijk wordt die god daarom op Ulldart algemeen gehaat. Bij Taromeel hebben wij bewezen dat Ulldart op ons kan vertrouwen. Maar hoe lang zal die goede indruk blijven bestaan? Hoe kunnen we voorkomen dat er straks een woedende menigte voor de poort staat om te eisen dat iedereen de Geblakerde God afzweert?'

'Wat niet iedereen zou doen,' vulde ze aan, maar minder zorgelijk dan haar mentor. 'Het valt wel mee, Pashtak, je zult het zien. Ulldart maakt heus wel onderscheid tussen de wandaden van Govan Bardri¢ – die ook zonder Tzulan als een gek tekeer zou zijn gegaan – en wat zich in onze stad afspeelt.' Estra knikte naar de poort, waar een man in een glinsterend harnas met zijn ogen tegen de felle zon stond te knipperen. 'Daar wacht ons bezoek.'

'Óns bezoek? Ik zou denken dat die ridder alleen voor jou komt,' zei Pashtak, geamuseerd toen hij opmerkte hoe Estra bloosde en naar zweet begon te ruiken. Ook de lokstoffen die ze onmiddellijk afscheidde deden er geen twijfel aan bestaan dat ze de jongeman, die ongeveer van haar eigen leeftijd was, heel aantrekkelijk vond. Pashtak bleef voor de ridder staan en stak hem zijn hand toe. 'Prettig je weer te zien, Tokaro van Kuraschka,' begroette hij hem.

'Het genoegen is helemaal aan mijn kant,' antwoordde de jonge ridder en hij maakte een lichte buiging. Heel even keek hij Pashtak aan, maar zijn blik bleef veel langer op Estra rusten dan de etiquette vereiste.

Ik had gelijk. Het zou een knap stel kunnen worden. Met sterke nakomelingen. 'Bij onze laatste ontmoeting in Taromeel had je al beloofd dat je langs zou komen,' herinnerde hij zich. 'Ben je in Ammtára op zoek naar nieuwe leden voor de orde?'

Tokaro, die een zwaar, rijkversierd ijzeren borstkuras droeg, zette zijn helm af. Onder het borstharnas had hij een dikke leren broek aan, met boven- en scheenbeenplaten.

'Nee, Pashtak.' Afgezien van een paar strepen bruin stekeltjeshaar was zijn schedel kaalgeschoren. Zijn hoofd glom van het zweet. Het moest behoorlijk warm zijn geweest onder die helm. 'Ik kom met een bericht van de grootmeester van de Hoge Zwaarden.' Hij tastte naar zijn riem en haalde een leren koker tevoorschijn die hij hem gaf. 'Praat niet met mij over de inhoud van de brief, Pashtak, maar schrijf een antwoord, dan zal ik het hem overbrengen,' zei hij haastig, toen de voorzitter van de vergadering zijn mond al opende. 'En ik wilde je ook vragen onze eenheid vannacht en morgennacht onderdak te geven. We willen liever niet in het open veld bivakkeren.'

'Natuurlijk,' zei Pashtak afwezig, terwijl hij met zijn gele ogen de brief las, die tot zijn verrassing niet door Kaleíman van Attabo maar door heel iemand anders was ondertekend. De grootmeester van de Hoge Zwaarden fungeerde slechts als doorgeefluik voor dit ernstige nieuws. Nu had hij werkelijk een goed excuus tegenover Shui. Hij rolde de brief weer op. 'Het zal wel even duren voordat ik een antwoord op papier heb,' zei hij haastig. 'Estra, als je even vrij kunt nemen van je werk als inquisiteur, wees dan zo lief om onze gast in Ammtára rond te leiden. Breng hem naar de plekken die hij bij zijn vorige bezoek niet heeft gezien.' En snel ging hij ervandoor. 'Over twee uur treffen we elkaar bij de poort,' riep hij nog voordat hij verdween.

Tokaro voelde de nieuwsgierige blik van de jonge vrouw op zich gericht. 'Nee, Estra, ik kan je niet zeggen wat erin staat. Ik heb geen idee waar al die drukte om is.' Hij wist niet meer of hij haar de vorige keer ook had getutoyeerd. Maar omdat ze ongeveer zo oud was als hij en niet beledigd keek, nam hij aan dat het goed was.

'Kunt u... kun je wel lopen in zo'n zware wapenrusting, of wil je liever rijden?' Ze keek eens naar de indrukwekkende schimmel, die rustig achter zijn baas stond en oplettend de omgeving in het oog hield. Hij spreidde zijn neusvleugels. De geur van de moeraswezens, van wie sommige nog duidelijk van roofdieren afstamden, maakte hem onrustig.

'Treskor blijft bij me, maar we gaan wel lopen. Ik kan moeilijk naast je rijden en op je neerkijken; dat zou niet erg beleefd zijn.' Hij lachte ondeugend. 'Ach, ik weet wat beters.' Hij pakte haar bij de heupen en tilde haar op. Voordat ze het wist, zat ze dwars op het zadel en zag haar stad vanuit een heel nieuwe hoek. 'Dan voelt Treskor zich niet zo nutteloos.'

Estra zocht snel een gemakkelijke houding, waarin ze geen kans liep om van het zadel te glijden. Het was voor het eerst dat ze op een paard zat en ze vond het griezelig en spannend tegelijk, als een klein kind. 'Je had het me minstens kunnen vragen,' zei ze quasi verwijtend, terwijl ze een donkerbruine lok uit haar gezicht streek.

'Je kunt afstappen wanneer je wilt.'

'Nee, nu blijf ik zitten.' Ze wees naar links. 'Die kant uit. We beginnen bij het raadhuis.'

De tijd vloog. Tokaro en Estra maakten een tocht langs de monumentale gebouwen, over de boulevards en tot diep in de steegjes van Ammtára, waar de huizen dicht bij elkaar stonden. Heel wat woningen hier stamden nog uit de tijd dat Sinured hier had geheerst, meer dan vierhonderdzestig jaar geleden.

Estra vertelde Tokaro zo veel mogelijk over de geschiedenis van de stad, waarbij ze hem voortdurend tersluiks opnam. Ze had ernaar verlangd hem terug te zien en vroeg zich nu af waarom. Omdat hij haar vader had gekend en hem nader had gestaan dan zijn eigen dochter? Of omdat ze hem zelf graag mocht?

'Wat doe je precies als inquisiteur, Estra?' Op dat moment draaide hij zich naar haar toe en keek naar haar op.

Hun blikken versmolten.

De gele ring om haar pupillen werd groter en verdrong haar werkelijke oogkleur. Tokaro staarde haar aan alsof ze een godin was. Hij stond als aan de grond genageld en kon geen woord uitbrengen. In plaats daarvan gaf hij zich over aan een dagdroom waarin hij haar hand pakte en haar meenam naar zijn burcht Angoraja. Honderden ridders, schildknapen en pages dromden in de feestzaal samen en juichten hen toe als bruidspaar. 'Hoera...' mompelde hij zacht, en hij glimlachte verrukt. Hij voelde zich de gelukkigste mens op aarde.

Estra zag dat er vreemde dingen gebeurden met de ridder. 'Tokaro!' riep ze, maar hij reageerde niet. Dus boog ze zich naar voren om hem aan zijn schouder te schudden. Maar ze verloor haar evenwicht en gleed van het gladde zadel.

In een reflex ving hij haar op, maar daar bleef het niet bij. Hij kuste haar op haar mond!

Dat ging Estra een beetje te snel, en verrast gaf ze hem een flinke draai om zijn oren.

De klap en de pijn wekten Tokaro uit zijn dagdroom. Wreed werd zijn romantische illusie verbrijzeld. In plaats van Estra in een prachtige trouwjurk stond er een woedend meisje tegenover hem.

'Hoe dúrf je me te kussen?' vroeg ze nijdig.

Zijn wang bonsde pijnlijk op de plek waar ze hem stevig had geraakt. 'Heb ik je gekust?' Hij knipperde met zijn ogen tegen de zonnen. 'Jammer dat ik daar niets meer van weet. Dat moet geweldig zijn geweest.'

'Mooie ridder ben jij! Nog grapjes maken ook!'

Bezwerend hief hij een hand op. 'Bij Angor en mijn Aldorelische zwaard, dat ooit aan de grootmeester, mijn pleegvader Nerestro van Kuraschka toebehoorde! Wat ik ook heb gedaan, het was geen opzet.' Hij vermeed het in haar fascinerende ogen te kijken, bang als hij was dat hij weer betoverd zou raken. 'Het kwam door je ogen,' zei hij zacht. 'Die kregen me in hun ban. Daarom deed ik zo verliefd. Het spijt me.'

Estra keek onzeker. Voorzichtig stak ze een hand uit naar de rood aangelopen wang van de ridder. 'Nee, het spijt míj,' zei ze eerlijk. 'Ik wilde je niet zo hard slaan.' Eigenlijk had ze in haar dromen ook verlangd naar een kus van hem.

Tokaro grijnsde. 'Ik heb wel hardere klappen overleefd.' Hij knikte naar het zadel. 'Zal ik je weer omhoog helpen?'

'Nee,' weerde ze af. 'Ik loop liever.'

Zwijgend wandelden ze naar de hoofdpoort terug, maar Pashtak was er niet. Een van de wachters kwam met waggelende tred op Tokaro af.

Het schepsel was zo groot als een ridder te paard. Op zijn voorhoofd had hij twee kleine en twee grote hoorns, en zijn lijf, zo dik als twee vaten bier, stak in een grof gesmede wapenrusting. In zijn hand hield hij een ijzeren piek van zeker vier passen lang. Wie Pashtaks knokige, platte hoofd met de diepliggende ogen al angstaanjagend vond, had nog nooit tegenover zo'n schepsel gestaan. Of hij wilde of niet, de ridder hield toch zijn pas in.

'Het is een Veelvraat,' zei Estra onbekommerd. 'Ze zien er erger uit dan ze zijn, maar je moet ze niet kwaad maken. Dat is trouwens heel makkelijk. Wil je het zien?'

Tokaro schudde zijn hoofd.

De wachter bleef voor hen staan en keek op hen neer. 'Jij bent een ridder,' stelde hij vast, en hij tikte voorzichtig op het harnas en het symbool van de orde.

'Mijn naam is Tokaro van Kuraschka. Ja, ik ben een ridder van de Hoge Zwaarden, de orde die gewijd is aan Angor, de god van de oorlog...'

'... de strijd, de jacht, de eer en het fatsoen,' viel de Veelvraat hem geestdriftig in de rede. 'Ik weet alles over de orde. Ik was bij de slag bij Taromeel en ik heb gezien hoe Kaleíman van Attabo de troepen aanvoerde.' Hij boog zich naar voren, en de jongeman deinsde terug voor de hoorns.

'Ik wil geen moeilijkheden,' zei Tokaro haastig.

De Veelvraat lachte met een donker, vol geluid, dat Tokaro's ingewanden deed trillen. 'Neem me niet kwalijk. Ik vergeet mijn manieren. Ik ben Gàn. Je begrijpt me niet. Ik wil niet vechten, maar ik zou graag ridder worden, om in naam van Angor te strijden.'

Tokaro had gedacht dat hij na zijn avonturen op het slagveld, op volle zee en in de liefde wel ongeveer alles had meegemaakt.

Nee, dus.

Niet alleen sprak de Veelvraat de mensentaal uitstekend, maar zijn voorstel verbaasde Tokaro nog meer. 'Je wilt...' Hij zweeg perplex.

Gàn knikte. Zijn oplichtende witte ogen, elk met twee zwarte pupillen, keken hem smekend aan. 'Ik had gehoord dat de grootmeester naar Ammtára kwam. Wil je een goed woordje voor me doen?'

'Ja,' dwong Tokaro zichzelf te antwoorden. 'Dat beloof ik je.' Al was het maar om Kaleímans gezicht te zien als hij het hem vertelde. 'Je hoort nog van me, voordat we hier vertrekken.'

Een kreet vanaf de muur deed Gàn op zijn schreden terugkeren. Bezoekers naderden de poort, die onmiddellijk openging.

Tokaro en Estra zagen twee Kensustriaanse priesters verschijnen, die een beetje verloren om zich heen keken. Achter hen stond een groepje grotere krijgers, in een zware wapenrusting.

Estra voelde haar hart sneller slaan bij het zien van de mannen en vrouwen met hun groene haren, hun zandkleurige huid en hun ogen als van barnsteen, oplichtend in de zon. Ze kwamen uit het land van haar moeder!

'Kom!' zei ze opgewonden, en ze rende naar hen toe om hen welkom te heten. Op gepaste afstand bleef ze staan en maakte een buiging. Tokaro liet het bij een hoofdknikje. 'Wees gegroet! Ik ben inquisiteur Estra, en dit is Tokaro van Kuraschka, ridder van de orde der Hoge Zwaarden en gast in onze stad,' stelde ze zichzelf en de jongeman voor. 'Wat kan ik voor u doen?'

De priesters, die duidelijk kleiner waren dan de krijgers achter hen, maakten een buiging en glimlachten gereserveerd. 'Ik ben Relio, en dat is Kovarem. Wij zijn afgezanten van Kensustria en we komen om de stad te bekijken waarover we hebben gehoord.' De dichtgeweven stof van zijn lilakleurige mantel leek al kostbaar genoeg, en het golvende stiksel en de geraffineerde plooien maakten het nog duurder.

Kovarem boog zijn hoofd. 'De naam van de stad luidt inderdaad Ammtára, zoals ons is verteld?'

Trots dat de naam die haar moeder had bedacht blijkbaar weerklank vond bij haar volk, tilde Estra haar arm op en maakte een weids gebaar. 'Ja. Ammtára, zo heet het hier. Het betekent "vriendschap",' bevestigde ze stralend.

De priesters wisselden een zorgelijke blik. De militairen stonden er rustig bij, alsof het hun allemaal niet aanging. Na de slag bij Taromeel en de dood van de koning had de krijgerkaste – bepaald niet van harte – zijn leidende positie moeten overdragen aan de geleerden, die de macht inmiddels deelden met de priesters.

Relio glimlachte wat ongelukkig. 'Inquisiteur, zou u ons willen rondleiden, voordat u ons naar uw koning brengt – of wie hier ook het gezag uitoefent – zodat wij met hem kunnen spreken?'

'Het lijkt me beter dat u éérst met Pashtak gaat praten,' stelde Estra voor. Ze wilde liever niet alleen blijven met de Kensustrianen. Hun onverwachte en onaangekondigde komst moest meer zijn dan een beleefdheidsbezoekje.

'U wilt ons niet rondleiden? Dan nemen we maar een kijkje zonder u. Pashtak spreken we later wel,' zei Kovarem onvermurwbaar.

'Nee! Natuurlijk zal ik u graag de mooiste plekjes van de stad laten zien. Als u mij wilt volgen?' Ze boog zich naar Tokaro toe. 'Rij naar Pashtak en zeg hem dat er Kensustrianen in de stad zijn,' fluisterde ze haastig. 'Volgens mij komen ze niet zomaar op de thee.' Omdat hij zo verleidelijk dichtbij was, drukte ze hem snel een verstolen kus op dezelfde wang waarop ze hem daarnet nog zo hard had geraakt. 'Het spijt me van die klap.'

Samen met de Kensustrianen ging ze op weg. Nauwelijks waren ze om de hoek verdwenen, of Tokaro slingerde zich in het zadel en stormde op Treskor de stad door om de voorzitter te waarschuwen. Hij grijnsde, omdat hij haar lippen nog voelde. Als ze hem elke keer zou slaan voordat ze hem kuste, kon hij voortaan maar beter zijn helm op houden.

Continent Kalisstron, Bardhasdronda, late zomer van het jaar 1 Ulldraels (460 n.S.)

Met een onrustig gevoel stapte Lorin de open plek met de Zingende Stenen op. Hij bleef vlak achter het uit zeildoek gespannen windscherm staan, zodat ze hem niet te vroeg zouden ontdekken. Nerveus plukte hij aan de mouw van zijn witte hemd.

Rond de stenen heerste .een mysterie. Ze waren meer dan vijfhonderd jaar geleden voor het laatst door een Kalisstroner tot klinken gebracht, totdat Lorin met behulp van zijn magie weer betoverende klanken aan de rotsblokken had ontlokt. Zijn kracht streelde en beroerde de stenen, als een natte vinger die over de rand van een heel dun glas streek. De tonen die daardoor ontstonden drongen diep tot in de ziel door en werkten weldadig – betoverend, in de meest letterlijke zin.

De kleine concerten die hij zo nu en dan gaf, waren uitgegroeid tot grote evenementen, waar mensen uit de verre omtrek van zijn eigen Bardhasdronda op afkwamen om zich in vervoering te laten brengen.

Zo ging het ook nu.

Op deze avond in de late zomer hadden vijfhonderd belangstellenden uit de steden en dorpen in de omgeving zich hier verzameld om naar de voorstelling ter ere van Kalisstra te kijken en te luisteren. Meer ruimte was er niet op de heilige vlakte, die door machtige dennen en sparren werd omzoomd. De hogepriesteres, Kiurikka, had deze open plek aan de beschermgodin van het continent gewijd.

Lorins vrouw Jarevrån, die een lichtbruine jurk met borduurwerk droeg, dook naast hem op. Ze had zijn ernstige gezicht gezien en nam nu zijn hand in de hare. 'Wat is er? Sinds wanneer ben je voor een optreden zo onrustig en in jezelf gekeerd?'

Lorin klakte met zijn tong en staarde nog steeds naar de verzameling stenen. 'Het is eigenlijk niets,' antwoordde hij langzaam, 'maar de laatste voorstelling lijkt zo oneindig lang geleden. Ik weet niet of het restje magie dat ik nog bezit wel voldoende is om de klanken op te roepen die de mensen verwachten. Het gevecht met Govan heeft me meer kracht gekost dan ik dacht.'

De zonnestralen gleden over de open plek en de mensen op het dikke mos, die geduldig wachtten op Lorins verschijning. In deze tijd van het jaar, vlak voor de herfst, was het licht nog maar zwak en bijna goudgeel, als honing. Spinnenwebben en rondzwevende zaadjes leken net zo betoverend als de stenen zelf. Door de koelte van de avond zou er straks een lichte nevelsluier uit het mos opstijgen, die op de open plek voor een bovenaardse, mystieke sfeer zorgde.

Jarevrån gaf hem een kus in zijn hals en schoof hem met zachte hand naar voren. 'Laat ze niet langer wachten. Ze zijn blij dat je hun na je terugkeer weer die prachtige klanken van de stenen kunt laten horen.'

Lorin keek het meisje met het zwarte haar nog eens aan en glimlachte aarzelend. 'Ik zal ze niet teleurstellen.'

De mensen, die zachtjes met elkaar zaten te praten, zwegen abrupt. Alle ogen richtten zich nu op de jonge Kalisstroner, die jaren geleden als vreemdeling op het strand van Bardhasdronda was aangespoeld en inmiddels een van hen geworden was. Zijn heldere blauwe ogen verrieden zijn afwijkende afkomst, omdat alle Kalisstri groene ogen hadden. Maar na al zijn heldendaden vertrouwden ze hem blindelings en hadden ze hem tot plaatsvervangend commandant van de burgermilitie benoemd.

Lorin maakte een buiging en verspilde niet veel tijd aan zijn inleiding. De mensen kenden hem en hij wist waarvoor ze kwamen. Het loon voor zijn optreden – hun stille waardering en luide bijval – zou hij pas krijgen als de laatste toon verstorven was.

Hij draaide zich naar de stenen toe, sloot zijn ogen en concentreerde zich op zijn magische gaven, zoals hij al zo dikwijls had gedaan. Op die manier legde hij contact met de bijzondere stenen, van wie niemand wist waar ze vandaan kwamen of hoe ze op deze plek waren beland.

Toen de eerste toon zwakjes klonk en hij de zachte, opgewonden zucht van de mensen achter zich hoorde, ontspande hij zich, hoewel hij nog steeds bang was dat de stenen zouden reageren door zijn veranderde magie.

Maar Kalisstra was met hem.

Lorin opende zijn ogen en zag hoe de stenen donkerblauw glansden en pulseerden toen ze hun merkwaardige stem verhieven en een heel nieuwe melodie ten gehore brachten.

Hij hield de hele groep in zijn magische ban. De tonen zwollen aan, hoe langer hij zijn macht op de rotsblokken liet inwerken, en ook het lichtschijnsel nam in kracht toe. Toen hij een blik over zijn schouder waagde, verheugde hij zich over de verrukte gezichten van de mannen, vrouwen en kinderen. Kalfaffel, de cerêlische burgemeester, zat op de eerste rij en luisterde net zo aandachtig als iedereen.

Het ontging hun dat de stenen niet meer zo rein en zuiver klonken als de laatste keer dat Lorin op deze open plek had gestaan. Alleen zijn geoefende oor hoorde de kleine dissonanten in het lied van de rotsen, die het hem kwalijk namen dat hij ze niet voedde met zijn gebruikelijke hoeveelheid magie. Maar de verzamelde Kalisstri waren tevreden met wat hij hun bood, en toen hij eindelijk de voorstelling beëindigde, waren ze niet karig met hun applaus.

Lorin vocht tegen een licht gevoel van duizeligheid. De wereld om hem heen leek nevelig en vaag. Was dat de bijwerking waarover Soscha hem bij zijn opleiding had verteld?

De magisch begaafde vrouw, die in opdracht van koning Perdór het verschijnsel van de magie in al zijn vormen onderzocht, had hem gewaarschuwd dat hij zijn krachten niet moest dwingen. Dan zouden ze zich wreken door hem driftig en onbeheerst te maken en zijn lichaam sneller oud en zwak te laten worden. Soscha stond nog maar aan het begin van haar onderzoek, maar de schaarse resultaten wierpen een heel nieuw licht op de magie. Zijn gave had niet alleen voordelen, zoals hij al een aantal keren aan den lijve had ondervonden.

De kleinste van de stenen had zijn blauwe schijnsel nog niet verloren, alsof hij geen afscheid kon nemen van het betoverende geflakker en niet weer een gewoon rotsblok wilde worden.

Verbaasd liep Lorin erheen om zijn hand op het oneffen oppervlak te leggen. De steen was heet! Geschrokken trok hij zijn arm terug. Het volgende moment schoot er een blauwe lichtflits uit de steen, die hem insloot en zich vertakte.

Een van de energiebanen trof Kalfaffel recht tegen zijn borst, een andere trok een brede boog om Jarevrån heen.

Lorin voelde hoe de steen aan zijn magie rukte, als een woedend dier dat niet eerder wilde ophouden dan het zijn honger had gestild. De pijn was minder hevig dan toen Govan hem van zijn magie had beroofd, maar toch uiterst onaangenaam. Hij beefde over zijn hele lichaam. De lucht om hem heen begon te knetteren, zijn haar stond overeind en kleine vlammetjes sprongen uit zijn vingertoppen.

Hou op! beval hij de steen, terwijl hij zich probeerde te beschermen, maar hij stuitte op bitter verzet.

Het duurde een hele tijd voordat hij erin slaagde het contact te verbreken. Toen het blauwe geflakker afnam, viel hij hijgend in het mos, dat onder zijn hete handen begon te sissen uit protest.

'Jarevrån!' Angstig sprong hij overeind en hij liep naar zijn vrouw, die op een bed van dampend mos lag. Ze had haar ogen dicht, en haar hart ging wild tekeer.

'Niets aan de hand,' hijgde ze geschrokken, en ze sloeg haar ogen op. Met grote pupillen keek ze verward om zich heen, en het duurde even voordat ze hem herkende. 'Niets aan de hand,' herhaalde ze, terwijl ze zijn hand pakte. 'Ik voel me alleen een beetje duizelig.'

'Kalfaffel!' riep Lorin bezorgd, en hij keek over zijn schouder. 'Hoe is het met je?'

Anderen hielpen de cerêler op de been. Hij leek net zo aangedaan als Lorin, maar verder ook ongedeerd. Als teken dat het naar omstandigheden goed ging, stak hij een hand op en probeerde te glimlachen.

Opeens bracht de steen een diep, luid gebrom voort en lichtte zo felblauw op dat de mensen hun ogen moesten beschutten.

Daardoor zag niemand hoe de volgende lichtflits de burgemeester raakte.

Continent Ulldart, koninkrijk Tarpol, provinciehoofdstad Granburg, late zomer van het jaar 1 Ulldraels (460 n.S.)

Aljascha had besloten met Vahidin op reis te gaan.

Voor de jongen, die inmiddels zo groot was als een kind van vier, was het heel spannend om in een koets uit Granburg te vertrekken voor een tripje door de omgeving, met toestemming van de gouverneur. Onderweg zat hij met zijn neus tegen het raampje gedrukt, totdat zijn moeder hem bij zich riep om de jas over zijn uniform recht te trekken.

'We gaan praten met belangrijke mensen, die ons misschien kunnen helpen,' zei ze. Het was hem niet ontgaan dat ze de hele reis nerveus bleef, totdat ze meer dan twee uur later halt hielden voor een schamele daglonershut in de buurt van een klein dorp. Aljascha stapte uit, pakte zijn hand en liep met hem naar het hutje, waar ze al werd verwacht.

Lukaschuk, zijn twee metgezellen en nog een vierde man stonden verspreid door de kamer. Op Vahidin maakten ze minstens zo'n onrustige indruk als zijn moeder zelf. Alle vier droegen ze eenvoudige, onopvallende kleding van leer en katoen, met breedgerande hoeden waaronder hun gezicht grotendeels verdween. Met hun gereedschappen, die ze voor de schijn nog altijd bij zich hadden, leken ze niets anders dan rondreizende timmerlui.

Lukaschuk zag hoe Vahidin de afgelopen tijd was gegroeid en kon zijn verbazing nauwelijks verbergen.

De onbekende man knikte hen toe. Hij leek ontevreden; de rimpels in zijn gezicht maakten hem ouder dan hij was. 'Lukaschuk heeft uw voorstel overgebracht aan mij, als hogepriester van Tzulan,' begon hij zonder de plichtplegingen waarvan de jongen wist dat zijn moeder er zoveel prijs op stelde. 'Het klinkt goed, maar het biedt geen garanties aan ons als uw plan zou slagen en u inderdaad Kabcara zou worden.' Hij hief bezwerend zijn handen toen hij zag dat het knappe gezicht van de vrouw rood aanliep. 'Ik verdenk u niet van oneerlijke bedoelingen, vasruca, maar wij willen wel een schriftelijke verklaring met uw handtekening eronder.' Zijn glazige ogen, als van iemand die te veel dronk, gingen nu veelzeggend in Vahidins richting. 'En een onderpand.'

'U maakt een grapje!' Aljascha, die een eenvoudige, donkerbruine mantel had gekozen om haar kleren tegen het vuil van de straat te beschermen, lachte schril en spottend. 'Moet ik u mijn zoon toevertrouwen? De Geblakerde God mag u met van alles hebben gezegend, maar niet met een goed verstand.'

'Uw schoonheid moet de aandacht afleiden van uw onbeschaamdheid, neem ik aan?' antwoordde de hogepriester onverstoorbaar, maar met een enigszins dreigende ondertoon. 'Anders zou iemand u allang hebben doodgeslagen.' Hij wilde nog iets zeggen, maar zijn stem liet hem in de steek. Hulpeloos greep hij naar zijn borst, en hij liep paars aan.

Vahidin liet Aljascha's hand los en bleef voor de man staan, die door zijn knieën zakte, starend naar de jongen. Zijn ogen puilden ver uit hun kassen, totdat de adertjes sprongen en het wit rood kleurde. 'Je bent heel onbeleefd,' zei het jongetje verontwaardigd. 'Mijn moeder is hier om met jou te praten, maar je maakt haar boos. En je hebt je nog niet eens netjes voorgesteld.'

Aljascha had hem willen tegenhouden, maar nu kwam Vahidins boosheid haar heel goed uit. Ze liet hem begaan bij deze krachtproef, als een indrukwekkende demonstratie aan degenen die hem binnenkort als een goddelijk wezen zouden vereren. 'Laat hun je ware aard zien,' gaf ze hem toestemming het kunststukje te tonen waar hij zo van genoot.

'Wat gebeurt hier?' riep Lukaschuk opgewonden. Hij deed een stap naar voren en wilde de griezelige jongen opzij duwen, maar Vahidin tilde zijn hoofd op en keek hem aan met zijn magentakleurige ogen, waarin de drievoudig gespleten pupillen nu duidelijk zichtbaar waren. 'De zoon van Ischozar!' hijgde Lukaschuk eerbiedig, en hij bleef als aan de grond genageld staan. 'Ik had geen idee hoe ernstig u het meende toen u zei dat u door Tzulan was gezegend, vasruca,' stamelde hij.

Vahidin keek weer naar de hogepriester, die bijna stikte. 'Ik wou dat je dood was,' verklaarde hij met vaste stem.

Nauwelijks had hij het gezegd, of de tot pruimen opgezwollen ogen van de man barstten open, en een fontein van vocht spoot er uit. Hoewel de hogepriester probeerde te kermen van pijn, kwam hij niet verder dan het piepen van een rat. Toen, opeens, ontspande zijn verkrampte lijf en viel hij opzij, terwijl geronnen, bijna zwart verkleurd bloed als lange, weerzinwekkende wormen uit zijn neus, mond en oren kroop.

Het knaapje keek naar de rozekleurige vlekken op zijn uniform en draaide zich om naar Aljascha. 'Het was mijn schuld niet,' zei hij, bang voor een berisping van zijn moeder. 'Hij begon.'

Aljascha stak een arm uit en opende haar hand. 'Het geeft niet,' zei ze, en bij uitzondering vergaf ze hem. 'Jij kon er niets aan doen,

Vahidin.' De jongen pakte haar vingers, kwam naast haar staan en nam de mannen argwanend op. Hij trok een diepe rimpel in zijn voorhoofd. 'Ik zal geen traan laten om de hogepriester,' zei ze tegen Lukaschuk. 'Het kan geen probleem zijn om iemand te vinden die meer geschikt is dan hij.'

'Het spijt me, vasruca,' haastte Lukaschuk zich haar te verzekeren. Hij was nog steeds niet van zijn verbazing bekomen – heel begrijpelijk, na wat er was gebeurd. 'Ik wist echt niet dat hij het kind van een Tweede God was. Ik...' De vreugde over de ware afstamming van de jongen kreeg de overhand. Hij wierp zich in het stof, net als zijn twee metgezellen, en samen riepen ze Vahidins naam, smeekten om de zegen van het jongetje en zwoeren hem eeuwige trouw.

Aljascha volgde het allemaal met voldoening. In elk geval kon ze nu over de fanatieke aanhang van de Geblakerde God beschikken zoals ze wilde. Ze had Lukaschuk uitverkoren als nieuwe hogepriester, en als de man die binnenkort haar bed mocht delen. Dat verzetje had ze wel verdiend. Bovendien zou zo'n liefdesnacht met de man hem nog steviger aan haar en Vahidin binden.

'Wat jullie hier hebben gezien, mag nooit bekend worden buiten de kringen van de Tzulani,' prentte Aljascha hen in, voordat ze hun een teken gaf om overeind te komen. 'Het is nog veel te vroeg de waarheid openlijk op Ulldart te verkondigen. Ischozars zoon moet tegen zijn vijanden worden beschermd totdat hij zelf in staat is de dood van zijn vader te wreken en de smaad uit te wissen met het bloed van mijn vijanden.' Ze nam Vahidin op haar arm, zette hem zijn mutsje af en liet de anderen het zilvergrijze haar van het kind zien. 'Twijfelen jullie nog aan de afstamming van mijn zoon?'

Lukaschuk schudde zijn hoofd. 'Ik heb de eerbiedwaardige Ischozar twee keer in zijn menselijke gedaante gezien. Nu u het geheim van de kleine zilveren god hebt geopenbaard, herken ik ook duidelijk Ischozars trekken in zijn gezicht.'

'Dan ben jij, Lukaschuk, de nieuwe hogepriester van de Tzulani,' stelde ze voor, en Vahidin knikte instemmend.

'Het is mij een eer, vasruca.' Lukaschuk maakte een diepe buiging voor haar en haar zoon. 'Nooit had ik gedacht dat ons zwaar getroffen geloof door Ischozars zoon persoonlijk zou worden gered.

Ik kan u verzekeren dat de Tzulani alles zullen opofferen om voor u en de kleine zilvergod een rijk op te bouwen waarin u kunt leven zoals het u past. We zullen de Tzulandriërs op de hoogte brengen van de nieuwe hoop. Ze zullen het met vreugde horen, en samen zullen wij dit continent onderwerpen, voor u en uw zoon!'

'De Tzulandriërs waren toch al verslagen en vernietigd?'

'Nee, niet allemaal. Nog altijd houden ze de iurdum-eilanden voor Tûris en een deel van Palestan bezet. En omdat ze, evenmin als wij, volledig door onze goden zijn verlaten, zullen ze des te heftiger tegenstand bieden,' verklaarde de man geestdriftig.

Aljascha streek haar zoon over zijn hoofd voordat ze antwoordde. 'Maar vertel niet al te veel over Vahidin. Hou het vaag, maar geef hun de hoop dat hij hen binnenkort zal kunnen aanvoeren.' Ze kuste haar zoon op zijn wang en glimlachte tegen Lukaschuk, nu met een niet mis te verstane, verleidelijke suggestie. Het vooruitzicht om niet alleen de nieuwe hogepriester te worden maar ook de nacht door te brengen met de vrouw die ooit de geliefde was geweest van Ischozar, maakte de man dronken van geluk. 'Wacht nog maar met het continent, Lukaschuk. We hebben de tijd. Laat een jaar verstrijken, zodat Vahidin zijn krachten kan ontwikkelen. Dan zal niemand ons meer kunnen tegenhouden als wij de strijd aangaan,' raadde ze hem. 'Tot die tijd heb ik nog een andere opgave voor jou en de beste Tzulani-krijgers.'

Lukaschuk wachtte bijna verlangend op haar bevel. 'Wat u ook van ons vraagt.'

'Onze vijanden beschikken over machtige wapens. De Aldorelische sabels van de orde der Hoge Zwaarden, of hoe ze zich tegenwoordig ook noemen, zijn voorlopig onbereikbaar. Toch is er één dat wij in ons bezit kunnen krijgen.' Aljascha zette Vahidin weer op de grond en hij pakte lief haar hand. 'Zo'n wapen komt Ischozars zoon nu eenmaal toe.'

'Ik weet waaraan u denkt, vasruca,' antwoordde Lukaschuk haastig. 'Maar dat ligt samen met de voormalige ¢arije Govan opgesloten in een groot blok glas.'

'We zullen wel een manier vinden om dat zwaard uit het glas te krijgen. Als jij, Lukaschuk, genoeg mannen optrommelt om dat glazen blok te stelen,' beval ze hem. 'We hebben het nodig.'

Blijkbaar had de hogepriester daar al over nagedacht. 'De koning van Ilfaris heeft hem van het slagveld laten halen. Niemand weet waar het blok gebleven is, maar natuurlijk wordt het goed bewaakt.'

'Door wie?'

'We zullen er wel achter komen en ze vernietigen. Ook wij weten wat vechten is. Na de slag bij Taromeel zijn er een paar ridders uit de orde van de ¢arije ontkomen. Zij hebben onze mensen leren omgaan met het zwaard en de buks.' Lukaschuk leek vol vertrouwen.

Aljascha herinnerde zich de ridders van Tzulan uit de verhalen van Zvatochna toen ze over de 'kettinghonden' van haar broer vertelde. Ze droegen een donkerrode wapenrusting en hadden een donkerrode vlammenzuil op hun standaard, de gedaante waarin Tzulan zich regelmatig aan de mensheid openbaarde.

Vahidin verveelde zich. Hij hield het niet meer uit en zocht in de armoedige hut naar iets om mee te spelen. Aljascha begreep dat het tijd werd om naar Ulsar terug te rijden en de dag af te sluiten met een feestelijk glas van haar beste rode wijn.

'Lukaschuk, zijn er onder jullie mensen ook geleerden die mijn zoon kunnen lesgeven en antwoorden hebben op zijn moeilijkste vragen?' vroeg ze, terwijl ze de jongen naar de koets stuurde, zodat hij niet alles zou horen wat ze te zeggen had. 'Het lijkt me het beste dat je voor je vertrek nog bij mij langskomt in Granburg om... de hele nacht... de bijzonderheden met mij te bespreken,' stelde ze voor, en ze wierp hem met haar groene ogen een blik toe die maar voor één uitleg vatbaar was. 'Ik verlang naar een spannend gesprek.'

De man maakte een buiging. Hij kon zijn geluk nauwelijks bevatten. 'Het zal me een genoegen zijn, vasruca.'

Aljascha liep naar de deur. 'Dan zullen we zien hoe goed de nieuwe hogepriester van de Tzulani de conversatiekunst tussen man en vrouw verstaat.'

Elegant opende ze de deur en liep naar de koets. Lukaschuk volgde haar en hielp haar instappen. Hij legde zijn handen om haar slanke middel en ondersteunde haar. Aanpakken kon hij wel. Aljascha ging zitten en verheugde zich op de lange avonduren en op iets wat ze al een hele tijd niet meer had gedaan.

Continent Ulldart, koninkrijk Borasgotan, de vesting Checskotan, late zomer van het jaar 1 Ulldraels (460 n.S.)

Raspot leunde met zijn armen op de houten vensterbank, keek uit het hoogste torenraam en genoot van het uitzicht toen de zonnen langzaam naar de horizon zakten en de velden van Borasgotan in een rood schijnsel zetten, alsof de uitgestrekte vlakten in brand stonden.

Hoewel hij het schouwspel kende, hield het hem altijd weer gevangen.

Hij zag hoe een kudde wilde paarden in de verte de oude vesting voorbij galoppeerde, op zoek naar een plek voor de nacht. De hitte van de dag, die nu langzaam bekoelde, had de geur van stof en gras. Het land snakte naar water.

Achter zich hoorde hij een droge hoest. 'Doe je het raam dicht, Raspot?' vroeg zijn zieke vrouw fluisterend.

Raspot huiverde bij die klank. Het leek meer op het ritselen van dorre bladeren, het kraken van oud, verbrokkeld perkament, dan op een menselijke stem. Krachteloos, zonder leven. Een dood geluid. 'Natuurlijk, mijn lief.' Hij sloot de ramen, schoof de grendel ervoor en stak zijn hand uit naar de zware gordijnen.

'Nee, Raspot, laat die maar open, alsjeblieft,' hijgde ze. 'Ik wil de sterren en manen zien, ook al kan ik de aanblik van de zonnen niet meer verdragen.' Weer hoorde hij die akelige, schurende hoest, gevolgd door haar zware ademhaling. 'Breng je me een slok water, Raspot? Mijn keel is net als ons land: dor en droog,' probeerde ze een lichte toon aan te slaan.

'Maar niet lang meer.' Hij schonk water uit de karaf in het glas en liep naar het uitnodigende hemelbed van donker Borasgotanisch vurenhout. 'Je zult zien dat er nu snel regen komt om het stof van de bladeren en het gras te spoelen.' Hij drukte het glas in haar magere vingers. 'En jouw pijn te verlichten.'

Haar lichaam tekende zich nauwelijks meer af onder de dikke deken. Ze droeg een nachthemd van eenvoudig linnen, en een zwarte sluier voor haar gezicht. Nog altijd treurde ze om haar vorige echtgenoot, ook al had ze inmiddels een nieuwe man haar hand geschonken. Dat vereiste de traditie. En de traditie was machtiger dan zelfs de Kabcara van Borasgotan.

Raspot keek naar haar en stelde zich het knappe gezichtje achter die donkere sluier voor, waarop hij zo hopeloos verliefd was geworden toen hij haar voor het eerst had gezien. Haar schoonheid was nu verwelkt, maar zijn gevoelens waren gebleven. Niets was zo oprecht als ware liefde.

Ze tilde haar sluier ver genoeg op om het glas aan haar bleke, gesprongen lippen te kunnen zetten. Met angst en wanhoop zag hij haar lijkwitte huid. 'Het is een vloek, Raspot,' steunde ze moeizaam, toen ze een slok genomen had. 'De vloek van Bschoi. Vanuit zijn graf straft hij me nog omdat ik mijn hart al aan jou had verloren toen hij nog leefde.' Ze gaf hem het glas terug. Er dreven rode druppels in het water, die snel vervloeiden.

Raspot was bijna in tranen. Hij kende haar als een lieftallige, welgeschapen jonge vrouw, met genoeg schoonheid en esprit voor duizend andere. Geen moment had hij getwijfeld dat hij de mooiste echtgenote van Ulldart aan zijn zijde had.

Maar alles was veranderd sinds het ongeluk waarbij de vasruc om het leven was gekomen. Het leek inderdaad op een vloek. 'Onzin. Je bent hem altijd trouw gebleven. Dat weten we allebei. Het was slechts het noodlot dat hij verdronk, zodat wij konden trouwen.' Hij trok haar deken recht, om haar warm te houden.

Haar ogen fonkelden achter de halfdoorschijnende stof. Ze tilde een hand op en streelde zijn donkerbruine haar, zijn hals. 'Vertel me wat de Borasgotanen van hun nieuwe Kabcar vinden; en wat ze ervan zeggen dat hij onmiddellijk is getrouwd.'

'Ze waren blij,' loog Raspot. 'Er zijn veel geschenken gebracht voor jou en mij. De mensen dansten in de straten en overal werd feestgevierd, tot in de vroege ochtend.'

De vrouw hoestte schrapend. 'Natuurlijk willen ze hun Kabcar zien. Je moet langs de steden reizen om je aan het volk te tonen, zodat je meer voor ze wordt dan enkel een naam, waarbij ze zich niets kunnen voorstellen.' Ze legde haar magere vingers op zijn hand. 'En pas op voor de edelen en brojaken, Raspot. Die willen je alleen maar voor hun karretje spannen. Fjanski is de ergste van allemaal.'

Het sneed hem door zijn ziel om haar te zien lijden, maar hij probeerde het niet te laten merken. Dan zou ze zichzelf de schuld van zijn neerslachtigheid geven en nog zieker worden. 'Ze zullen snel genoeg merken dat ze zich hebben vergist,' antwoordde hij. 'De Kabcara van Tarpol heeft bewezen hoe je met die snoevers moet omgaan, en het volk is haar dankbaar.'

Haar stem beefde. 'Dan vrees ik voor je leven, mijn echtgenoot.'

Hij lachte goedmoedig. 'Denk je echt dat ik me zo snel zal laten vermoorden?'

'Waar kun je op terugvallen?' klonk het zwak van achter haar sluier. 'Je hebt geen sterke bondgenoten, zoals Miklanowo, niet de steun van een bijna goddelijke Lodrik Bardri¢ die achter je staat, met de reputatie dat hij nog altijd over magie beschikt.' Ze lachte vreugdeloos. 'In plaats daarvan heb je een zieke vrouw in bed, die je geen erfgenamen kan schenken, terwijl de edelen elke stap die je doet in de gaten houden.' Met grote inspanning richtte ze zich op, alsof het lijk van een hongerlijder opeens tot leven kwam. 'Je moet je verzekeren van de steun van het volk, door je te laten zien en de mensen kleine vrijheden toe te staan, die hoop geven op meer. Pas als je dat hebt bereikt, kun je je tegen de adel teweerstellen.' Ze strekte haar armen uit.

Waar een normaal mens huilend de kamer zou zijn ontvlucht, voelde hij zich geborgen. Hij liet zich met vreugde in haar armen zakken en drukte haar kleumende lichaam tegen zich aan om haar te verwarmen.

'Reis door Borasgotan, mijn Kabcar, om het hart van de mensen te winnen. Zo kun je jezelf bevrijden van je tegenstanders met hun boze bedoelingen.' Ze tilde haar sluier op tot aan het puntje van haar neus en drukte hem een lange kus op zijn mond, vurig en hartstochtelijk, ondanks haar ziekte.

Dat haar lippen droog en gebarsten waren, deerde Raspot niet. Hij genoot van het gevoel en sloot zijn ogen. Hoe had hij zich niet op hun huwelijksnacht verheugd; hoe verlangde hij er niet naar haar tegen zich aan te voelen en haar lichaam met kussen te overdekken. Maar dat moest wachten tot ze weer beter was. Hun lippen lieten elkaar los.

'Ik dank de goden dat ik zo'n verstandige vrouw naast me heb,' fluisterde hij, en hij stond op van het bed. Het was hem niet ontgaan hoe ze beefde. Zelfs dit gesprekje met hem kostte haar te veel kracht en vormde een aanslag op haar toch al zo zwakke gezondheid. Voorzichtig ondersteunde hij haar lichaam, dat bijna niets meer woog, toen ze zich liet terugzakken. 'Zal ik soep voor je halen? Je moet aansterken...'

'Nee,' weerde ze vermoeid af. 'Ik wil rusten.'

'Ga dan maar slapen, mijn lief.' Zorgzaam trok hij haar deken nog eens recht en hij wilde haar de sluier afdoen.

'Nee, liever niet,' zei ze meteen. 'Die doe ik pas af als je weg bent. Als mijn ziekte een vloek van mijn man is, wil ik het niet nog erger maken door tegen het rouwgebod in te gaan.'

Raspot streelde teder haar schouder en verliet de kamer.

De nacht daalde neer over Checskotan.

Geleidelijk verstomden de geluiden in de burcht. De bewoners gingen naar bed, terwijl de sterren oplichtten aan het firmament en de manen zichtbaar werden toen het laatste licht van de zonnen door de duisternis was opgeslokt.

Door het torenvenster viel het zwakke schijnsel van een kampvuurtje dat de wachters op de binnenplaats hadden aangestoken. Regelmatig stoven er vonken op, alsof ze naar de sterren wilden opstijgen. Maar lang voordat ze dat onmogelijke doel hadden bereikt waren ze al gedoofd.

Somber staarde de Kabcara naar de sterren met hun koude schittering. *Zijn jullie dood? Waarom ontbreekt jullie anders de kracht om samen met de zonnen voor het leven op Ulldart te zorgen?* vroeg ze in gedachten. *Zijn jullie ooit zonnen geweest, maar door de goden gestraft en naar de nacht verbannen?* Ze hees zich overeind, zette eerst haar linker- en toen haar rechtervoet op de grond en stond op van haar bed. *Als dat zo is, zijn we verwant.*

Ze pakte de mantel die over het voeteneinde lag, wierp hem over haar schouders en stapte de kamer uit.

Haar blote voeten maakten geen enkel geluid op de stenen vloer toen ze door de verlaten gangen van de vesting liep en de trappen afdaalde, steeds dieper, tot in de gewelven.

Ergens druppelde water van de zoldering. Het rook er vochtig en schimmelig, naar uitwerpselen, muf stro en neergeslagen rook. Aan de wand hing een eenzame brandende fakkel, die haar schaduw tot een waar monster maakte dat uit de nachtmerrie van een waanzinnige leek ontsnapt.

'U bent laat, Kabcara,' zei een stem vanuit het donker.

'Raspot is lang gebleven,' antwoordde ze rustig. Er was meer nodig om haar angst aan te jagen dan een man die vanuit een schuilplaats tegen haar sprak. 'We hebben lang met elkaar gepraat, hara¢ Fjanski. Ik kan u en uw vrienden vertellen dat uw marionet van plan is zich eerder van zijn touwtjes te ontdoen dan uw plan was. Hij heeft zijn hoofd opgericht.'

De man kwam tevoorschijn van achter een vooruitstekende muur en stapte de lichtcirkel van de fakkel in. 'Dat had ik wel vermoed,' zei hij tandenknarsend. 'Die jonge, overijverige idioot!'

Ze had zich niet omgedraaid, maar sprak verder tegen de vochtige, door salpeter gevlekte wand. 'Morgen vertrekt hij voor een reis door Borasgotan, om zich aan zijn volk te tonen. Daarbij zal hij kleine beloften doen, om de mensen de hoop te geven dat ze het net zo goed zullen krijgen als hun buren in Tarpol. Als dat nieuws zich voldoende heeft verbreid en de mensen zijn naam associëren met hervormingen, kunnen u en uw vrienden daar niets meer tegen doen.' Nu pas draaide ze haar gesluierde gezicht naar de hara¢ toe. 'Voor het eerst zal Borasgotan een Kabcar hebben die geliefd is bij het volk.'

Fjanski dacht na. 'Een opstandige marionet wordt aan splinters gehakt en verbrand.'

'Maar het publiek heeft al van hem gehoord – en alleen in goede zin.' Ze deed een stap naar de man toe. Alleen haar mantel en haar nachthemd ritselden; haar voetstap hoorde hij niet.

De hara¢ slikte en vocht met zijn opkomende angst voor de Kabcara, die hem meer aan een geest dan aan een levend mens deed denken. 'Wat moeten we dan doen, volgens u?'

'Laat de marionet op het toneel, voor een korte akte uit het schouwspel,' raadde de vrouw hem hees. 'Zorg er tegelijkertijd voor dat niemand hem zal geloven, omdat u mensen laat arresteren voor kleine vergrijpen, uit naam van de Kabcar zelf. Bega een gruweldaad, zogenaamd op zijn bevel, kort voordat hij een grote stad binnenrijdt.' Ze hoestte zwaar, draaide zich om, tilde haar sluier een eindje op en spuwde rood speeksel op de grond. 'Dan zult u zien, hara¢ Fjanski, hoe anderen voor u de weerspannige marionet aan splinters zullen hakken en verbranden.'

De man kon zijn blik niet losmaken van de bloederige fluim. Opeens boog ze haar gesluierde hoofd naar hem toe, zodat hij ineenkromp en terugdeinsde. 'En daarna?' hakkelde hij. 'De onenigheid onder de edelen...' Fjanski's ogen werden groot. 'U wilt zelf de troon van Borasgotan!'

Ze lachte hem uit. 'Het heeft wel lang geduurd voordat u het begreep. Ik ben nooit van plan geweest in zo'n armzalige provincie te verzuren. En de omstandigheden zijn nog nooit zo gunstig voor mij geweest om mijn doel te verwezenlijken,' siste ze dreigend. 'U en ik, hara¢ Fjanski, willen de macht. En die zal ik met u delen zodra ik op de troon zit, zoals we weken geleden hebben besproken. Mijn ziekte zal genezen, en ik zal nog schoner stralen dan de zonnen van Ulldart zelf. Het volk zal me verafgoden, en u krijgt mijn zegen, zolang u maar genoeg bewapende mannen levert om de orde te handhaven in het land. *Mijn* orde.' Ze hoestte weer. 'Hebt u geregeld wat ik u vroeg?' hijgde ze op gebiedende toon. Haar rechterhand schoot naar voren en ze greep hem bij zijn kraag. Met onvoorstelbare kracht rukte ze hem naar zich toe. 'Nou?'

Fjanski knikte, veel te snel. Zijn angst voor de vrouw was in blinde paniek omgeslagen. 'Natuurlijk, Kabcara.' Hij knikte naar de duistere gang. 'Twaalf mensen, zoals u had gevraagd.'

Ze liet hem los. 'Ga terug naar uw vertrekken, hara¢,' zei ze met knarsende stem. 'Dit is niet voor uw ogen en oren bestemd.'

Fjanski sprak haar niet tegen. Haastig rende hij de trappen op, blij dat hij aan het gewelf en vooral aan de Kabcara kon ontsnappen.

Ze wachtte tot zijn snelle voetstappen waren verstorven en liep toen de gang in. De fakkel liet ze onverschillig in zijn wandhouder achter. Licht had ze niet nodig. Het zwakke schijnsel van een kaars, ergens voor haar uit, en het zachte gerammel van kettingen vertelden haar waar ze moest zijn.

Even later kwam ze in de kerkers van de vesting. Zware tralies die in de vloer en de gewelfde zoldering zaten verankerd vormden kooien die elk ruimte boden aan één tot dertig gevangenen. In totaal konden hier zo'n vierhonderd mensen worden opgesloten.

Zoveel had ze er nog niet nodig. Op haar verzoek had Fjanski mannen en vrouwen van verschillende leeftijden hier bijeengebracht en laten ontkleden en ketenen. Ze hingen in hun boeien aan haken in de zoldering, met hun voeten bungelend boven de grond. Daaronder lag een uitgeholde boomstam, die als trog kon fungeren.

De Kabcara kwam naderbij en pakte een lang, dun chirurgijnsmes van de vuile tafel, waarop de eenzame kaars stond.

Een van de vrouwen zag haar en schreeuwde van angst. 'Daar! Een geest!' Er ontstond grote onrust toen de gevangenen aan hun kettingen rukten en heen en weer slingerden.

'Nee, het is Vintera,' jammerde een andere, nog jonge vrouw. 'De godin van de dood komt ons halen.'

'Ik ben Vintera niet,' zei de Kabcara zacht. 'Mijn wapen is niet de sikkel, zoals je ziet.' Ze kwam aan de rand van de trog staan, legde haar oor tegen de naakte borst van de vrouw en luisterde naar haar hartslag. Waar haar hartenklop het luidst klonk, drukte ze haar linkerwijsvinger tegen de huid om de plek te markeren. 'Maar ik breng wel de dood.' Het dunne mes gleed tussen de ribben door in het hart en doodde de gevangene, die niet eens de tijd kreeg om te schreeuwen, maar met een zucht het leven liet. 'En daaruit put ik kracht.'

Met snelle, precieze sneden opende ze de aderen om het bloed langs het lichaam en de benen naar de trog te laten wegvloeien. Die weerzinwekkende operatie herhaalde ze nog elf keer. Het gekletter om haar heen en de toenemende metaalachtige stank deerden haar niet. Het betekende leven.

Ten slotte legde ze het bebloede mes tegen haar duim en bracht zichzelf een sneetje toe. Haastig hield ze de duim in de half gevulde trog, waarin het bloed al begon te stollen, en liet de opwellende rode druppels erin vallen.

Het maal kon beginnen.

Continent Ulldart, koninkrijk Ilfaris, hertogdom Turandei, koninklijk paleis, late zomer van het jaar 1 Ulldraels (460 n.S.)

'We kunnen Torben Rudgass naar Tûris sturen. Hij kruist daar toch voor de kust heen en weer en hij wil naar Tarvin. Als íémand iets van onderhandelingen met zeerovers begrijpt, is het wel een Rogogarder.' Koning Perdór zat achter zijn werktafel, draaide een lange, grijze krul van zijn baard om zijn vinger en liet hem abrupt weer los. De krul schoot terug en bleef op en neer dansen als een metalen veer.

Zijn blik gleed door de eetkamer van zijn geliefde paleis, dat hij na de bezetting van Ilfaris onmiddellijk had laten herstellen. Van al zijn residenties was hem het kasteeltje in Turandei het liefst. 'Bovendien is hij een held, die met zijn doldrieste avonturen ook een reputatie heeft opgebouwd bij de Tzulandriërs.'

'Weet u het zeker? Wat voor reputatie dan? "Doodsvijand" lijkt me een twijfelachtige eer.' Fiorell had voorgoed zijn narrenpak verruild voor een eenvoudige maar comfortabele broek, een hemd en een geklede jas met daarop een monogram en een narrenstaf geborduurd. Het eerste grijs werd al zichtbaar in zijn korte, zwarte haar. Zijn rug, zo verzekerde hij Perdór, was niet meer bestand tegen al die sprongen, salto's en andere heksentoeren. Ach, de leeftijd... De jaren spaarden hem niet, evenmin als zijn heer, die hij nu als vriend en raadgever terzijde stond. Ook had hij een nieuwe hofnar aangewezen. Zijn leeftijd was natuurlijk een excuus. Fiorell wilde de koning niet bekennen dat hij gewoon geen zin meer had om voor nar te spelen. Bovendien beviel zijn nieuwe rol hem uitstekend.

Perdór knikte. 'Ze zullen echt wel naar hem luisteren.' Hij bediende het verborgen mechaniek om zijn geheime archief te openen, dat achter de draaibare lambrisering verborgen lag. 'Moet je zien,' zuchtte hij, toen de stoffige ordners, folianten en losse papieren tevoorschijn kwamen. 'Het zal je een jaar kosten om de hele boel uit te mesten. Ik ben veel te lang in ballingschap geweest.'

'Míj?' Fiorell glimlachte vermoeid. 'Weet u, nog niet zo lang geleden zou ik een paar vrolijke sprongen hebben gemaakt, wat snibbige dingen hebben gezegd en u flink in de maling hebben genomen.' Hij wuifde moe met zijn hand. 'Maar nu... tsja. Nu wacht ik liever op de pralines waar de bediende zo meteen mee aankomt, en denk er het mijne van.'

'Heel prettig om te zien dat je zo'n stuk rustiger bent geworden.' Perdór trok aan het schelkoord om de keuken te waarschuwen dat hij een blad met zoetigheid verwachtte, zoals gewoonlijk.

Ondertussen liep hij langs de lange rij banden waarin alle oude gegevens over de koninkrijken, keurig op alfabet, waren opgeslagen. Zijn prettig zittende wambuis van lichte, zandkleurige zijde en gele wol gaf zijn buikje genoeg ruimte. Verder droeg hij een wijde witte broek en een bijpassende mantel met veel knoopjes en opsmuk. Hij hield van enig vertoon.

Een beetje treurig pakte hij een stoffig vel van een plank. Het net van verspieders dat hij ooit over het hele continent had uitgespreid vertoonde nu gaten – het werk van de laatste twee Bardri¢-vorsten. Zij hadden heel wat van zijn mannen en vrouwen opgespoord, aangehouden of laten terechtstellen. Het zou niet meevallen alle mazen weer te dichten. Er was zoveel veranderd.

De deuren gingen open en een bediende kwam binnen met twee bladen vol exquise chocoladefantasieën. Hij was in het gezelschap van de nieuwe hofnar, die Kurzeweyl heette en hetzelfde bonte ruitjespak droeg als Fiorell ooit. Huppelend kwam hij de kamer in, met het rinkelende geluid van een tot leven gewekte schellenboom.

De bediende zette het blad met chocola op de schrijftafel, schraapte zijn keel en begon met de toelichting. 'Majesteit, passend bij het jaargetijde hebben we hier chocolademousse waarin vroege kastanjes en rode port zijn verwerkt,' wees hij naar de bruine, fraai met room gedecoreerde massa in de schaaltjes. 'Bijzonder aan te raden is ook de chocoladetaart met abrikozen en de lichte chocoladekasserol met verse sinaasappel en gember. De patissier laat zich excuseren dat de kaneelsaus ontbreekt, maar het transport is in handen van de Tzulandriërs gevallen.' Met een stoïcijnse buiging verliet hij de kamer. Het was hem duidelijk aan te zien dat hij bijna over zijn nek ging.

Ook Kurzeweyl maakte een buiging, zo diep dat zijn neus de grond raakte, gevolgd door een salto voorwaarts. Bij het neerkomen verloor hij zijn evenwicht en knalde onbeholpen tegen de schrijftafel. 'O, ik...' Onhandig struikelde hij over zijn lange puntschoenen.

'Ongewild komisch,' merkte Perdór op.

'En niet erg professioneel,' vond Fiorell.

Kurzeweyl richtte zich op, zette zijn narrenkap recht en grijnsde als een boer met kiespijn. 'Wat is blauw en kwaakt?' probeerde hij een grap, om de aandacht van zijn blunder af te leiden.

'Een kikker die bijna stikt,' zei Fiorell zuchtend. 'Die heeft een baard.' Hij schudde vernietigend zijn hoofd.

De beide mannen laadden hun bordje vol en genoten aandachtig van de subtiele nuances van vruchten, kruiden en chocola die de patissier in zijn nieuwe composities had verwerkt om het gehemelte in vervoering te brengen.

Ondertussen probeerde Kurzeweyl zijn slechte indruk goed te maken door met appels te jongleren, waar hij maar mee stopte toen hij er twee liet vallen. Als klap op de vuurpijl stapte hij per ongeluk op een van de gevallen appels, gleed uit en viel voor de tweede keer. Zonder een woord te zeggen rukte hij de zotskap van zijn hoofd, smeet hem tegen de grond en beende de kamer uit.

Fiorell keek hem na. 'Volgens mij heeft hij ontslag genomen, majesteit.'

'Beter voor hem dat hij vrijwillig vertrekt,' smakte Perdór, en hij zocht nog iets om zijn honger naar zoetigheid te stillen. 'Je hebt toevallig geen zin om je weer in dat tricot te hijsen en mij aan het lachen te maken?'

'Hooggeboren Chocoprins, ik vind het heel vriendelijk van u, maar ik ben wel lang genoeg hansworst geweest.' Hij wees met zijn vorkje naar de deur. 'Helaas vallen de nieuwe narren een beetje tegen. Ze maken het vak te schande. Toen ik hem uitkoos, dacht ik dat zijn gestuntel opzettelijk was. Wist ik veel dat hij motorisch gestoord is?'

Dit gebrek aan vrolijk vertier aan zijn hof beviel de koning niet. Lachen hoorde nu eenmaal bij zijn levensgevoel. 'En wie moet me nou bespotten?' vroeg hij pruilend, terwijl hij naar de kaartentafel slenterde.

'U kijkt toch elke morgen in de spiegel? Is dat niet lachen? Of krijgt u van schrik geen lucht meer?' Fiorell kwam grijnzend achter hem aan.

Samen bogen ze zich over de kaarten en maakten aantekeningen bij de verschillende koninkrijken om met behulp van de binnendruppelende berichten een totaalbeeld te krijgen.

'Is er al nieuws van Alana II, of zit ze nog op het andere continent, Angor? Lekker warm bij haar schoonvader in het zuiden?' informeerde de koning, terwijl Fiorell de notities ordende bij de betreffende landen op de kaart.

'Hier heb ik het... Het huis van Iuwantor heeft tijdelijk de macht in Tersion overgenomen en bestuurt het land nu uit naam van de regentes. Geen probleem.'

'Heel goed.' Perdór noteerde iets op zijn lijst. Sinds de conferentie van de afgezanten na de slag bij Taromeel was hem de belangrijke rol toegevallen om het continent de weg naar de toekomst te wijzen. Dat betekende niet dat hij zich een soort god voelde, maar eerder een waarnemer, die tijdig kon bemiddelen in conflicten tussen de verschillende landen. Een catastrofe zoals in Tarpol in het jaar 443, waar een schoorsteenbrandje tot een uitslaande brand was geworden, mocht zich nooit meer voordoen. Koningen konden zich soms gedragen als ruziënde kinderen, en Perdór had zich voorgenomen hen op de vingers te tikken als het nodig was. Daarbij tikte Fiorell hém weer op de vingers, zodat alles in verhouding bleef.

'Aldoreel, Serusië, Rundopâl, Tûris en Hustraban melden dat er in goed overleg regeringen worden gevormd.' Fiorell nam in ijltempo de berichten door, alsof hij iets zocht. 'Hier, majesteit. Bij Borasgotan viel me iets op.'

'Wat dan? Hebben ze daar goede hofnarren?'

'Nee, maar het gaat er wel raar toe.'

'Alweer? Hebben ze een nieuwe gek op de troon gezet?' Perdór dacht met afgrijzen terug aan Arrulskhán, die met zijn overval op Tarpol een kettingreactie van oorlog en ellende had veroorzaakt.

'Nee, dat niet. Raspot I is nog jong en schijnt een goede reputatie te hebben, maar...' – hij tikte op het blad – '... zijn vrouw is een mysterie. Niemand heeft ooit het gezicht van de Kabcara gezien.'

De koning slenterde naar het buffet met zoetigheid en probeerde de lichte crème. De chocoladesmaak deelde zich onmiddellijk mee en vormde een zachte ondergrond voor de fruitige sinaasappel en scherpe gember. Hij had gewoon geen zin om het al door te slikken, zo lekker was het. 'Wat weten we over haar?' vroeg hij moeilijk verstaanbaar.

'Dat ze heel knap is. Ze was getrouwd met vasruc Bschoi...'

'Ik bedoel waar ze vandaan komt, achterlijke nar! En hoe heet ze?'

'Was u vergeten dat ik nu een rustig leven leid?' Fiorell grijnsde breed. 'Ik eet liever de rest van de taart op, in plaats van me op te winden en het snoep aan u over te laten.' Hij schepte zich een nieuwe portie op. 'Om op uw vraag terug te komen, die u me zo onvriendelijk in het gezicht smeet,' antwoordde hij, nu ook met volle mond, 'ze was een eenvoudige dienstmeid uit Noord-Hustraban, totdat ze de vasruc verleidde en haar maatschappelijke positie op slag verbeterde. En ze heet... wat nu? Dat zijn ze vergeten erbij te zeggen.'

Perdór keek van zijn kasserol naar Fiorell. 'Hé, rustig aan. Ik heb nog niets van die taart gehad,' zei hij verontwaardigd, terwijl hij moest toezien hoe Fiorell – die vermoedde dat de koning elk moment kon toeslaan – haastig alles naar binnen werkte.

'Pech gehad.' De lepel kraste nog een keer over het porselein en de taart was verdwenen. 'Heerlijk, echt waar. Ik zal proberen wat meer over haar aan de weet te komen.'

Gelaten zette Perdór zijn bordje neer. Vroeger zou hij zijn voormalige hofnar hiervoor de kamer door hebben gejaagd en hem van alles naar zijn hoofd hebben gesmeten, maar nu liet hij het bij een woedende blik. Ach, de leeftijd... 'Ik lever je uit aan Soscha en haar magische kunsten,' dreigde hij. 'Zij maakt je wel jonger, zodat je weer moet huppelen en de komiek uithangen voor je brood.'

'Ja, dat zou u wel willen! Soscha is zo ongeveer nog de enige magiër op Ulldart, als we de meester der geesten – Lodrik – niet meerekenen. Het zal nog moeilijk worden iemand te vinden die ze kan opleiden.'

De koning sloeg zich met zijn vlakke hand tegen zijn voorhoofd. 'Dat herinnert me ergens aan. Ik heb een brief van Norina Miklanowo gekregen, dat ze zich zorgen maakt over haar man. Ze is bang dat hij zich nog meer zal afsluiten en ze vraagt of we Soscha willen sturen om hem met haar magische gaven te onderzoeken.'

Fiorell kneep zijn ogen tot spleetjes. 'Is dat wel een goed idee? Soscha haat hem.'

'Ik vind van wel. Op weg naar Tarpol kan ze dan naar talent zoeken voor haar universiteit.' Perdór dacht na. 'Ja, het is beter dat ze hem onderzoekt en een diagnose stelt. Hij kan een gevaar voor Ulldart worden. Hoewel ik niet graag maatregelen tegen hem zou nemen.'

'U klinkt opeens wel heel ernstig.'

'Alles lijkt ernstig nu mijn hofnar ontslag heeft genomen.'

'Troost u, hij was waardeloos.'

'Maar in elk geval hád ik een nar.' Perdór knipoogde tegen Fiorell. 'De mensen zullen zich afvragen wie van ons beiden de nar is, nu jij geen ruitjespak meer draagt. Straks word jij nog koning en mag ik huppelen.'

'Dat kan ik Ilfaris niet aandoen, majesteit,' antwoordde de voormalige potsenmaker. 'Als u gaat huppelen, hebben we elke keer een lichte aardbeving.'

Perdór wees op de kaart. 'Geen slordigheden meer, Fiorell. Deze keer kunnen we beter te vroeg in actie komen dan te laat. Ik laat niet nog een keer half Ulldart in as en puin leggen.' In elk geval hoefde hij zich over Tarpol zelf, onder leiding van Norina, geen zorgen te maken. Samen met Waljakov, Stoiko en Krutor vormde ze een goed stel, dat van aanpakken wist. Ook in Ammtára was alles in orde. De goden hadden blijkbaar genoeg van het bloedvergieten.

Zwijgend liepen ze de aantekeningen door, totdat Fiorell weer verbaasd opkeek. 'Toen we het erover hadden om Rudgass naar Tûris te sturen voor onderhandelingen met de Tzulandriërs, was er toen al iets bekend over dat Kensustriaanse contingent dat door Palestan marcheert? Verdwaald op de terugweg vanaf Taromeel, misschien?'

Perdór zuchtte nog eens, met het geluid van een stokoude man. 'Nee, daar was nog geen sprake van. Ik kreeg gelijk argwaan toen ik hoorde dat de geleerden de priesters bij het bestuur hadden betrokken. Wat zijn ze van plan?' Hij zocht troost bij de chocolademousse met vroege kastanjes en rode port. Het zag ernaar uit dat hij heel snel een nieuwe hofnar nodig zou hebben als hij ooit nog wilde lachen.

III

Continent Ulldart, zuidwestkust van Tûris, late zomer van het jaar 1 Ulldraels (460 n.S.)

'Wát heeft die Palestaan gedaan?' Torben Rudgass bleef wijdbeens voor de kletsnatte mannen staan terwijl ze hun kleren uittrokken en de dekens om zich heen sloegen die ze kregen aangereikt. Hij streek met een hand door zijn korte, blonde haar, verbijsterd door het verhaal van de matrozen die ze daarnet tussen de ronddrijvende wrakstukken hadden opgevist en aan boord gehesen. 'Hij heeft jullie aangevallen en tot zínken gebracht?'

'We hadden maar een oud schip,' probeerde kapitein Froodwind zich te verdedigen. 'Een oorlogskogge is niet opgewassen tegen zo'n zeilschip. Een tweemaster, Rudgass, sneller dan de windduivel!'

Torben lachte hem uit en ontblootte de gouden tanden die de gaten in zijn gebit hadden opgevuld. De reconstructie uit draad, ijzeren plaatjes en goud had hem een vermogen gekost. 'Dat zou je wel willen – de schuld op je boot afschuiven.' Hij schudde verwijtend zijn hoofd en wierp de man een heupfles brandewijn toe. 'Vroeger enterden we die Palestanen gewoon met dezelfde koggen die jij nu oud noemt.' De twee vlechten onder aan zijn volle baard zwaaiden heen en weer.

Froodwind, een echte Rogogarder met een lichte baard en kort haar, nam een slok brandewijn en stampte toen nijdig op de planken. 'Mij best, Rudgass, zet maar een grote mond op. Als ik een dharka had zoals jij, zou dat Palestaanse zeepaardje me niet zijn ontsnapt.'

'Het is je niet alleen ontsnapt, oude platvis, het heeft je ook uit het water geknald,' wees hij de man vriendelijk terecht, terwijl hij hem op de schouder sloeg. De bemanning van de *Varla* lachte.

Trots wierp Torben een blik over zijn schip. De *Varla* was inderdaad iets langer dan de Tarpoolse oorlogskogge, met drie linnen zeilen en een hoge opbouw, die het tot een ideaal kapersschip maakten. Maar toch moest een Rogogarder altijd van een Palestaan kunnen winnen, met welk schip dan ook. Zijn eer als piraat stond immers op het spel.

'Goed, we zullen zien of we hem kunnen vinden,' zei hij, en hij brulde een bevel om een zigzagkoers te volgen om de tegenstander op te sporen. Het kraaiennest in de mast kreeg een dubbele bezetting.

'Na de grote oorlog zijn we toch allemaal bondgenoten van elkaar?' vroeg Hankson, de bootsman van de *Varla*, en hij greep naar de brandewijn. 'Juist de Palestanen moeten zich niet laten verleiden om die oude vijandschap weer op te rakelen. Er zijn genoeg mensen op Ulldart die hen graag zouden zien bloeden voor hun collaboratie met de Bardri¢s.'

Torben speelde peinzend met zijn gouden oorringen. Hij had hetzelfde gedacht. 'We zullen die Palestanen vinden en het ze vragen.' Met die woorden verdween hij naar zijn hut en liet zich aangekleed in zijn kooi vallen. Hij vouwde zijn armen achter zijn hoofd en sloot zijn ogen, denkend aan Varla, zijn vriendin, die voor hem naar Tarvin vertrokken was.

Hij zag haar levendig voor zich, met haar korte, zwarte haar en haar bruine ogen, die woedend konden vlammen of hartstochtelijk konden schitteren. Zo'n temperamentvolle vrouw paste precies bij hem, hoewel hij moest toegeven dat hij als een man van boven de veertig wel wat rustiger was geworden. Zoals zo dikwijls stelde hij zich haar naakt voor, terwijl ze verleidelijk met haar rug naar hem toe op het laken lag en uitnodigend over haar schouder naar hem glimlachte. Hij kon het niet verdragen om nog veel langer van haar gescheiden te zijn.

Hij was al half in slaap toen hij iemand hoorde roepen dat er een storm naderde. Als oude zeerot was hij door de bewegingen van het schip niet eens in zijn dromen gestoord. Haastig klom hij weer aan dek en tuurde naar de donkere wolken in het zuidwesten, met de grijze regensluiers eronder.

De zee werd snel onstuimiger. De boeg van de dharka dook in diepe golfdalen, wolken van schuim spatten op en het rook naar zout, zeewier en onweer.

'Laten we maar aanleggen,' besloot Torben, en hij wees naar de kust aan bakboord. 'Ik zie daar de lichtjes van Samtensand, voorlopig een geschikte haven.'

'Ik hoop dat ze grog hebben,' mompelde Hankson, en hij keek met kleine oogjes naar de troebele hemel. De eerste druppels kletterden al op zijn vlecht. 'Het zal niet meevallen om er te komen.'

De bootsman kreeg gelijk. Maar de *Varla* bewees weer eens haar degelijkheid, trotseerde de harde wind en worstelde zich stampend de haven binnen, waar al een licht gehavend zeilschip lag dat hier ook beschutting had gezocht tegen de storm.

Torben kende de steegjes achter de kade van Samtensand. Dit was een van de vier plaatsen waar Perdór berichten voor hem achterliet om hem op gebeurtenissen opmerkzaam te maken of om inlichtingen te vragen. Hij had meteen toegestemd toen de koning hem wilde inlijven. Hij was een vrijbuiter, een avonturier, die alles deed om zich niet te hoeven vervelen – hoewel hij een paar rustige uurtjes steeds meer ging waarderen, vooral samen met Varla. Maar aan een schommelstoel was hij nog niet toe.

Ondertussen regende het pijpenstelen. Golven sloegen over het dek, en ondanks hun waterdichte jaks werd het de mannen toch onbehaaglijk.

'Bij alle monsters van de diepzee! Dat is het schip van dat Palestaanse zeepaardje!' riep Froodwind, en zijn hand ging naar de dolk aan zijn riem. 'Komt dat even goed uit! Ik zal hem de knopen van zijn jas snijden, en het vel van zijn botten,' gromde hij vol voorpret.

'We zullen hem ondervragen en horen wat hij te zeggen heeft.' Torben trotseerde de woedende blik van de Rogogarder. 'Ik heb niets tegen de man. Hij heeft mij niet dwarsgezeten en ik ben benieuwd naar zijn antwoord.' Een van de matrozen van de andere boot mompelde een dreigement en spuwde op het dek. Torben greep hem bij zijn kraag en duwde hem met kracht tegen de grote mast. 'Niemand vergrijpt zich aan de Palestanen, is dat goed begrepen?' De matroos knikte en ontweek de blik in Torbens grijsgroene ogen.

De dharka ging voor anker in het havenbekken. Er werd een wacht ingesteld, de sloepen werden neergelaten en de bemanning vertrok voor een avondje walverlof in de kroegen van Samtensand.

'Geen knokpartijen,' bepaalde Torben nog eens. 'Stuur maar bericht zodra jullie de Palestanen hebben gevonden. Ik zit in het *Tapgat.*' Met zijn hoed diep in zijn ogen getrokken liep hij door de stortbuien. Warm geel licht viel door de kieren in de stevige luiken voor de ramen van de huizen en wees hem de weg door de hobbelige straten. De rook van de kachels lag als een deken over het stadje. Het was geen weer om lang buiten te zijn.

Torben sloeg af naar het eerste straatje naast de traankokerij en stapte even later de rokerige gelagkamer van zijn favoriete kroeg binnen. Hij hing zijn doornatte jak aan een spijker naast de deur.

'Heer waard, een rondje voor iedereen die met mij op Rogogard wil proosten!' riep hij, en hij schudde zijn hoed uit. Overal klonk bijval. De talrijke bezoekers floten en trommelden op de tafeltjes toen hij zich een weg zocht naar de tap.

De waard, een boomlange man, half kaal maar met een dichte, donkere baard waarin vogeltjes een nest hadden kunnen bouwen, stak hem grijnzend een hand toe. 'Het doet mijn hart en mijn buidel altijd goed om jouw stem te horen, Torben.' Toen bukte hij zich en haalde een in wasdoek verpakte brief onder de tapkast vandaan. 'Die is vanochtend gekomen. Verder heb ik niets voor je.' Hij zette de glazen op de tap, pakte een vaatje en schonk een rondje in, zoals Torben had gevraagd.

'Dank je, Walgar.' Hij maakte de brief open en zette grote ogen op. Perdór droeg hem op om onderhandelingen te beginnen met de Tzulandriërs op de Tûritische iurdum-eilanden. *Dan zie ik Varla veel later dan de bedoeling was*, dacht hij geërgerd, maar het stak hem nog meer dat de tegenstanders zich tot gevreesde piraten schenen te ontwikkelen. Terwijl hij had gedacht dat ze voorgoed van hen waren verlost. *Maar het plezier in de kaapvaart zal jullie snel vergaan. Niemand entert hier schepen behalve wij!* Nog steeds met zijn blik op de brief gericht, pakte hij zijn glas en hief het omhoog. 'Op Rogogard!'

De gasten van het *Tapgat* proostten als één man. Heel even was het stil in de kroeg, terwijl iedereen zijn borrel achteroversloeg.

En juist in die stilte klonk een heldere, duidelijke stem: 'En op Palestan!'

Torben liet de brief zakken, draaide langzaam zijn hoofd naar links en zag een jongeman, een melkmuil nog, die in het traditionele, rijkversierde uniform van een Palestaanse officier achter zijn tafeltje stond, met zijn glas geheven. Hij bracht het naar zijn mond en dronk het leeg.

'Ik hoop dat je dronken bent,' zei Torben luchtig, 'anders moet ik dit als een grove belediging opvatten.'

De Palestaan maakte een buiging en nam zijn hoed af. 'Sta me toe dat ik me, in tegenstelling tot u, eerst even voorstel. Mijn naam is Sotinos Puaggi, adjudant van commodore Roscario, de voormalige commandant van *De Verheffing*. Zijn ziel ruste in vrede in de gouden hallen van het hiernamaals.' De driekante steek van de jongeman accentueerde zijn magere gezicht. Hij leek geen geharde strijder, eerder een zeesoldaat in opleiding. 'Ik wilde u niet beledigen, maar eer bewijzen aan mijn land, net als u.'

Torben schatte hem op hooguit achttien jaar. Met weemoed dacht hij terug aan zichzelf op die leeftijd. 'Doe dat maar met je eigen rondje, niet met brandewijn die door mij is betaald.'

'Een rondje voor iedereen die met mij op Palestan wil proosten,' riep Puaggi onmiddellijk naar de waard, en hij hield zijn glas omhoog.

'Je schip heeft flinke klappen gehad,' zei Torben vrolijk, en hij gaf Walgar een teken om door te schenken tot zijn glas tot de rand toe gevuld was. Voor alle zekerheid schonk de waard ook dertig andere glazen vol.

'Uw schip zou zijn gezonken.' Puaggi hief zijn glas. 'Op Palestan!'

Niemand dronk mee. De glazen bleven onaangeroerd op de tapkast staan en de mannen staarden de officier onverschillig aan.

Puaggi haalde zijn schouders op, sloeg zijn drankje achterover en verzamelde de rest van de glazen op zijn tafeltje.

'Wat doe je nou?' vroeg Torben geamuseerd. Hij had verwacht dat de magere jongeman in zijn iets te wijde uniform met de bekende Palestaanse dramatiek luid vloekend uit het *Tapgat* zou zijn verdwenen.

'Ik heb ervoor betaald, en het is zonde om het te verspillen.' Dapper leegde hij het volgende glas en rilde even, nauwelijks waarneembaar. 'Deze brandewijn wordt op het heil van mijn vaderland gedronken, zoals ik al zei,' verklaarde hij, met een onderdrukte hoest.

Torben glimlachte welwillend. 'Dat zal me een schouwspel worden, jonge Puaggi.' Hij wees naar de glazen. 'Je hebt daar een voorraad drank staan om een hele bemanning dronken te voeren en een walvis te laten kotsen. Palestan zal zeker niet blij zijn als je ter ere van je vaderland je maag omkeert.'

'U zult zien dat een Palestaanse officier meer verdraagt dan u wel denkt.' Puaggi probeerde een zelfverzekerde indruk te maken, maar tot zijn leedwezen begonnen de gasten elk glas dat hij dronk nu hardop mee te tellen.

'Nog één ding, voordat je te bezopen bent. Het Rogogardische schip dat je tot zinken hebt gebracht voordat het jou averij bezorgde...'

'Het heeft ons geen averij bezorgd.'

'Zeven!' dreunde het hele *Tapgat.*

Torben trok zijn wenkbrauwen op. 'Ik heb de schade duidelijk gezien toen we de haven binnenvoeren.'

'Die Rogogarders hebben niet één schot gelost,' zei Puaggi minachtend. Hij smeet het lege glas weg en pakte het volgende. 'Ze hadden hun geschutsluiken wel open, maar ze waren te laat. Ik maakte een schijnbeweging, zodat ze recht tegenover mijn bombardes kwamen te liggen.'

'Acht!' moedigde het *Tapgat* hem aan.

'Dus jullie hebben zelf het vuur geopend?'

'Verdomme!' riep Puaggi opgewonden, en hij begon op zijn vingers te tellen. 'De Tzulandriërs hebben onze commodore met hun bombardes van de brug geknald, de ra's versplinterd en ons bijna naar de kelder gestuurd. Ik had hun hele vloot van bombardeboten in mijn nek, en dan moet ik me druk maken om de bedoelingen van een Rogogarder die met volle zeilen en geopende geschutsluiken op me afkomt?' Hij zwaaide met vier vingers, waarop hij al die punten had afgeteld, voor Torbens gezicht heen en weer, zuchtte diep en gooide zijn volgende glas brandewijn achterover. 'Nee, daar kon ik even niet mee zitten.'

'Negen!' telde het *Tapgat* enthousiast.

Torben was opgelucht, maar ook bezorgd. De aanval op zijn landgenoten was dus min of meer toeval geweest, maar die verwijzing naar een 'vloot' beviel hem niet.

Hij kwam aan het tafeltje van de jongeman zitten en trok hem aan zijn mantel omlaag. Puaggi liet zich weinig elegant op een stoel vallen. 'Ik wil met je drinken op het heil van Palestan,' bood Torben aan, 'als je me zweert dat je die Rogogarder niet met opzet tot zinken hebt gebracht.'

Puaggi fronste vragend zijn voorhoofd. 'Natuurlijk was dat opzettelijk,' protesteerde hij. 'Het was hij of ik.'

'Maar je dacht dat de Rogogarder je wilde enteren. Eerlijk waar?'

'Wat zou hij anders willen?' De man keek Torben aan. 'Laat ik het zo zeggen: wat zou ú denken als er een vent met een getrokken sabel op u afstormde? Wat zou u doen? Afwachten?'

'Ik zou me verdedigen,' beaamde Torben.

'Bedankt dat u het ook zo ziet.' Puaggi kwam weer overeind, trok zijn degen en weerde de aanval af. Het wapen van zijn tegenstander boorde zich in het tafelblad en bleef daar steken. De helft van de glazen kletterde tegen de vloer en de brandewijn stroomde door de kieren weg.

Het ging zo snel dat Torben even tijd nodig had om te begrijpen wat er gebeurde. Naast hem stond een schuimbekkende Froodwind, die met twee handen aan het gevest van zijn zwaard rukte om het uit de tafel te trekken. 'Froodwind, hersenloze worm!' bulderde hij. 'Ik zei toch dat je met je vingers van de Palestanen moest afblijven!'

'Ik wilde hem aan mijn zwaard rijgen, niet aan mijn vingers,' gromde Froodwind. 'Jij hebt mij niet te commanderen, Rudgass. Je bent gewoon een kaperkapitein, meer niet. Hoe beroemd je ook bent, daar heb ik schijt aan!'

Toen hij de punt van de dunne, scherpe degen van de Palestaan tegen zijn strottenhoofd voelde, zweeg Froodwind abrupt en durfde zich niet meer te verroeren. 'En wat zegt u over de Rogogarders, kapitein Rudgass?' vroeg Puaggi beleefd, met zijn wapen losjes in de hand. 'Mag ik daar ook niet met mijn vingers aankomen, of heb ik de vrije hand?'

Torben verbaasde zich over de moed van de Palestaan, die ook wel wist dat hij bij een echte knokpartij in het *Tapgat* tegenover een verpletterende overmacht zou staan. 'Dit is de kapitein die u met zijn schip per ongeluk tot zinken hebt gebracht.'

'Aanvaard dan mijn excuses. Ik weet nu dat u niet de bedoeling had ons aan te vallen. Het koninkrijk Palestan zal u natuurlijk een schadevergoeding voor het verlies van de manschappen en het materieel betalen.' Hij stak zijn degen terug in de schede. 'En als u toch hebt geprobeerd mijn schip te enteren, laat dit dan een waarschuwing zijn voor onze volgende ontmoeting.'

Torben moest eerst even slikken. Toen begon hij te lachen, steeds luider, tot het hele *Tapgat* inviel en de gevaarlijke spanning zich weer ontlaadde.

Torben pakte een glas. 'Op Palestan, en de eerste echte Palestaanse vent die ik ooit ben tegengekomen!' riep hij. Overal gingen er handen naar de glazen die er nog stonden. Puaggi werd toegedronken en de stemming in de kroeg was weer als altijd.

Froodwind zag maar af van verdere aanvallen of uitspraken. Hij probeerde te kalmeren en maakte van de gelegenheid gebruik zich te bezatten.

Puaggi leek opgelucht dat hij niet in zijn eentje al die brandewijn hoefde op te drinken. 'U bent de legendarische Torben Rudgass,' zei hij. De drank had een rode kleur op zijn magere wangen gebracht. 'Bij alle valsemunters! Als ik dat had geweten, zou ik wel een toontje lager hebben gezongen.'

'En dat zou jammer zijn geweest.' Torben grijnsde hem toe. 'Je bent een prijzenswaardige uitzondering, Puaggi.' Hij proostte met de Palestaan. 'Maar hoe zat het nou met die Tzulandriërs en hun vloot? Vertel!'

De Palestaan deed uitvoerig verslag van de onverhoopte confrontatie met de vijand, van wie iedereen dacht dat hij al verslagen was, en vertelde hoe hij was ontkomen. 'Ik heb koning Perdór en de Handelsraad op de hoogte gebracht,' besloot hij.

'Koning Perdór weet het al. Ik ben namens hem onderweg om met de Tzulandriërs over een aftocht te onderhandelen,' antwoordde Torben, en in een opwelling voegde hij eraan toe: 'Heb je soms zin om mee te gaan? *De Verheffing* lijkt me een uitstekend schip. Met een goede commodore.'

'Ik ben geen commodore. Daarvoor heb ik nog heel wat te leren.'

Torben grijnsde nog breder en ontblootte zijn gouden tanden. 'Leer het maar in de praktijk. Dit zou de eerste gezamenlijke actie van Palestanen en Rogogarders zijn. Denk eens aan het goede voorbeeld voor het hele continent.'

'Iedereen heeft de pest aan ons,' merkte Puaggi somber op.

'Vanwege het verleden, en niet zonder reden.' Torben stak de jongeman zijn rechterhand toe. 'Geef me de hand, dan zullen we Ulldart laten zien dat het zich geen zorgen hoeft te maken over de toekomst.'

Puaggi haalde diep adem, keek naar de eeltige vingers van de Rogogarder en greep zijn hand. 'Op mij kunt u rekenen, kapitein Rudgass. Laten we de Tzulandriërs maar eens aan de tand voelen.'

Continent Ulldart, koninkrijk Tûris, de vrije stad Ammtára, late zomer van het jaar 1 Ulldraels (460 n.S.)

Doe ik iets fout? vroeg Estra zich af. Wat ze ook tegen de Kensustriaanse bezoekers zei, alles leek verkeerd te worden opgevat.

Bij elke uitleg die ze gaf over de gebouwen en de geschiedenis van Ammtára staken de priesters Kovarem en Relio de koppen bij elkaar om te overleggen, helaas zo zacht dat Estra er niets van kon verstaan.

Ieder nog zo onbeduidend teken op de muren en gebouwen werd uitvoerig door hen bekeken, en de kleinste van de twee kraste voortdurend vreemde krabbels op een wastablet. De indrukwekkende krijgers toonden geen enkele belangstelling voor de stadswandeling. Ze letten alleen op dat niemand hen te na kwam.

Na een tijdje begon Estra zich toch zorgen te maken. Waar bleef Pashtak?

'Inquisiteur,' vroeg Relio vriendelijk, 'zou u ons naar het hoogste punt van de stad willen brengen, waar je een mooi uitzicht hebt? Ik dacht aan de toren die wij in het begin zagen.'

'Natuurlijk. Komt u maar mee naar het raadhuis.' Estra liep voor hen uit, maar opzettelijk niet te ver, zodat ze nu iets van het gesprek kon opvangen. Hoewel ze er niet zo uitzag, was ze voor de helft Kensustriaans, en bovendien had haar moeder haar de taal geleerd.

'Het klopt allemaal met de berekeningen,' hoorde ze Relio opgewonden zeggen. 'In naam van Lakastra, we móéten het hun vertellen!'

'Nee, we vellen geen oordeel voordat we deze stad ook van bovenaf hebben gezien,' antwoordde Kovarem. 'Er kan nog altijd sprake zijn van een verwisseling. Het gaat om de details.'

Estra spitste haar oren. Haar moeder had zichzelf Lakastre genoemd, toen ze in Ammtára woonde. Bestond er enig verband tussen haar naam en deze stad? Ze keek om en glimlachte tegen de beide mannen, die haar onderzoekend opnamen. Ze hoopte maar dat de overeenkomst iets goeds betekende. Maar de priesters deden er verder het zwijgen toe en lieten het bij deze mysterieuze aanwijzing.

Hoe langzaam ze ook door de straten van Ammtára liepen, Pashtak kwam niet opdagen. Dus nam Estra de delegatie mee de toren in. Hijgend beklommen ze de trappen naar de overdekte rondgang, die zich minstens honderdvijftig passen boven de daken van de huizen verhief. Hierboven stonden permanent vier wachters, bedacht op elk kringeltje rook, zodat ze bij brand tijdig konden waarschuwen om een ramp te voorkomen.

De priesters liepen naar de borstwering en praatten weer zachtjes met elkaar. Hun woorden verwaaiden in de sterke wind, zodat de inquisiteur, die hen was gevolgd, niets wijzer werd.

Gewoonlijk hield ze van het uitzicht over de stad, maar nu besloop haar het gevoel dat dit idyllische beeld misschien binnenkort verstoord zou worden. Had ze met deze rondleiding haar stad iets verschrikkelijks aangedaan?

Haastige voetstappen klonken op de trap, en heel voorzichtig verscheen het onmiskenbare hoofd van Pashtak boven het trapgat. Hij wilde de bezoekers niet al te abrupt laten schrikken. 'Welkom in Ammtára,' begroette hij hen, met een buiging. 'Ik ben Pashtak, voorzitter van de Vergadering van Getrouwen, die met het mandaat van de bewoners deze stad bestuurt.'

'Ik ben Relio, en dit is Kovarem. Wij zijn afgevaardigd door de priesters van Lakastra, onze god van de zuidenwind en de wetenschap, aan wie wij talloze vorderingen in ons land te danken hebben,' verklaarde hij kort, toen hij de verbazing in Pashtaks gele ogen zag.

'U hebt een lange weg achter de rug om hier uw opwachting te maken. Hoe kunnen wij u helpen?' vroeg de voorzitter vriendelijk, zonder aandacht te schenken aan het zorgelijke gezicht van zijn inquisiteur.

'Ooit hebt u een vrouw in deze stad onderdak gegeven die zich Lakastre noemde. Is dat waar?' vroeg Kovarem scherp.

Daar had Pashtak niet op gerekend. De gelaatsuitdrukking van de Kensustrianen waarschuwde hem niet te veel prijs te geven en meteen over Estra's achtergrond te beginnen. Maar deze rechtstreekse vraag bewees dat de Kensustrianen al op de hoogte moesten zijn. Liegen had geen zin.

'Waarom wilt u dat weten?' antwoordde hij met een tegenvraag, terwijl hij in hun richting snoof. De wind voerde onbekende geuren mee; de Kensustrianen roken naar kruiden, honing en een grote spanning en opwinding.

'In werkelijkheid heette ze Belkala, en ze was nog erger dan wat u een ketter zou noemen,' verklaarde Relio, die probeerde Kovarems scherpe toon wat af te zwakken.

'Als u voor haar gekomen bent, kan ik u geruststellen. Ze is dood, ongeveer een jaar geleden gestorven,' vertelde Pashtak.

Relio en Kovarem gebaarden onderling en mompelden wat. 'Daarmee is de wereld van een smet verlost,' zei Relio opgelucht. 'Had ze ook kinderen?'

'Nee,' klonk het onmiddellijk uit Estra's mond. 'Ze is haar man kinderloos in het graf gevolgd.'

'En waar ligt dat graf?' vroeg Kovarem meteen. 'We willen het graag zien.'

'U moet goed begrijpen waarom we dit vragen,' zei Relio verzoenend. 'We zoeken onder meer een amulet die ze droeg. Die had ze uit de tempel van Lakastra gestolen, en we willen hem graag terug.'

Het gesprek beviel Pashtak allang niet meer. Hij wilde eerst duidelijkheid, voordat hij iets over Belkala's leven zou onthullen. 'Daarom hebt u die lange reis gemaakt? U had ook kunnen schrijven, dan zouden we het lichaam hebben onderzocht.'

'Maar dat is het enige niet.' Relio liet zijn blik over de stad glijden, en Estra zag hoe hij moed verzamelde. 'Pashtak, wij moeten u en de bewoners van deze stad iets vragen. Luister goed naar ons voorstel, bid ik u.' Hij keek de voorzitter een hele tijd strak aan. 'Geef uw stad een andere naam en haal alle tekens van de muren die wij u zullen aanwijzen. Bovendien moet een aantal huizen worden afgebroken en ergens anders opnieuw opgebouwd.'

Pashtak bromde van verwondering – een geluid waarbij de Kensustriaanse krijgers haastig hun hand op het gevest van hun zwaarden legden. 'En waarom dan wel?'

'Op die vraag mag ik geen antwoord geven,' zei Relio spijtig. 'Toch dringen wij hier met klem op aan. Binnen een dag verwacht ik uw besluit.'

'Eén dag?' herhaalde de voorzitter met een geluid dat het midden hield tussen fluiten en sissen. 'Daar moet de vergadering over beslissen, niet ik. En hoe kan ik hun duidelijk maken dat we een uitspraak moeten doen zonder argumenten?'

Wat voor geheim verbergt de stad? Wat heeft mijn moeder achtergelaten? vroeg Estra zich angstig af.

'Voorzitter!' riep een van de brandwachten, en hij wees naar het zuidwesten.

Estra en Pashtak keken in de aangegeven richting, waar een strijdmacht naderde. De wapenrustingen en zwaarden glinsterden in het licht van de zonnen. De colonne werd gevolgd door een indrukwekkende rij grote en kleine karren. De bevelhebbers hadden zich blijkbaar op een langdurig beleg voorbereid.

Relio en Kovarem draaiden zich om en wilden vertrekken. 'Zijn deze vijfduizend argumenten voor u voldoende?' vroeg Kovarem, die al met een voet op de bovenste tree stond.

'Het spijt me bijzonder dat we geen tijd hebben voor lange onderhandelingen, maar ik hoop dat u een beslissing zult nemen in het belang van de bewoners. U kunt zelf uw stad veranderen, of wij doen dat voor u.' De Kensustrianen daalden de treden af. 'Wij blijven in de stad en markeren de huizen, zodat u ze gemakkelijk kunt vinden,' zei Relio nog. 'Wees zo vriendelijk om ons onderdak te geven tot morgenochtend.'

Estra scheurde haar blik met moeite van het oprukkende leger los. De troepen hielden op een paar mijl afstand halt en sloegen hun tenten op. Binnen enkele ogenblikken leek de hele toekomst van Ammtára aan een zijden draad te hangen. Op zo'n korte termijn was het onmogelijk om Perdór nog te vragen te bemiddelen met de Kensustrianen, bij wie hij zo lang in ballingschap had geleefd.

'Estra, we moeten praten,' wekte Pashtak haar uit haar overpeinzingen. 'Vertel me alles over je moeder. En laat Tokaro halen.'

'Wat heeft hij ermee te maken?' Ze verzette zich onmiddellijk, uit angst de waarheid te moeten vertellen waar de jonge ridder bij was.

'Hij kende jouw vader het beste en weet misschien meer over de geheimen van Belkala dan jij of ik.' Hij liep naar de trap. 'Maak voort. Het zal niet lang duren voordat het nieuws over de eisen van de Kensustrianen de ronde doet.'

Ze troffen elkaar in het huis dat ooit van Belkala was geweest en waar nu Shui, Pashtak en hun gezin samen met Estra woonden.

Tokaro was te laat. De aankomst van de Kensustrianen was niet verborgen gebleven voor de orde der Hoge Zwaarden, zoals ze zagen. De jonge ridder droeg nu zijn volledige wapenrusting.

'Neem me niet kwalijk dat ik wat meer tijd nodig had,' verontschuldigde hij zich met een haastige buiging. 'Ik moet u de hartelijke dank van grootmeester Kaleíman van Attabo overbrengen dat u hem en de orde een onderkomen voor de nacht hebt gegeven.' Voorzichtig ging hij op een breekbaar ogende stoel zitten. 'Heel indrukwekkend, al die Kensustrianen voor de poort. Wat willen ze? Zijn ze op weg naar Palestan om die kooplui bij het verdrijven van de Tzulandriërs te helpen, of...' Hij zag de zorgelijke gezichten van Estra en Pashtak. 'Is het wat het lijkt? Zijn ze gekomen om Ammtára aan te vallen?' riep hij geschrokken. 'Wat is er gebeurd?'

'Het verleden heeft de stad ingehaald. Alleen weten we niet precies waarmee we ons de woede van de Kensustriaanse priesters op de hals hebben gehaald. Die dreigende aanval schijnt iets te maken te hebben met de vrouw die jij onder de naam Belkala kent,' legde

Pashtak uit. 'Jij bent toch de aangenomen zoon van grootmeester Nerestro van Kuraschka? Belkala was lange tijd de vrouw in zijn leven.' Hij schonk de jonge ridder een kop kruidenthee in. 'Vertel ons alles wat jij van de grootmeester over haar hebt gehoord. Zonder iets weg te laten.'

'Ze waren al niet meer bij elkaar toen ik hem ontmoette.' Tokaro probeerde zich de gesprekken met zijn adoptievader te herinneren. 'Ze was een priesteres van de god Lakastra, maar ze had zijn leer naar eigen inzicht veranderd en de gelovigen verblind en gemanipuleerd met valse visioenen. Daarom is ze uit haar land verbannen.' Hij nam een slok thee. 'Bij hem deed ze hetzelfde. Maar hij ontdekte haar leugens en verraad en hoorde van andere Kensustrianen de waarheid over haar. Daarom heeft hij haar verstoten.' Hij zag nog de pijn op het gezicht van de ridder. 'Ze heeft zijn ziel gekwetst en hem met haar bedrog zoveel ontnomen wat de grootmeester machtig maakte... Dat hebben de andere ridders me verteld. Belkala was slecht en verdorven. Zij was de oorzaak van zijn ondergang.'

'Onzin! Ze heeft altijd van hem gehouden, tot in de dood! Door hem moest ze lijden als een dier,' beet Estra hem woedend toe, omdat hij over haar moeder sprak als over een hoer. 'En ze was zeker niet verdorven.'

'Heb jij haar dan gekend?' vroeg Tokaro, verbaasd over de heftigheid van haar onverwachte aanval.

'Ik... was erbij toen ze stierf,' zei ze, en ze probeerde haar opkomende woede tegen de jongeman te verbergen om zichzelf niet te verraden. Toen zocht ze onder haar jurk en haalde het kettinkje met de kleine, ronde amulet tevoorschijn dat haar moeder haar kort voor haar dood gegeven had. 'Ik heb het van haar cadeau gekregen omdat ik voor haar zorgde,' loog ze, en ze legde het op tafel. 'Misschien kan het ons iets meer vertellen over het geheim.'

Pashtak pakte de amulet. Peinzend bekeek hij de Kensustriaanse tekens en symbolen, streek er met zijn vingers overheen en draaide het rond. Voorzichtig rook hij aan het poreuze metaal en snoof de geur op van Lakastre en een muffe dood. Met afkeer legde hij het weer neer.

Tokaro keek tersluiks naar Estra, die hem geen blik meer waardig keurde, en vroeg zich af wat er achter haar onbeheerste uitval stak.

'Dát is het!' riep Pashtak opeens. Hij griste de amulet weer van tafel en stak hem de beide jonge mensen toe, die hem geschrokken aanstaarden. 'Zien jullie het dan niet? De lijnen!' Met zijn klauwhand tikte hij op de voorkant. 'De *lijnen*!' Toen hij zag dat ze hem niet begrepen, pakte hij Estra bij de hand en stormde naar de deur. 'Kom mee naar de toren,' riep hij opgewonden.

Ze renden door het avondlijke Ammtára naar het raadhuis, en de trappen op. In zijn zware wapenrusting raakte Tokaro algauw achterop, zodat ze op hem moesten wachten.

Maar eindelijk stonden ze op de rondgang. Pashtak liep naar de borstwering, hield de talisman omhoog en wees naar beneden. 'Zien jullie nu wat ik bedoel?'

Er lag een gouden glinstering over de stad. Ammtára baadde in het licht van de fakkels en lantaarns van de bewoners die in de invallende schemering onderweg waren. En juist al die lichtjes aan hun voeten gaven het geheim van de stad prijs.

'Bij Angor! Ik zie het!' riep Tokaro, die het zweet op zijn gezicht had. Hij klemde zich aan de balustrade vast. De straten en wegen volgden precies de lijnen op de amulet.

Het drietal liep de hele rondgang langs en vergeleek alle details. Nu ze het basisprincipe begrepen, waren de overeenkomsten niet moeilijk te vinden.

'Ze heeft een exacte kopie van de amulet laten bouwen,' fluisterde Estra afwezig, terwijl ze tot over de stadsmuren keek, waar de vuren van het Kensustriaanse leger brandden. *Wat heb je onze stad aangedaan, mama?* Ze herinnerde zich de spreuk die op de achterkant van de amulet stond gegrift: 'Mijn leven duurt tweemaal zo lang, dankzij de dood van velen.' *Wilde je dat de stad ten onder zou gaan? Wat voor pact heb je gesloten met jouw god?*

Tokaro zag haar bedroefde gezicht en in het vage licht herkende hij in haar ogen opeens de gelijkenis met de man aan wie hij zoveel te danken had. Zou zij de dochter van Belkala en Nerestro kunnen zijn? Dat zou verklaren waarom ze zo heftig had gereageerd toen hij kwaad had gesproken van Belkala.

Dus had de liefde tussen de grootmeester en de priesteres nog vrucht gedragen toen ze al uit elkaar waren. Misschien was dat de reden waarom hij nooit iets over een dochter had gezegd: Hij had niet van haar bestaan geweten.

Tokaro werd heen en weer geslingerd tussen tegenstrijdige emoties. De gevoelens die hij sinds hun eerste ontmoeting voor de jonge inquisiteur had gekoesterd, werden door zijn vermoeden wreed verstoord. Ze was niet alleen het vlees en bloed van de man van wie hij als van een vader had gehouden, maar ook het kind van de vrouw die hij door de verhalen van zijn adoptievader en Kaleíman had leren haten. In elk geval wilde hij zekerheid.

'Estra,' zei hij, met een hese stem van emotie, 'ben jij de dochter van Belkala en Nerestro?'

Meteen keek ze Pashtak aan. 'Heb jij het hem verteld?' vroeg ze verontwaardigd en tegelijk gekwetst door die schending van haar vertrouwen.

'Nee, ik heb niets verraden,' ontkende hij onmiddellijk.

'Het viel me zelf op. In dit licht heb je dezelfde ogen als je vader,' kwam Tokaro de voorzitter te hulp. 'Waarom heb je het me niet gezegd, Estra?'

Ze zuchtte. 'Omdat ik vermoedde dat je slecht over mijn moeder... en dus over mij... zou denken,' antwoordde ze verdrietig. 'Maar ze was helemaal niet zoals Nerestro haar afschilderde. Ze heeft goed voor me gezorgd...'

'Net als voor Ammtára?' vroeg hij, en hij tuurde naar het kamp van de Kensustrianen. 'Daar zie je het resultaat van haar zorgzaamheid.'

'Ach, kijk toch naar jezelf, Tokaro van Kuraschka!' riep ze, en het verdriet in haar karamelkleurige ogen maakte plaats voor woede toen ze met gebalde vuisten op hem toe kwam. 'Daar sta je nou, het evenbeeld van die zelfgenoegzame, aanmatigende Nerestro, over wie ik zoveel heb gehoord! Met zijn zogenaamde roem en eer...'

Hij greep haar bij haar schouders. 'Geen slecht woord over hem!' waarschuwde hij, maar ondanks zijn boosheid voelde hij een hevig verlangen om haar op haar zachte lippen te kussen.

Estra lachte honend. 'Moet ik je soms danken voor je genade omdat je me niet slaat of tot een duel uitdaagt?'

Pashtak kwam tussenbeide. 'Hou op! Wat mankeert jullie? Bedenk liever wat we moeten doen, in plaats van je energie te verspillen aan een scheldpartij.' Hij gaf Estra de amulet terug. 'Hier, berg die weer op en laat hem aan niemand zien. Een deel van het raadsel hebben we nu opgelost. Belkala heeft haar Kensustriaanse leven in steen nagebouwd.'

De jonge ridder draaide zich om. 'We moeten nog eens met de delegatie praten om meer te weten te komen over de reden voor hun eis. Misschien willen ze de grootmeester van mijn orde als neutrale onderhandelaar accepteren.'

Pashtak betwijfelde of de priesters een krijger als bemiddelaar zouden aanvaarden. 'Het is maar een idee,' beaamde hij, tegen beter weten in.

'Ik wil ze die amulet van mijn moeder wel geven. Als ze in ruil daarvoor bereid zijn met ons te praten,' zei Estra, terwijl ze Tokaro opzettelijk negeerde.

'Goed,' knikte Pashtak, blij dat hij de buitenlanders een aanbod kon doen. 'Dat kunnen we proberen, voordat we de vergadering bijeenroepen om de andere eisen van de Kensustrianen te bespreken.' Hij keek omhoog naar de nachthemel. 'We hebben nog maar een paar uur om een besluit te nemen.' Hij knikte naar de ridder en de inquisiteur. 'Jullie gaan met mij mee naar Kovarem en Relio.'

Haastig vertrokken ze naar het onderkomen van de delegatie, niet ver van het kamp van de Hoge Zwaarden. Estra en Tokaro wisselden de hele weg geen woord meer. Pashtak was blij toen ze eindelijk voor het huis stonden. Dreunend beklom hij de treden en bonsde op de houten deur.

Eerst gebeurde er niets. Toen draaide er een sleutel in het slot, en de grendel werd weggeschoven; met veel moeite, zo te horen. Ten slotte opende de deur op een kier. Daarachter zagen ze Relio's gezicht.

'Goedenavond, Relio...' De misselijkmakende lucht van vers bloed sloeg Pashtak tegemoet. Voor zo'n wolk van stank was meer nodig dan een sneetje in een duim. 'Alles in orde?' vroeg hij argwanend.

Relio rochelde, en uit zijn mond golfde een straal bloed als soep over de rand van een bord. Toen stortte hij achterover en trok daarbij de deur helemaal open. Kreunend lag hij in de gang, draaide zich nog eens op zijn zij en blies toen met een zacht gejammer zijn laatste adem uit. Er staken twee pijlen uit zijn linkerzij.

'Terug!' beval Tokaro, terwijl hij zijn Aldorelische zwaard trok en naar binnen stapte. 'Ik ga kijken wat er aan de hand is.' En hij waadde door de rode plas.

Estra en Pashtak wilden niet afwachten en volgden hem; ze trokken hun korte zwaarden om de ridder zo nodig hulp te bieden.

Maar de wapens waren niet meer nodig, zoals al snel bleek.

Ze vonden de krijgers en de andere priester verspreid over verschillende kamers, de een nog gruwelijker verminkt dan de ander. Bloed en ingewanden verspreidden een walgelijke stank, waarbij het drietal de inhoud van hun maag amper kon binnenhouden.

Pashtak inspecteerde Kovarem, die met tien pijlen aan de wand van een kast was genageld. Daarnaast had iemand met hanenpoten DOOD AAN DE GROENHAREN op het hout geschreven. 'Nu hebben we pas écht een probleem,' gromde hij.

Continent Ulldart, koninkrijk Borasgotan, Amskwa, herfst van het jaar 1 Ulldraels (460 n.S.)

De herfst had in het noordelijke deel van Borasgotan al even weinig te vertellen als de veel te korte zomer en lente. De jaloerse winter liet het land nauwelijks aan zijn ijzige greep ontsnappen en gunde het slechts een paar weken waarin het ijs eindelijk smolt, zodat de natuur groen kon kleuren en opbloeien.

Maar ook die pracht was alweer lang voorbij.

De wind joeg door de dorre bladeren en koude regendruppels kletterden tegen de raampjes van de prachtige koets toen de stoet van Kabcar Raspot I de poorten van Amskwa binnenreed om de hoofdstad van het rijk, zo rijk aan tradities, met een bezoek te vereren.

Wat de jonge heerser door de ruitjes zag, vervulde hem met ontzetting. 'Bij Ulldrael de Rechtvaardige!' riep hij uit, en hij wenkte Fjanski naar het raampje. 'Wat heeft dit te betekenen?'

Als begroeting werd de Kabcar wel een heel bizar spektakel voorgeschoteld. Aan alle topgevels langs de straten bungelden lijken aan een touw. Het waren vrouwen van alle leeftijden, met hun handen op de rug gebonden. Bij een windvlaag slingerden de doden soms heen en weer en botsten aan hun lange touwen tegen de zijkant van de koets.

'Ik weet het niet, hooggeboren Kabcar,' antwoordde de hara¢ verbijsterd, en hij liet zich snel weer op zijn plaats terugzakken, terwijl hij zorgvuldig vermeed in de zielloze ogen van de slachtoffers te kijken. 'De burgemeester?'

'Hij heeft wel iets uit te leggen.' Ook Raspot leunde weer naar achteren in de zachte kussens. 'Het is jouw gebied, Fjanski. Moet jij niet weten wat zich hier afspeelt?'

De koets reed door een ogenschijnlijk verlaten stad. Er was geen mens te zien om de Kabcar welkom te heten; niemand bracht hem als begroeting zout en brood.

Het hoefgetrappel verstomde en het rijtuig kwam tot stilstand. De deur werd van buitenaf geopend en een man in een grijs uniform, zoals de hoge ambtenaren van de Bardri¢s nog hadden gedragen, stond tegenover hen. Hij was doornat van de regen. Het water droop van zijn donkerblonde haar langs zijn gezicht, over zijn neus en in zijn baard. In zijn linkerhand hield hij een koffertje.

'Snel, hooggeboren Kabcar, we moeten weg!' Hij wierp zijn tas naar de rijknecht, die hem opving en bij de rest van de bagage borg. Haastig stapte hij in en slaakte een zucht van opluchting.

'Dit is burgemeester Padovan,' stelde Fjanski hem voor. 'En hij vergeet zijn manieren.'

Padovan maakte een buiging. 'Hooggeboren Kabcar, duizend excuses, maar de stemming in de stad...'

Raspot maakte een ongeduldig gebaar. 'Hebt u dit bloedbad onder de bevolking laten aanrichten?' vroeg hij op bijtende toon, wijzend naar de bungelende lijken. 'Ik hoop voor u dat u een heel goede reden had al die vrouwen en meisjes te laten opknopen.'

'Ik?' Padovan keek Raspot aan alsof hij niet goed wijs was. 'Ik heb gewoon gedaan wat ú me had opgedragen, hooggeboren Kabcar!'

'Zou ík dat hebben bevolen?' vloog Raspot op. 'Geen sprake van.'

Padovan zocht onder zijn mantel en haalde twee verkreukelde brieven tevoorschijn. 'Jawel, hooggeboren Kabcar. U had beslist dat één op de tien vrouwen in de stad wegens de dreigende hongersnood in het land moest worden opgehangen, zodat het aantal bewoners niet zou stijgen door pasgeboren baby's. Ook wie zwanger was, moest worden gedood of het land uitgezet. En als afschrikwekkend voorbeeld moesten de lijken aan de gevels...'

'Bent u helemaal krankzinnig geworden?' fluisterde Raspot. Hij greep de man bij zijn kraag en rukte hem naar zich toe. 'Hoe hebt u die onzin kunnen geloven?' brulde hij, en hij sloeg Padovan een paar keer met zijn vlakke hand in het gezicht.

Padovan hief zijn armen om de klappen af te weren. 'Hoe had ik dat moeten weten, hooggeboren Kabcar?' jammerde hij. 'U hebt zelf geantwoord op mijn vragen.' Hij griste de brieven van de vloer van de koets en stak ze Raspot toe. 'Hier, leest u zelf maar!'

De koning pakte ze aan en las ze haastig door. 'Mijn handschrift, mijn handtekening...' fluisterde hij ongelovig. 'En zelfs mijn zegel!'

'Omdat ik het eerst niet kon geloven, heb ik het de andere steden gevraagd, die het allemaal bevestigden. Ze hadden dezelfde instructies gekregen als ik.' Hij trok wit weg. 'Dus die orders kwamen niet van u?'

'Lijk ik soms net zo krankzinnig als Arrulskhán?' Raspot dacht razendsnel na en trok de enig mogelijke conclusie. Iemand had met dit bloedbad onrust willen zaaien om hem af te zetten. Hij keek de nerveuze Fjanski aan. De hara¢ en de andere edelen? Maar waarom hadden ze hem niet gewoon vermoord, als ze hem kwijt wilden?

'Waarom draagt u het oude uniform van de Bardri¢s?' informeerde Fjanski.

'Dan ben je veiliger dan in een Borasgotanisch uniform,' antwoordde Padovan, en hij keek angstig uit het raampje. 'Laten we gaan. Als de rust een beetje is weergekeerd, kunnen we het volk uitleggen dat we zijn bedonderd,' drong hij aan. 'Ze waren al op weg naar mij toe.' Hij onderdrukte een kreet. 'Fakkels! Daar zijn ze!' De burgemeester sprong aan de andere kant uit de koets en rende door de stromende regen een zijstraatje in waar nog geen licht te zien was. 'Moge Ulldrael u behoeden, hooggeboren Kabcar,' riep hij nog, voordat hij verdween.

Uit alle grote straten stroomden de mensen toe. Het leek wel een zee van deinend vuur, op weg naar het huis van de burgemeester. Al het water uit de grauwe hemel had deze vlammen niet kunnen doven.

Toen de bewoners van Amskwa het wapen op de koets herkenden, steeg er een woedend gebrul op uit de menigte. Keien werden uit het plaveisel gerukt en de eerste projectielen sloegen al tegen het dak en de zijwand. Het raampje spatte uiteen en Raspot en Fjanski werden onder glassplinters bedolven.

De koetsier wachtte niet op instructies, maar liet zijn zweep knallen en dreef de paarden met luide bevelen en zweepslagen meedogenloos door de volksmassa heen. De koets hobbelde en zwaaide heen en weer toen hij een paar mensen overreed. Fakkels werden door de kapotte ruitjes naar binnen gesmeten en even haastig door Fjanski en Raspot weer teruggegooid, terwijl ze de brandjes in de kussens uittrapten.

Plotseling slaakte de koetsier een kreet. De Kabcar zag hem zijwaarts van de bok vallen, tussen de menigte, die zich woedend boven op hem stortte. Zonder voerman stormden de paarden verder, nog altijd bedreigd door de bewoners van de stad.

Toen, bij een scherpe hoek, vloog de koets door zijn veel te hoge snelheid uit de bocht en kiepte om. Raspot werd naar buiten geslingerd en kwam in het kraampje van een groenteboer terecht. De planken braken en de Kabcar werd bedolven onder de kolen.

In een mum van tijd kwamen de mensen aangerend en sleurden Fjanski uit de koets. Iedereen die bij hem in de buurt kon komen probeerde hem te schoppen. Algauw hingen zijn kleren in rafels om hem heen. Zijn hoofd bloedde en zijn linkerarm was gebroken.

Raspot verzamelde zijn moed en wilde zich aan de mensen tonen, om Fjanski het leven te redden. Hij moest een poging doen de gebeurtenissen te verklaren.

'Nee! Nee, laat me met rust! Het was mijn bevel niet!' schreeuwde de edelman, terwijl een groepje mannen een wiel van de koets demonteerde om hem zijn armen en benen te breken en hem aan de spaken te binden. Hij strekte zijn goede arm uit en wees naar de berg van kolen, waaronder Raspot lag. 'Het was de Kabcar! Raspot de Eerste heeft zelf het bevel gegeven. Aan mij en aan de andere steden.' De menigte aarzelde. 'Ik heb juist geprobeerd het te voorkomen,' zei hij dringend. 'Geloof me, ik zou zoiets nooit hebben toegestaan! De Kabcar is gek geworden.'

Vuile verrader! Raspot hield zich gereed om op te springen en ervandoor te gaan. *Ik wist wel dat jij erachter stak.*

'Nou en, Fjanski? Jij en de andere edelen hebben hem tot Kabcar gekozen!' riep een jongeman die zich niet om de tuin liet leiden, en hij greep het rad in twee handen. 'Je zult net zo zwaar boeten als hij. Ik zal me wreken voor de dood van mijn vrouw!' Hij hief het wiel in de lucht en liet het met een klap op Fjanski's onderbenen neerkomen. De botten braken en de hara¢ brulde van pijn.

Raspot had niet veel medelijden. Hij kroop onder de groente door, nog altijd niet opgemerkt door de mensen, omdat ze het verhaal van hun gevangene voor een uitvlucht hielden. Ten slotte sprong hij overeind en rende het eerste het beste steegje in.

Achter zich hoorde hij verbaasde kreten en het gedreun van laarzen die over de keitjes renden. Ze kwamen achter hem aan.

Het was de Kabcar inmiddels wel duidelijk dat het volk hem nooit zou geloven. De mensen zonnen op wraak, en dat kon hij hun niet kwalijk nemen. Dus bleef er maar één optie over: vluchten.

Op zijn weg rende hij vlak onder de voeten van de bungelende lijken door. Meer dan eens raakten ze hem aan, alsof ze hem wilden schoppen of hem met hun benen omklemmen. Een huivering gleed over zijn rug. *Alleen een zieke geest kan zoiets bedenken om mij als een krankzinnige te willen afschilderen*, dacht hij.

Onder het lopen trok hij zijn uniformjas met de versierselen van de Kabcar uit en smeet hem weg, even later gevolgd door zijn wambuis en hemd. Van een van de lijken roofde hij een mantel, die hij over zijn schouders gooide.

Zijn achtervolgers waren hem in het labyrint van straatjes uit het oog verloren. Boven het raadhuis was de gloed van het vuur te zien. De mensen hadden de ambtszetel in brand gestoken om zo hun haat tegen de regering uit te leven. Raspot sloop door de straatjes van Amskwa, op zoek naar de stadspoort, terwijl het volk de doden van hun touwen sneed om hen mee naar huis te nemen en daar om hen te rouwen.

Een ijzige woede kwam bij hem op. *Wie er ook achter deze intrige steken, ze zullen sterven*, besloot Raspot. *Ik zal ze op de markt bijeendrijven en uitleveren aan degenen die ze zoveel leed hebben aangedaan. Als het volk ze aan stukken wil rijten, mijn zegen heeft het.*

Eindelijk kwam hij bij de poort, die achteraf nog geen vijftig passen bij hem vandaan bleek te zijn. Hij dwong zichzelf om niet te snel te lopen, omdat iemand uit Amskwa wel iets beters te doen had dan de stad in allerijl te verlaten.

Weer sloop hij onder een lijk door, maar opeens stak het een voet naar hem uit om hem tegen zijn hoofd te schoppen. Kreunend zakte Raspot tegen de muur van het huis. Toen hij naar boven keek, zag hij dat de vrouw haar doodsbleke gezicht naar hem toe draaide en hem aanstaarde.

'Mijn god, ze leeft nog!' hijgde hij, maar zijn hoop haar te kunnen redden veranderde in afgrijzen. De vrouw kón eenvoudig niet meer leven! Haar nek was zo ver opzij geknakt dat haar wervels gebroken moesten zijn. Hij trok zijn zwaard. 'Ulldrael, bewaar me voor dit spook!'

Ze opende haar mond en stootte een schrille, langgerekte kreet uit, terwijl ze haar linkerarm ophief en naar hem wees. Het lijk van de volgende vrouw deed hetzelfde, en steeds meer doden volgden haar voorbeeld, totdat er een gekrijs als vanuit de onderwereld door de straten galmde.

'Nee!' hijgde Raspot doodsbang, en hij ging ervandoor om zo snel mogelijk uit deze vervloekte stad vandaan te komen.

Een dode vrouw vlak voor hem uit rukte zo wild aan haar touw dat het brak, waardoor ze op straat terechtkwam. Onmiddellijk sprong ze overeind en versperde hem de weg. 'Ik laat je niet ontkomen,' zei ze met verstikte stem, omdat het touw haar keel had dichtgesnoerd.

Een ijskoude hand sloot zich om het hart van de Kabcar, en zijn afschuw nam met de seconde toe. Zijn hand met het zwaard begon te trillen. 'Ik heb niets gedaan! Ik heb geen bevel gegeven om jullie te doden,' stamelde hij, terwijl hij voor het levende lijk terugdeinsde.

Het ontzielde lichaam, waarvan de gebroken, bloederige wervels uit de nek naar buiten staken, lachte gorgelend. 'We hebben een mooie tijd gehad, Raspot. Ik zal niet licht de dag vergeten waarop we een vistochtje maakten over het meer om Bschoi te verzuipen.'

Dat kan niet waar zijn! Ik verbeeld het me maar. Hij overwon zijn afschuw en sloeg met zijn zwaard naar de dode vrouw.

Het wapen gleed door haar verkleurde vlees zonder dat het haar leek te deren. Ze tilde haar rechterarm op, klemde haar koude vingers om zijn hals en kneep met bovennatuurlijke kracht zijn keel dicht. 'Je zult de geschiedenis ingaan als de koning van Borasgotan die nog krankzinniger dreigde te worden dan Arrulskhán. Maar ik zal uit je schaduw treden om het land zo sterk te maken dat alle andere voor ons zullen sidderen en mijn naam met angst en beven zullen uitspreken.'

Raspot rukte zijn zwaard uit het lichaam om nog eens toe te slaan en de hand af te hakken, maar iemand greep zijn arm! Een ander lijk was onopgemerkt dichterbij gekomen.

'Je zult sterven, Raspot. En de bewoners van Amskwa zullen roepen dat ze wraak hebben genomen voor jouw gruweldaden,' siste dit lichaam hem toe, terwijl de druk op zijn keel nog toenam en hij bijna geen adem meer kreeg.

'Wie...?' Raspot begon het bewustzijn te verliezen en zakte door zijn knieën in het afvalwater van de goot. De lijken klampten zich zonder erbarmen aan hem vast en drukten hem met zijn gezicht in de troep, zodat hij zelfs bij de kleinste ademtocht zijn longen vol met rioolwater zoog. De Kabcar stierf onder helse pijnen, zonder dat hij iets begreep.

Toen hij onder de stoffelijke resten van de twee dode vrouwen werd gevonden, zwoeren de mensen dat ze nog nooit een lijk hadden gezien met zo'n uitdrukking van afschuw op zijn gezicht als bij Raspot de Eerste.

IV

Continent Ulldart, zuidwestkust van Tûris, herfst van het jaar 1 Ulldraels (460 n.S.)

'Hoe wilt u proberen de iurdum-eilanden te veroveren, commodore?' Torben stond op de boeg van de *Varla*, met een voet op een rol touw.

Zijn nieuwe bondgenoot stond naast hem en bestudeerde de havenpoort van de vesting waar ze op afvoeren nog eens door zijn verrekijker.

Een groter contrast was nauwelijks denkbaar: de één jong, de ander in de beste jaren van zijn leven; de één in een modieuze mantel met allerlei stiksels, de ander in een eenvoudige, lichte leren wapenrusting; de één niet moeders mooiste, de ander ondanks al zijn gebreken een echte charmeur; de één een Palestaan, de ander een Rogogarder.

'Om eerlijk te zijn, kapitein, zou ik helemaal niet willen proberen ze te veroveren.' Puaggi bewoog de kijker van links naar rechts en terug. 'Ik zie geen zwakke plekken. Met uw permissie, hoe moeten wij een eiland veroveren dat mijn gretige koopmansvrienden en uw vermetele piratenbroeders de afgelopen tientallen jaren nooit in handen hebben gekregen?' Hij liet de kijker zakken. 'En ik bén geen commodore.'

'Nog niet,' grijnsde Torben, en hij knikte waarderend. 'Als ik zie tegenover hoeveel bombardes je dat schip in veiligheid hebt gebracht, terwijl je daarna nog een veel sterkere tegenstander tot zinken hebt gebracht, ligt er voor jou maar één rang in het verschiet.' Hij liet een plechtige pauze vallen en besloot: 'Commodore.'

Puaggi moest lachen. 'U vergeet dat ik hier op het schip sta van een vijand... nee, van een bittere rivaal... en ook nog met hem samenwerk. De Handelsraad ziet Rogogard nog altijd als een vijand, dus daarom zullen ze mij onmiddellijk tot scheepsjongen degraderen.' Toch leek het vooruitzicht om zijn rang te verliezen Puaggi niet te deren, of hij wist dat goed te verbergen.

'Je bent een rare kerel, voor een Palestaan,' merkte de Rogogarder op.

'Laat ik dat maar als een compliment opvatten.' Puaggi tikte tegen zijn driekante steek in plaats van de gebruikelijke buiging te maken. 'Om eerlijk te zijn hou ik niet zo erg van al dat hoffelijke gedoe, dat getrippel op die lakschoenen en al die andere ijdeltuiterij. Waarschijnlijk heeft mijn koninklijke familielid me daarom meteen op een schip gezet, ver bij het hof vandaan. En dat komt mij goed uit.'

'En ik ben blij dat we elkaar zijn tegengekomen,' zei Torben. Hij riep de scheepsjongen, die een fles Kalisstronische *njoss* bracht, en nam een slok. 'Wil je ook?' bood hij de Palestaan aan. 'Maar pas op, voor een ongeoefend gehemelte is het even schrikken.'

'Als een Rogogarder ertegen kan, dan zeker een Palestaan,' knipoogde Puaggi als toespeling op de eeuwenlange wedijver tussen de beide staten, die soms bloedig was verlopen. Hij zette de fles aan zijn mond, aarzelde even toen hij de scherpe lucht rook, maar besloot toen tot een flinke teug. Zijn lichte ogen begonnen te tranen, hij onderdrukte een hoestbui, maar hij slikte dapper.

'Ik zei ook niet dat ík ertegen kan,' lachte Torben, die zich nog heel goed de zware roes herinnerde die dit spul hem ooit had bezorgd. 'Een verstandig besluit, trouwens, om met mij mee te varen.'

'Natuurlijk,' hijgde Puaggi, die nog worstelde met de nawerking van de njoss. Zijn mond stond in brand en hij had het gevoel dat zijn tanden loszaten – allemaal. 'De Tzulandriërs kennen mijn schip en zouden ons niet vriendelijk verwelkomen. Eerst waren ze onze bondgenoten, maar ze vinden dat we ze in de steek hebben gelaten.' Hij keek Torben aan. 'En dat is ook zo. Niets zo veranderlijk als de mening van een Palestaan, zeggen ze op Ulldart. Helaas zit daar een kern van waarheid in.'

'Laten we maar afwachten wat ze van een Rogogardische kaper vinden.' Torben legde zijn handen op zijn riem. Hij had de hoop nog niet opgegeven dat de andere partij hem in elk geval zou ontvangen met het respect dat een tegenstander verdiende. Want dat de Rogogarders hun mannetje stonden, hadden ze de Tzulandriërs in de loop van de oorlog meer dan eens bewezen.

'Oogcontact met een seiner,' riep de uitkijk in het kraaiennest omlaag, en Torben stuurde zijn eigen man naar de boeg om met de vesting te communiceren.

'Ze waarschuwen ons om niet dichterbij te komen dan twee zeemijl,' vertaalde de Palestaan, die door zijn kijker de Tzulandriër met de seinvlaggen in het oog hield.

'Zeg maar dat we een diplomatieke delegatie zijn die over de aftocht van de Tzulandriërs wil onderhandelen,' beval de kaperkapitein de seiner, die de boodschap doorgaf. 'We willen de haven binnenkomen om persoonlijk met de hoogste Magodan te overleggen.'

Nu duurde het even voordat er antwoord kwam. 'We moeten naast de haveningang voor anker gaan, op een halve mijl van de kust, en wachten tot ze ons komen halen.' Puaggi had moeite de tekens te volgen. De Tzulandriër zwaaide nogal slordig met zijn vlaggen. 'Als er tijdens het gesprek een geschutsluik opengaat, wordt het schip tot zinken gebracht en de delegatie gedood.'

'We gaan akkoord,' liet Torben antwoorden, en hij stuurde de seiner naar zijn plaats terug.

'Weet u iets van de gebruiken van de Tzulandriërs, commodore?' vroeg hij aan Puaggi, die het had opgegeven nog langer tegen die titel te protesteren.

'Nee, kapitein. Ik heb nooit kennis met ze gemaakt, daar ben ik helaas te jong voor. Commodore Roscario had u er meer over kunnen vertellen.' Hij ging op de rol touw zitten en keek bewonderend naar de naderende vesting. 'Ik weet wel dat ze geen enkel contact willen met de mensen op Ulldart en zich altijd hebben afgezonderd. Ze zijn niet dol op ons, Palestanen, en ze voelen zich alleen aan Tzulan verplicht. Voor hem, en voor Lodrik en Govan Bardri¢, gingen ze door het vuur. Maar over hun manier van denken, hun cultuur of hun sterke en zwakke punten weet ik helemaal niets.'

'Dan kan ik je nog twee dingen vertellen: ze kunnen verdomd

goed vechten en ze hebben een ongelooflijke discipline.' Torben gaf bevel de zeilen te reven om de snelheid van de dharka terug te brengen en de aangegeven ankerplaats voor de muur in te nemen.

Bezorgd tuurde hij naar de schietgaten van de vesting, waarachter vaag de bombardes te zien waren. Vijftig daarvan stonden nu op de dharka gericht. Eén salvo was voldoende om het schip te verbrijzelen. 'Bij alle monsters van de diepzee! Let erop dat niemand hier een geschutsluik openzet,' prentte hij zijn bootsman in. 'Zelfs niet om te pissen of naar buiten te kijken.' Voordat de man vertrok, fluisterde Torben hem nog iets in zijn oor.

Op zijn teken werd het anker neergelaten. Het zware ijzer verdween onder water, de ketting rolde zich ratelend af en de lier draaide razendsnel mee. Even later was de bodem bereikt. Er was nog maar een klein deel van de ketting over.

De poort ging open en een boot met één mast maar heel veel zeilen kwam naar hen toe. Op het dek stonden twintig gewapende Tzulandriërs, gemakkelijk te herkennen aan hun merkwaardige kapsel en versierde leren wapenrusting. De bemanning daarentegen bestond uit Ulldarters, waarschijnlijk gevangengenomen Tûrieten, die zich na de bestorming van de eilanden aan de veroveraars hadden overgegeven.

Een van de Tzulandriërs wees met zijn vinger naar het dek. Dat was de enige uitnodiging die ze kregen.

Torben wees vier van zijn beste strijders als escorte aan, en de mannen lieten zich langs de valreep naar de andere boot zakken.

'Ik groet u,' zei hij vriendelijk, terwijl Puaggi op de achtergrond probeerde te blijven, wat in die opvallende kleren niet meeviel. 'Hoe heet de Magodan die wij straks te spreken krijgen?'

'Geen Magodan,' antwoordde de Tzulandriër kort, zonder hem aan te kijken. 'Een Dă'kay.'

'En zijn naam? Het lijkt me beleefd om hem niet enkel met zijn rang aan te spreken,' hield Torben vol.

'Sopulka Dă'kay.' Weer werd het antwoord in een willekeurige richting gegeven.

De Rogogarders grijnsden. Blijkbaar hadden de Tzulandriërs geen zin in een praatje. Inmiddels had de boot alle zeilen bijgezet en voeren ze snel de haven binnen, zodat het iurdum-eiland voor hen opdoemde. De aanlegplaatsen waren verlaten, op twee bombardeboten na.

'Een paar weken geleden lagen hier nog vijfendertig schepen,' zei Puaggi tegen Torben. 'Het zou verhelderend zijn om te weten waar die zijn gebleven.'

'Zeg dat wel, commodore.' De Rogogarder bestudeerde de kade. De deuren van de grote voorraadloodsen waren gesloten, zodat hij niet naar binnen kon kijken, maar bij de meeste aanlegplaatsen lagen stapels zakken en kisten. 'Blijkbaar is hier kortgeleden een grote vloot aangekomen, die zijn lading heeft gelost en weer is vertrokken.'

'Iurdum?' opperde de Palestaan. 'Hier wordt de productie uit de mijnen van de andere twee eilanden verzameld.'

Torben speelde met zijn oorringen. 'Het zou kunnen betekenen dat ze van plan zijn te vertrekken.' Hij probeerde voortdurend om in elk geval oogcontact met de Ulldartse bemanning te krijgen, maar de mannen keken opzettelijk niet in de richting van de delegatie. Blijkbaar waren ze bang.

De boot voer naar het einde van de rechthoekig aangelegde haven en meerde af bij een houten steiger. 'Uitstappen,' luidde het bevel, op de bekende norse toon. De soldaten vormden een escorte rond de bezoekers en namen hen mee door de verlaten straten naar de citadel.

Daar marcheerden ze de hoofdpoort binnen, naar een wachtlokaal, waar ze werden opgewacht door een Tzulandriër in een bijzonder mooie leren wapenrusting. Hij zat op een eenvoudige houten stoel, met zijn armen rustig op het ruwe tafelblad geleund. Zijn korte blonde haar was in een apart patroon geschoren. Over zijn voorhoofd had hij twee dunne, lange vlechten, die met vet in een gebogen vorm werden gehouden, zodat het leek alsof hij voelsprieten had, als een insect. Hij nam de nieuwkomers onderzoekend op.

'U komt onderhandelen,' begon hij het gesprek op dreigende toon.

'Gegroet, Sopulka Dă'kay,' zei Torben, en hij glimlachte zijn gouden tanden bloot. 'Ik ben Torben Rudgass, dat zijn mijn mannen, en dit hier is commodore Sotinos Puaggi, die mij op deze missie vergezelt.'

'Een van die slappelingen die weer haastig naar de koninkrijken overliepen toen het erom spande,' zei Sopulka verachtelijk. 'En nu hebben ze zich aangesloten bij een stel andere zielenpoten, die willen onderhandelen omdat ze te laf zijn om onze vesting aan te vallen.' Hij hield zijn hoofd schuin en wachtte af wat zijn beledigingen voor effect zouden hebben.

'Ulldart heeft wel genoeg oorlogen gezien. Maar ik waarschuw u, Sopulka Dă'kay. Wij zijn nog altijd in staat, samen met onze vrienden uit Tarvin en Kalisstron, om u en uw mannen te vernietigen als u niet zo verstandig zou zijn om rustig naar huis te varen.' Torben gunde hem niet het genoegen dat hij kwaad werd. Vroeger, als jonge kaper, zou hij de Tzulandriër grijnzend hebben uitgedaagd; tegenwoordig was hij wat rustiger.

'Als je zo graag naar Tzulan wilt, dan zeg je het maar,' zei Puaggi giftig, en hij deed een stap naar voren, met zijn hand op de greep van zijn sabel. 'Ik steek je ter plekke dood!'

'Mag ik je eraan herinneren dat de scène waarin wij ons terug naar ons schip moeten vechten pas ná de mislukte onderhandelingen komt?' fluisterde Torben hem toe, maar hij kon een grijns niet onderdrukken. Hij begon de Palestaan steeds meer te waarderen.

'Heb jij de verkeerde jas aan?' snauwde de Dă'kay. 'Of zat er toevallig een druppeltje heldenwater in je parfum?' Zijn mannen lachten. 'Laat dat wijvenzwaard aan je zij nou maar met rust. Ik wil een onderhandelaar geen haar krenken, en het zou me verdriet doen als ik voor zo'n slapjanus een uitzondering moest maken.' Hij boog zich naar voren. 'Goed, laat maar horen. Wat is het voorstel van jullie zielige coalitie?'

Torben pakte het verzegelde perkament dat Perdór hem had gestuurd. 'Om te beginnen verzoeken we u uit naam van alle koninkrijken geen aanvallen op onze schepen te ondernemen, en in de tweede plaats vraagt het koninkrijk Tûris u zijn grondgebied terug te geven. Die eis wordt door de andere koninkrijken ondersteund,' las hij op. 'In ruil daarvoor bieden we u een vrije aftocht naar uw vaderland, zonder magische aanvallen op u of uw schepen, en een schadeloosstelling van tienduizend heller, die aan het laatste schip dat hier vertrekt zullen worden uitbetaald.'

'Tienduizend heller is niet erg veel,' antwoordde Sopulka geamuseerd. 'Wij hebben in de mijnen en de kampen zoveel iurdum liggen dat geld ons niet interesseert.'

'Geld misschien niet, maar uw leven?' Torben vroeg het met een vrolijke lach, bijna kameraadschappelijk, alsof hij in een kroegje met een vriend zat te praten die hij een goede raad wilde geven. 'U herinnert zich nog, Dă'kay, waartoe uw voormalige bevelhebber Lodrik Bardri¢ en zijn kinderen in staat waren? Nu hebben wij de magie aan ónze kant. De vloedgolf die mijn vaderland trof zou de muren van deze vesting gemakkelijk kunnen wegspoelen. En deze keer...' – Torben knikte naar het raam – '... hebt u daarbuiten geen enkel verweer tegen Lodrik en de anderen.'

'Dat is waar,' beaamde Sopulka. 'Maar die laffe coalitie van jullie wil liever zoete broodjes bakken. Anders moeten ze straks de eilanden helemaal opnieuw opbouwen. Of vergis ik me?'

'U hebt me goed begrepen, Dă'kay,' bevestigde de Rogogarder. 'Eerst het suikerbrood. Maar als de Tzulandriërs liever de zweep krijgen, kan dat ook.' Hij bestudeerde het gezicht van de man, die zijn aanmatigende houding had laten varen. Het was als bij een spelletje kaarten. Zelfs als de ander een betere hand had, kon je door handig te bluffen nog de slag binnenhalen. In dit geval waren beide partijen te slim om in de valkuilen van de ander te trappen. Torben wist niet hoe Sopulka zou reageren.

'Wanneer wilt u een beslissing horen?' De Dă'kay was de eerste die het stilzwijgen verbrak, waardoor hij zich als de zwakste liet kennen.

'Uiterlijk binnen een week.' Torben maakte niet de fout iets van triomf te laten blijken, want door de gekwetste trots van een krijger kon alles in één klap weer anders zijn. 'Tot die tijd stel ik voor dat u uw Magodans opdracht geeft de handelsschepen met rust te laten.'

Sopulka keek naar een Tzulandriër links van hem en boog zijn hoofd. 'Mij best. Zie het maar als een teken van mijn goede wil.' Hij stak waarschuwend een wijsvinger op. 'Maar laat die koningen van u mijn grootmoedigheid niet verwarren met zwakte. Dat ik uw voorstel overweeg, betekent nog lang niet dat wij de eilanden zullen ontruimen. Ik weet heel goed dat er op Ulldart niemand meer is met dezelfde macht als onze gesneuvelde heer, Govan Bardri¢ – noch Lodrik, of wie dan ook.'

De wachter opende de deur, als een teken aan Torben dat hij kon vertrekken.

'Ik ga ervan uit dat u met uw schip voor de haven op ons antwoord blijft wachten,' riep Sopulka hem nog na. 'Ik verzeker u dat er niet geschoten zal worden.'

Torben glimlachte. 'En ik beloof u dat wij de vesting niet stormenderhand zullen veroveren.'

'Wat voor ons geen enkele moeite zou zijn,' voegde Puaggi er stoer aan toe. 'Ik zou graag je gezicht zien als ik in een tweegevecht tegenover je zou staan om je een lesje te leren met mijn wijvenzwaard.'

De ogen van de Dă'kay glinsterden geamuseerd. 'Goed, mijn dappere jonge Palestaan, ik neem je uitdaging aan. Als mijn seiner jullie voor de tweede keer naar de vesting heeft ontboden om mijn besluit te horen, mag je me ten dans vragen. Het zal een ervaring worden die je je hele leven niet meer vergeet.' Minzaam stak hij zijn hand op, en de wachters schoven Puaggi en de vier Rogogarders de deur uit.

Op de terugweg naar de boot die hen naar de *Varla* moest terugbrengen hief Torben een Rogogardisch kaperslied aan. De anderen brulden mee, alsof ze probeerden de bemanning van een vijandelijk schip angst aan te jagen. Puaggi keek verbaasd toen hij Torbens knipoog zag. Blijkbaar hadden de mannen een bedoeling met dit lied. Pas toen de delegatie op het dek van de Tzulandrische zeilboot stond, kwam er een eind aan het geïmproviseerde concert.

'Je hebt met Sopulka wel een leuke tegenstander uitgezocht,' grijnsde Torben tegen de Palestaan. 'Ik twijfel er niet aan dat je heel behendig bent met de sabel, maar probeer daar eens een bijl mee af te weren.'

Puaggi grijnsde terug, en ondanks zijn magere gezicht, waarmee hij nog hooghartiger overkwam dan de Palestanen toch al waren, had hij opeens iets van een kaper. 'Ik zal u graag laten zien dat ons land ook uitstekende vechters telt.'

In hoog tempo voeren ze naar de dharka. Terug aan boord riep Torben zijn onderofficieren en Puaggi in zijn hut bijeen. Daar schonk hij glazen rum in – drie meer dan nodig waren.

'Is dat een offer aan Ulldrael, om de Tzulandriërs gunstig te stemmen?' informeerde de Palestaan nieuwsgierig.

De deur ging open en drie natte, maar bijzonder tevreden ogende matrozen kwamen de kleine hut binnen. Ze hadden dekens om zich heen geslagen en kregen van de kapitein ieder een glas rum.

'Ze hebben alle opslagloodsen leeggehaald,' begon de eerste, nadat hij een flinke slok had genomen en zich nog eens had uitgeschud. 'Blijkbaar hebben ze ruimte gemaakt voor een nieuwe lading.'

'Een nieuwe voorraad iurdum, denk je?' vroeg Torben, en hij schonk de man nog eens bij.

'Nee, kapitein.' De tweede schudde zijn hoofd, waardoor hij de anderen met zeewater besproeide. Er werd luid gevloekt en hij kreeg een paar stompen, die hij lachend verdroeg. 'Er lag een hele berg breeuwijzers, hennep, teer en andere spullen, bedoeld voor reparaties aan een vloot van schepen die een lange reis hebben gemaakt. De hoeveelheid materiaal was moeilijk te schatten, maar het moet voldoende zijn voor het onderhoudswerk aan vijftig schepen of meer.'

De derde pakte de fles, zonder acht te slaan op de protesten van de anderen, en dronk hem grijnzend leeg, voordat hij zei: 'Er zijn op dit moment maar heel weinig mensen in die vesting, kapitein. De Tzulandriërs willen ons belazeren. In de barakken van de manschappen heb ik nog geen vijftig beslapen bedden geteld.'

'Vandaar uw profetische voorstel om de vesting stormenderhand in te nemen,' zei Puaggi, die nog altijd niet begreep waar de drie doorweekte matrozen hun informatie vandaan hadden. Ze waren immers niet meegevaren naar de vesting.

'Je vroeg je zeker af waarom ik knipoogde toen wij liepen te zingen?' vroeg Torben hem. 'Dat was een oude kaperstruc.' Hij keek om zich heen en pakte toen de lege rumfles. 'Stel je een lege zak voor, vol met lucht en helemaal waterdicht. Daarna bind je gewichten om je middel, zodat je door die zak niet aan de oppervlakte komt drijven als je onder water duikt.'

'Ze zijn onder die Tzulandrische boot gaan hangen!' begreep Puaggi opeens.

'O, jee. Nu weten de Palestanen hoe wij een afgesloten haven binnendringen,' zuchtte een van de duikers, zogenaamd wanhopig. 'Dat is het einde van onze smokkelhandel.'

'Nee, mannen.' Torben klopte Puaggi op zijn schouder. 'Onze jonge vriend hier zal zijn mond wel houden, als wij dat vragen, want in zijn hart is hij meer een Rogogarder dan zo'n sjacheraar.'

De meeste Palestanen zouden verontwaardigd op zo'n compliment hebben gereageerd, maar Puaggi grijnsde, blij met het vertrouwen dat er in hem werd gesteld.

'Vroeger zou de kapitein zo'n missie nog zelf hebben geleid,' knipoogde een van de duikers. 'Maar hij is al een dagje ouder, en door het vet om zijn heupen zou hij naar de oppervlakte zijn gedreven. Zelfs de zwaarste loodgordel kan daar niets meer aan veranderen.' De mannen lachten ruw en luid. Torben scheen zich er niet aan te storen.

Puaggi was blij dat hij deel uitmaakte van een groep gezworenen die weinig onderscheid maakte tussen de kapitein en een eenvoudige matroos, maar toch heel goed functioneerde.

'Voordat ik het vergeet,' onderbrak de tweede duiker de algehele vrolijkheid, 'ik heb nog meer ontdekt. Er schijnt iemand op Ulldart te bestaan die ze de "kleine zilvergod" noemen.'

'Wát?' Torben stond op en liep naar de kast waar hij de rum bewaarde om een nieuwe fles te openen. 'Een zilvergod?'

'Misschien een handelaar die met zilver zijn geld verdient of erg veel zilver bezit?' opperde Puaggi. 'Of zou het iets met iurdum te maken hebben?'

'Ik weet het niet. Ik hoorde twee Tzulandriërs met elkaar praten, maar het enige wat ik opving waren de woorden "kleine zilvergod" en "Ulldart".'

'Dat kan van alles betekenen.' Torben schonk iedereen nog eens in, maar nu slechts een bodempje, zodat de mannen helder zouden blijven. 'Het zou iemand kunnen zijn met wie ze in het verleden hebben samengewerkt en die een vertrouweling van Govan was. Het zou niet zo mooi zijn als er op Ulldart nog een verrader rondloopt die hen bij hun plannen helpt.'

'Als hij bestaat, moeten we hem vinden om achter de bedoelingen van de Tzulandriërs te komen.' Puaggi voelde hoe de sterkedrank hem naar het hoofd steeg, dus zette hij zijn driekante steek en zijn pruik maar af. Daaronder kwam zijn zwarte haar tevoorschijn, dat aan zijn schedel leek te plakken. Die artistieke haardos, nat van het zweet, vormde een eigenaardig kapsel, dat hem veel beter stond dan zijn pruik.

'We zullen het Perdór laten weten zodra we terug zijn in de haven van Samtensand.' In gedachten paste Torben de puzzelstukjes aan elkaar, die een verontrustend beeld vormden voor de toekomst van het continent. Er naderde een grote vloot vanuit Tzulandrië. Misschien had Govan al voor zijn dood bevel gegeven tot die versterkingen, omdat hij vermoedde dat zijn eigen Ulldartse troepen hem in de steek zouden laten.

Als het inderdaad om vijftig schepen ging, elk met tweehonderd krijgers aan boord, betekende deze eerste golf al de komst van tienduizend nieuwe vijanden op het door oorlog verzwakte Ulldart. Ze zouden aan land gaan in de door Tzulandrië bezette delen van Palestan en op de drie eilanden voor Tûris, waar ze zich zo stevig konden ingraven dat niemand hen de volgende twintig of dertig jaar nog kon verdrijven.

En wie zei dat het bij deze ene golf zou blijven? Misschien hadden de Tzulandriërs besloten om zich na het verlies van hun krijgsheren Govan en Sinured op eigen kracht op Ulldart te vestigen. Zo'n plan paste heel goed bij een krijgshaftig volk dat altijd op zoek was naar veroveringen.

'Ga maar naar bed,' beval Torben het drietal. 'Goed werk, mannen.'

Het groepje verspreidde zich. De een na de ander verliet de hut van de kapitein, maar de tweede duiker bleef nog even op de drempel staan en tastte naar zijn riem om iets te pakken dat hij Torben aanreikte. 'Dit had ik nog gevonden. Het zag er helemaal niet Tzulandrisch uit, daarom dacht ik dat het u wel zou interesseren.'

Torben bekeek het gescheurde stuk leer, een deel van een mouwbeschermer. Er waren twee tekens op gekrast die hij maar al te goed kende.

'Varla,' fluisterde hij geschrokken, en alle kleur week uit zijn gezicht.

Nu móést hij wel tot de vesting zien door te dringen.

Continent Ulldart, koninkrijk Tûris, de vrije stad Ammtára, late zomer van het jaar 1 Ulldraels (460 n.S.)

'Dood?' fluisterde een van de leden van de vergadering verbijsterd.

'Allemaal?' vroeg een ander angstig.

Pashtak zat op zijn stoel en wenste vurig dat hij een gewone, onnozele burger was, die niets van die onheilspellende gebeurtenissen binnen de muren van Ammtára wist. Naast hem stonden Estra en Tokaro, als getuigen van wat ze in het onderkomen van de Kensustrianen hadden ontdekt. 'Ja, de hele delegatie is afgemaakt. De lijken waren afschuwelijk toegetakeld,' bevestigde hij nog eens tegenover de raad.

'Dat verwondert me niets,' gromde Kiìgass, een van de vertegenwoordigers van de moeraswezens in de raad. 'De hele stad wist waar die Groenharen voor kwamen. Sommigen van ons, niet de snuggersten, zijn nogal opvliegend en hebben misschien hun woede gekoeld. Daar had de delegatie rekening mee moeten houden.'

'Wat ik zo vreemd vind, is dat er helemaal geen tumult is ontstaan in het huis waar de Kensustrianen overnachtten,' mengde Estra zich als inquisiteur in de discussie. 'Geen van de buren heeft iets gemerkt.'

'Omdat ze niets wílden merken, inquisiteur,' antwoordde Kiìgass.

Estra schudde haar hoofd. 'Nee, ze hebben echt niets gehoord,' hield ze vol. 'Dan zou Pashtak hebben geroken dat ze logen. Het kan dus geen opgewonden meute zijn geweest. Het lijkt alsof iemand in alle stilte is binnengedrongen en de een na de ander heeft afgemaakt.' Ze keek de zaal rond. 'Op de wapens van de Kensustrianen is geen bloed gevonden. Dat betekent dat zelfs de krijgers geen kans hebben gekregen zich te verdedigen en een van de aanvallers minstens te verwonden.'

Pashtak was heel tevreden over Estra. De jonge vrouw wist haar emoties uiterlijk heel goed te beheersen. Ze was nog maar nauwelijks inquisiteur, en nu al kreeg ze zo'n bijzonder gevaarlijke zaak in de schoot geworpen. *Ze bewijst zichzelf,* dacht hij. *Het was een goede beslissing haar die baan te geven.*

'Dat kan alleen betekenen dat de Kensustrianen maar om één reden zijn vermoord: om onze stad in het verderf te storten,' concludeerde Kiìgass. 'Maar wie zou zoiets doen?'

'De Kensustrianen zelf? Zouden ze zo ver gaan, om een excuus te hebben tegenover de andere koninkrijken van Ulldart?' vroeg iemand.

'Of bepaalde Tzulani, in onze eigen stad?' noemde Nechkal een andere mogelijkheid. 'Misschien vinden zij dat we beter vernietigd kunnen worden dan nog langer verraad aan Tzulan te plegen.'

Pashtak knikte. 'Dat lijkt me het waarschijnlijkst. Ik zie de Tzulani ervoor aan,' gaf hij zijn mening. 'En dat zullen we ook zeggen tegen het Kensustriaanse leger voor de poort. Jullie allemaal, en Estra en Tokaro, gaan met mij mee, zodat ze kunnen zien dat het ons ernst is en dat we niet bang zijn voor hen of voor de waarheid.'

'Nou, ik ben benieuwd hoe ze op dat bericht zullen reageren. Waarschijnlijk vallen ze ons aan zodra ze over de dood van hun priesters hebben gehoord,' zei Kiìgass somber. 'Onderhandelaars genieten bijzondere bescherming, maar die hebben ze hier niet gekregen.'

'Gedane zaken nemen geen keer.' Pashtak hield niet van zwartgalligheid. Met dat soort verhalen riep Kiìgass zelf het onheil over hen af, in plaats van alles te doen om het te verhinderen. 'Zie het maar zo. Als ze ons doden, hoeven we in elk geval de ondergang van Ammtára niet meer mee te maken.' Hij stond op. 'Kom, we gaan.'

De leden van de Vergadering van Getrouwen kwamen overeind, verlieten het raadhuis en gingen op weg door de nachtelijke straten. De lijken van de Kensustrianen waren op karren geladen die achter hen aan reden.

Tokaro ontweek Estra's blik. Hij worstelde met zijn gevoelens. Aan de ene kant trok ze hem aan, aan de andere kant had hij grote moeite met haar achtergrond, of beter gezegd met haar afkomst.

De inquisiteur leek heel andere dingen aan haar hoofd te hebben. Ze praatte onderweg voortdurend met Pashtak en deed alsof ze Tokaro niet opmerkte.

Daarom besloot hij de grootmeester van alles op de hoogte te brengen, zodat de Hoge Zwaarden in het ongunstigste geval op een aanval van de Kensustrianen zouden zijn voorbereid.

Hij verontschuldigde zich en verliet het groepje. Even later stond hij tegenover een slechts in onderhemd en mantel geklede Kaleíman van Attabo om hem over de gebeurtenissen te vertellen.

'Wat doen we nu?' vroeg hij ten slotte. 'Kiezen we de kant van Pashtak en zijn mensen, die niets met die moorden te maken hebben, of blijven we neutraal en wachten we hoe het afloopt?' vroeg hij aan Kaleíman.

'We vertrekken.'

'We vertrékken?' Tokaro staarde de grootmeester aan alsof hij gek geworden was. 'Maar dat zal zeker worden gezien als een bewijs dat de orde bang is voor conflicten en geen vrienden helpt die bij Taromeel voor de vrijheid van Ulldart hebben gevochten!'

De grootmeester richtte zich op in zijn stoel en keek de jonge ridder berustend aan. 'Deze stad is een val waaruit we niet kunnen ontsnappen. De strijd is nog niet begonnen en de Kensustrianen hebben geen enkele reden om ons niet door te laten.'

'Dus we laten ze in de steek? Wat zou Angor daarvan zeggen?' vloog Tokaro op. Hij dacht vooral aan het lieve gezichtje van Estra. 'Sinds wanneer verlaten de Hoge Zwaarden zomaar het strijdtoneel?' Hij legde zijn hand op het gevest van zijn Aldorelische zwaard. 'We staan erom bekend dat we goede vechters zijn. En bij de opbouw van de nieuwe orde hebben we beloofd de goede zaak te dienen, grootmeester!'

'Maar is het wel een goede zaak? We weten helemaal niet waarvoor de Kensustrianen hier kwamen.' Kaleímans gezicht stond afwijzend. 'Onze orde heeft mij als leider gekozen, Tokaro, en ik zeg dat wij uit de stad vertrekken. Het is te vroeg voor ons. We zouden tot de laatste man worden vernietigd voordat we nieuwe aanhangers voor Angor hadden kunnen winnen.' Hij wees naar de deur. 'Ga de mannen maar waarschuwen. Ze moeten zich gereedmaken om de wagens in te laden.'

Tokaro verroerde zich niet. 'Kaleíman, alsjeblieft! We moeten ze helpen! Al kunnen we niet meer dan morele steun geven, toch hebben ze daar iets aan. En de Kensustrianen zullen zich wel tweemaal bedenken voordat ze de stad aanvallen. Per slot van rekening hebben de bewoners deze problemen niet aan zichzelf te wijten.'

'Tokaro, roep de mannen bijeen.'

'Kaleíman, ik...'

De grootmeester kwam abrupt overeind en sloeg met zijn vlakke handen op de tafel. 'Ik duld geen tegenspraak, Tokaro van Kuraschka! Niet tijdens een veldslag en ook niet nu. Je hebt alle vrijheid om hier te blijven als je met de stad ten onder wilt gaan, maar de rest van de orde vertrekt.'

'Dank u, grootmeester. Angor zegene u,' gromde Tokaro met een korte buiging. Zonder aarzelen draaide hij zich om en liep terug naar Pashtak en Estra, die inmiddels bij de stadspoort waren aangekomen. Hij zou hen niet in de steek laten.

Zijn nieuws over het vertrek van de ridders drukte de stemming van de anderen nog meer. 'Waarom ben jij er dan nog?' Estra sprak weer tegen hem.

'Om jou,' antwoordde hij. 'Jij bent de dochter van de man die ik meer verschuldigd ben dan het leven zelf, en ik zal alles doen om je te beschermen.'

Onderzoekend keek ze in zijn blauwe ogen. 'Is dat alles, Tokaro?' vroeg ze met een zachte maar vaste stem, die verried dat ze graag nog een andere reden zou horen.

Maar dat genoegen deed hij haar niet. Nog niet. 'Ja, dat is alles, Estra,' zei hij. 'Ik wil voor je sterven. Is dat niet genoeg?'

'Je wilt voor me sterven omdat ik de dochter van een arrogante ridder ben,' wees ze hem terecht, en ze draaide haar hoofd weg. 'Niet om mijzelf,' fluisterde ze.

Hij beet op zijn lippen om te voorkomen dat de waarheid hem ontglipte en hij haar zijn liefde zou verklaren. Niet hier, waar iedereen bij was.

Met angst en beven stapte de delegatie de stadspoort uit.

Pashtak werd bijna misselijk van al die angstgeuren om hem heen; totaal ongepast voegde zich daarbij het luchtje van Tokaro, die zijn verlangen naar Estra uit al zijn poriën zweette, en ook rond de inquisiteur hing een wolk van lokstoffen. Hoe de beide jongelui ook tegen elkaar snauwden, Pashtak nam heel andere tekenen waar. Helaas was dit niet het geschikte moment voor de balts.

Halverwege werden ze tegenhouden door Kensustriaanse wachtposten, die heel merkwaardig roken, maar zonder een spoor van angst. Zelfs tijdens de slag bij Taromeel, herinnerde Pashtak zich, had hij nooit angst geroken bij de Kensustrianen.

'We willen uw aanvoerder spreken,' zei hij tegen de man die hen, met tien van zijn kameraden, de weg versperde met een gestrekte speer.

'Hij komt eraan,' luidde het korte antwoord, zonder dat de speren werden neergelaten. 'Wacht maar hier.'

Terwijl ze wachtten, hoorden ze achter zich het geluid van paardenhoeven en het gerinkel van een groot aantal zware harnassen. Even later reden de Hoge Zwaarden de poort uit en bogen naar het noorden af. De Kensustrianen legden hun geen strobreed in de weg. De ridders stonden hier buiten.

Ten slotte stapte er een militair met een zilverkleurige helm tussen de wachters door. Het koude, glimmende metaal vormde een schril contrast met zijn zandkleurige huid en zijn barnsteenogen.

'Ik ben Waisûl.' Hij keek over Pashtaks schouder naar de wagens waarop de lijken van zijn landgenoten lagen. 'Wat is er gebeurd?' vroeg hij zakelijk. Tot ieders opluchting klonk hij niet alsof hij op slag bevel zou geven om Ammtára binnen te vallen.

'Wij zullen de zaak grondig onderzoeken, Waisûl, en ik zweer u op mijn leven dat wij niets te maken hebben met de moordaanslag op uw delegatie,' betoogde Pashtak, en hij bracht verslag uit van de schaarse feiten die ze kenden.

Toen hij uitgesproken was, zei Waisûl: 'Er is Kensustriaans bloed vergoten, en wij eisen dat degenen die daarvoor verantwoordelijk zijn zullen worden opgespoord en aan ons uitgeleverd. Wij zullen over hun leven beslissen.'

'En de aanval op Ammtára?' vroeg Pashtak voorzichtig.

'Kunt u ons in elk geval zeggen wat er achter dat ultimatum steekt en wat de naam van onze stad in uw land betekent? Is het zoiets verschrikkelijks dat daar onschuldige mensen voor moeten sterven?' vroeg Estra met bonzend hart, bang dat haar Kensustriaanse afkomst door Waisûl zou worden herkend.

Waisûl vertrok geen spier; hij vertoonde geen enkele reactie. Zelfs de dood van de krijgers en priesters leek hem niet te raken. 'Ik kan u geen antwoord geven op uw vragen,' zei hij afwijzend. 'Ik heb bevel de stad desnoods met geweld in te nemen en met de grond gelijk te maken als aan onze eisen niet wordt voldaan.' Hij liep langs haar heen naar de karren, wenkte een paar wachters en gaf opdracht de dode krijgers naar het kamp te dragen. Voor de priesters had hij nauwelijks oog. 'Het probleem is alleen dat de moordenaars juist diegenen hebben gedood van wie wij onze orders krijgen. Ik kan niets anders doen dan een boodschapper naar mijn land terugsturen en op nieuwe priesters wachten.' Hij kwam weer terug. 'Tot die tijd blijven mijn leger en ik op deze plek. Onderhandelingen' – hij keek eerst naar Pashtak, en toen, heel lang, naar Estra – 'zijn met mij niet mogelijk. Daarvoor moet u naar Kensustria, om de priesters naar de reden te vragen. Binnen een week stuur ik mijn boodschapper op weg.' Waisûl draaide zich weer om en liep tussen de wachters door naar zijn tent. 'Als de priesters hier eerder zijn dan u, is de stad verloren.'

'Ik vertrek morgenochtend,' verklaarde Pashtak onmiddellijk. 'Estra gaat met me mee.'

'En ik met Estra,' zei Tokaro prompt.

'De inquisiteur moet de moordaanslag op de delegatie oplossen. Wat heeft ze in Kensustria te zoeken?' vroeg Kiìgass terecht, maar Pashtak kon hem geen eerlijk antwoord geven. Anders had hij te veel van Estra's geheimen moeten prijsgeven, zoals het feit dat ze Kensustriaans sprak, wat een groot voordeel was op een missie naar dat geheimzinnige land.

'Ik heb haar scherpe inzicht nodig bij de onderhandelingen,' zei hij eenvoudig. 'Jullie moeten zelf maar speurwerk verrichten en de daders in de kraag grijpen. Jullie zijn de Vergadering van Getrouwen. Bewijs dat je die naam waardig bent.' Hij wees naar de poort. 'We gaan. Ik moet slapen en voorbereidingen treffen voordat we morgenochtend vroeg op weg gaan.'

Ze keerden naar Ammtára terug om te melden dat het ultimatum voorlopig was verschoven.

Halverwege de stad en het kamp van de Kensustrianen stond nog de wagen met de lijken van de beide priesters, om wie niemand zich scheen te bekommeren.

'Dat je de macht hebt gekregen in een land, betekent nog niet dat je ook geliefd bent,' zei Estra, met een blik over haar schouder.

Kaleíman van Attabo week uit naar de rand van de brede weg om zijn colonne te laten passeren, terwijl hij nog eens naar het silhouet van Ammtára tuurde, dat nu zo'n vijf mijl achter hen lag.

Het deed hem pijn dat hij de stad had moeten verlaten, maar alleen Angor wist dat hij niets anders had kunnen doen. De taak van de orde was belangrijker dan de bescherming van deze ene stad.

Vanwege hun plicht tegenover het hele continent hadden de Hoge Zwaarden de benarde inwoners moeten overlaten aan hun lot en de onderhandelingstactiek van de Vergadering van Getrouwen.

'Bescherm uw dienaar Tokaro, die ik niet de hele waarheid kon zeggen,' bad hij tot zijn god.

Een ruiter naderde. In het schijnsel van de fakkels en lantaarns van de voorbijtrekkende wagens herkende hij zijn maarschalk Zamradin van Dobosa, die net als hij zijn volledige wapenrusting droeg. Voor de prijs van zo'n harnas had een eenvoudige familie een huisje en een stal kunnen bouwen en nog een veestapel kopen. De meeste mensen op het continent vonden het ijdeltuiterij als ze de ridders zagen rijden, maar daar moesten Kaleíman en zijn mannen om glimlachen. Zulke critici begrepen de betekenis van de wapenrusting niet.

'Grootmeester, waar moeten we ons kamp opslaan?' vroeg Zamradin, toen hij zijn paard naast hem tot staan had gebracht. 'Ik vertrouw dat drooggelegde moeras niet erg. Er zijn nog te veel natte plekken waar een wagen of een man kan wegzakken.'

'Je hebt gelijk. We rijden verder. De weg is goed genoeg om ook in het donker te kunnen doorrijden,' besloot hij. 'Zeg tegen de voorhoede dat ze bij het volgende gehucht of dorp halt houden. Ik wil zeker weten dat we vaste grond onder de voeten hebben.'

De maarschalk knikte en wendde zijn paard.

Het volgende moment hoorde hij kreten van pijn, ergens voor aan de colonne. 'Struikrovers!' brulde iemand luid. 'Een hinderlaag!' En daarna het geluid van wapengekletter.

'Beveilig de wagens,' beval Kaleíman de knechten. Hij greep een schild van de zadelhouder en trok zijn Aldorelische zwaard om zich in het gevecht te storten. 'Wat er ook gebeurt, verdedig ze met je leven.'

Hij gaf zijn paard de sporen en stormde samen met Zamradin langs de karren, op weg naar voren. Toen hij de vechtpartij had bereikt, liet hij de teugels los en mende zijn paard alleen met de druk van zijn dijen en de verplaatsing van zijn gewicht.

'Wegwezen, stelletje tuig!' bulderde hij. 'Jullie hebben het gewaagd de Hoge Zwaarden aan te vallen. Wie zijn wapen niet onmiddellijk weggooit, hoeft niet op genade te rekenen.'

Maar de struikrovers luisterden niet. Ze hadden de voorhoede van nauwelijks gepantserde schildknapen volledig uiteengeslagen en hoopten op een snelle zege. Pas toen ze aan de glimmend gepoetste harnassen zagen wie ze voor zich hadden, smolt hun zelfvertrouwen weg en probeerden ze te ontkomen door de doornstruiken langs de berm.

'Laat ze maar,' beval de grootmeester. 'Steek het kreupelhout in brand, dan zijn ze hun dekking kwijt.' Hij stak zijn Aldorelische zwaard weg, greep een fakkel van een wagen en slingerde die met kracht de struiken in. Even later laaiden de eerste vlammen op.

Het snuiven van een paard maakte hem en Zamradin attent op een groep nieuwe tegenstanders in bloedrode wapenrustingen, die zich in een langgerekte lijn spookachtig geruisloos op de weg hadden opgesteld. Ze hielden hun lansen naar boven gericht, en de korte wimpels met het motief van een vuurzuil wapperden veelbetekenend in de hete luchtstroom van de snel uitdijende brand.

Voor de tweede keer die nacht trok Kaleíman zijn zwaard. 'Kijk uit! Ze hebben handbuksen bij zich,' waarschuwde hij de ridders die links en rechts van hem opdoken om zich tegen de Tzulani teweer te stellen en de wagens te verdedigen.

'Hun harnassen hebben schade opgelopen en zijn slecht onderhouden,' meldde Zamradin, en hij klapte het vizier van zijn helm dicht. 'Volgens mij zijn het geen echte leden van de Tzulan-orde. Die zouden ons niet zo armoedig tegemoet treden.' Zijn stem klonk gedempt onder het metaal. 'Het is gewoon een stel bedriegers, die hopen dat wij het van angst in onze broek zullen doen.'

'Dat denk ik ook, maarschalk,' zei Kaleíman, turend naar de twintig ruiters, die hen nog steeds de weg versperden en zich niet verroerden. 'Gewone kooplui zijn misschien onder de indruk en staan vrijwillig hun koopwaar af.' Hij hief de hand met het zwaard omhoog en ging in de stijgbeugels staan, zodat iedereen hem kon zien. 'Maar wij níét!' Abrupt liet hij zijn arm zakken, stak hem recht vooruit en gaf zijn paard een teken om naar voren te stormen.

Ook de andere ridders zetten zich in beweging, op korte afstand gevolgd door de schildknapen die bij het vertrek uit Ammtára niet aan een bepaalde wagen waren toegewezen.

De vijanden vuurden hun handbuksen af, reden op hun tegenstanders af en wierpen zich met doodsverachting op de Hoge Zwaarden.

De linies knalden op elkaar en versmolten. De stilte van de nacht werd verscheurd door het gekraak van brekende lansen en schilden en het gerinkel van harnassen. Dat het inderdaad geen fanatieke Tzulani waren, maar vermomde struikrovers, bleek al snel. Na de eerste krachtmeting trokken ze zich haastig terug. Ze wilden geen grote verliezen riskeren.

Van de twintig vijanden bleven er zeven dood op de weg achter. Een paar gewonden sleepten zich kreunend naar de rand van het beschermende moeras, dat niet brandde, en degenen die nog in het zadel zaten sloegen op de vlucht voor de trefzekere zwaarden van de ridders.

De orde van Angor had maar één dode te betreuren, bij wie een kogel door zijn vizier was geslagen. Voor hem kwam alle hulp te laat. Verder moesten er een paar lichtere verwondingen worden verbonden die in eerste instantie door de gehate, onsportieve vuurwapens waren toegebracht.

'Ze moesten die buksen verbieden. Bij mijn volgende gesprek met Perdór zal ik daar zeker over beginnen. Ze zijn veel te gevaarlijk en maken iedere kleine boef tot een bedreiging voor een eerlijke strijder die jarenlang heeft moeten trainen om zijn vak te leren.' Kaleíman keek woedend naar de verwoeste helm van zijn ordebroeder, waaronder het bloed vandaan stroomde en de sierreliëfs van zijn harnas vulde.

Maar ze hadden geen tijd om hun doden te betreuren en de wonden te verzorgen. Nauwelijks was het sein veilig gegeven, of vanuit de achterhoede werd alarm geslagen.

'Vervloekte struikrovers. Ze hebben zich verspreid!' Kaleíman vloekte en wilde al naar de achterkant van de colonne rijden, maar op dat moment keerden de vijandelijke ruiters terug, die slechts als schijnbeweging op de vlucht waren geslagen. 'Ze hebben hun buksen weer geladen!' riep hij als waarschuwing. 'Terug! Achter de wagens. Zorg dat ze geen doelwit hebben en wacht tot ze dichterbij zijn. En stuur onze boogschutters hierheen.'

Achter hen laaiden vlammen op. Een van de karren was door de bandieten met een pijl in brand geschoten om verwarring te stichten. De grootmeester knarsetandde toen hij zag welke wagen in brand stond.

De paarden raakten in paniek en gehoorzaamden niet meer aan de wagenmenners. In de chaos probeerden ze aan de hete vlammen in hun rug te ontkomen, stormden uit de linie vandaan en gingen ervandoor. Ridders en struikrovers maakten haastig ruim baan.

'Achter die wagen aan!' brulde Kaleíman. 'Die mogen we onder geen beding kwijtraken.'

Twee ridders zetten de achtervolging in, maar werden door de afwachtende struikrovers onder schot genomen. Een van de paarden zakte hinnikend in elkaar en kwam boven op zijn ruiter terecht, de andere ridder stortte uit het zadel. Een kogel had zijn borstharnas doorboord.

'Eromheen!' beval de grootmeester. 'Probeer erlangs te komen.' Het ergerde hem mateloos dat zo'n roversbende hem meer problemen bezorgde dan de Tzulandriërs bij Taromeel.

De tegenstanders wilden hun veroverde buit niet zomaar opgeven. Ze trokken zich een paar passen terug en zetten de ridders klem. Pas toen de boogschutters van de orde de voorkant van de colonne hadden bereikt konden ze de zogenaamde Tzulani eindelijk verjagen.

'Rapport!' brulde Kaleíman. 'Hoeveel verliezen?'

'Zeventien knechten, vijf schildknapen en drie ridders,' bracht de maarschalk verslag uit. 'Twee wagens uitgebrand, eentje verdwenen.'

'Ik weet het,' gromde de grootmeester, en hij wendde zijn paard. 'Tien ridders komen met mij mee. Hou jullie schilden omhoog, zodat die rovers geen makkelijk doelwit hebben als ze ons opwachten.' Kaleíman vertrok over het donkere lint van de weg, achter het schijnsel van de brandende wagen aan. 'Zamradin, jij blijft hier om de orde te herstellen, daarna sluiten jullie aan.'

Het duurde niet lang voordat de grootmeester met zijn kleine eenheid de plek had bereikt waar de kar nog stond te branden.

De paarden waren uitgespannen en nergens meer te zien. Ook van de aanvallers ontbrak elk spoor. Een dode in een Tzulani-wapenrusting lag langs de weg met twee pijlen in zijn rug.

'Ze zijn door het moeras ontsnapt,' vermoedde Kaleíman, en hij staarde in de stervende vlammen. Hij kon niet wachten tot ze waren gedoofd, maar moest weten wat er van de lading was geworden. Vastbesloten sprong hij uit het zadel. 'Wrijf mijn harnas in met modder uit het moeras,' beval hij. Toen de anderen hem met een dikke laag hadden overgoten, klom hij in de wagen en stapte door het dovende vuur.

De natte modder hielp niet lang. Algauw voelde hij de hitte, die door het metaal van zijn harnas werd doorgegeven. Lang zou hij het niet uithouden in de brandende kar.

Maar het was lang genoeg om met zekerheid vast te stellen dat de rovers de inhoud van de wagen hadden meegenomen. Hoestend sprong Kaleíman weer omlaag, klapte zijn vizier omhoog en zoog de koele, schone lucht in zijn longen terwijl hij zijn ridders zorgelijk aankeek.

'Alles is weg,' meldde hij ten slotte, voordat hij zich bukte en de dode aanvaller onderzocht, die behalve zijn wapenrusting niets droeg wat hem als ridder van de Geblakerde God kon identificeren. De kleren onder zijn harnas brachten het bedrog aan het licht.

'Doodgewone struikrovers,' snoof Kaleíman, en hij gaf een schop tegen het lijk.

'Ze hielden ons zeker voor een karavaan van de Kensustrianen, met exotische voorraden die ze voor veel geld hadden kunnen verkopen,' opperde een van de anderen. 'Dat was een pijnlijke verrassing voor de heren, nietwaar?' Hij trok zijn zwaard en kuste de bloedgoot. 'Mijn leven voor Angor en de dood aan mijn vijanden.' Zijn ordebroeders herhaalden die eed.

De grootmeester volgde het ritueel, hoewel hij bepaald niet in een plechtige stemming was. Duisternis of niet, de jacht moest doorgaan. 'Melik, rij terug en haal tien knechten en voldoende fakkels,' beval hij. 'We gaan ze achterna.'

'In de nacht? U zei zelf dat het moeras gevaarlijk was, grootmeester.' Melik deed geen poging zijn verbazing te verbergen. 'Het was toch maar een kist met proviand? Die mogen ze houden. Dat is het risico niet waard dat iemand van ons in het moeras wegzakt.'

Kaleíman schudde bedachtzaam zijn hoofd. 'Nee, het was geen proviand.' Hij sprong in het zadel. 'We kunnen onze nachtrust wel vergeten, vrienden. Dit is belangrijk. We mogen niet rusten tot we die bandieten hebben gevonden en ze hun buit hebben afgenomen.'

Het ernstige gezicht van de grootmeester sprak boekdelen. Hoewel hij de anderen niet kon of wilde zeggen waar het om ging, moest die kist tot elke prijs worden heroverd.

Continent Kalisstron, Bardhasdronda, late zomer van het jaar 1 Ulldraels (460 n.S.)

De blauwe straal wilde de cerêler niet meer loslaten.

De beklagenswaardige Kalfaffel bungelde als een vis aan een haak. Zijn tanden klapperden razendsnel op elkaar en hakten zijn tong, die ertussen raakte, aan flarden. Bloed druppelde uit zijn mondhoeken.

Lorin hief zijn hand en tuurde tussen zijn vingers door naar de oplichtende blauwe steen. Het diepe, aanhoudende gezoem werd steeds luider en de trillingen deden zijn ingewanden tintelen.

De mensen deinsden terug voor hun burgemeester, die gevangenzat in het blauwe schijnsel. Niemand had een touw of iets anders om hem uit die dodelijke straal te verlossen. Geen mens durfde hem aan te raken.

Hoe Lorin ook zijn best deed de steen met zijn magische krachten uit te schakelen, het lukte hem niet. Dus moest hij iets anders proberen om Kalfaffel te redden.

Met grote stappen rende hij op de cerêler toe en nam een sprong om zich tegen hem aan te werpen en hem zo opzij te stoten. Maar op hetzelfde moment brak de straal en verstomde het gezoem.

Lorin kon niet meer afremmen. Hij zeilde door de lucht, knalde tegen Kalfaffel op en smeet hem tegen de grond. Samen rolden ze over het vochtige gras en mos van de open plek. 'Kalfaffel!' riep hij angstig, terwijl hij zich op zijn knieën hees, de cerêler voorzichtig bij zijn schouders pakte en hem op zijn rug draaide.

De burgemeester ademde niet meer.

Lorin drukte zijn oor tegen de borstkas van de kleine man, maar alles bleef stil. Zijn hart sloeg niet meer. 'Nee! Kalisstra, wees ons genadig en spaar zijn leven.' Lorin trok behoedzaam de oogleden van de cerêler omhoog en zag aan de uitdrukkingsloze pupillen dat het leven uit het lichaam van de burgemeester was geweken. Vintera had hem onherroepelijk naar haar dodenrijk geroepen. 'Hij is dood,' verklaarde hij met gesmoorde stem. En hij vermoedde wat dit voor hemzelf zou betekenen. De mensen zouden hem verantwoordelijk houden. Niet meteen, maar spoedig.

Nog altijd sprak niemand een woord.

Lorin kwam overeind, nam de lichte cerêler in zijn armen en droeg hem als een kind bij de open plek vandaan, door het bos naar de weg, terug naar Bardhasdronda.

De mensen vormden een stille processie, waaruit na verloop van tijd de eerste snikken klonken. De schrik die iedereen tijdens de muziek van de stenen had overvallen verlamde hun tong.

De rouwstoet passeerde de stadspoort, en vandaar verspreidde het nieuws over de dood van de burgemeester zich als het licht van de opkomende zonnen. Nog voordat ze bij Kalfaffels huis kwamen, had zich daar al een menigte verzameld die op de dode wachtte en zachtjes weende om het grote verlies voor Bardhasdronda. Hoe diep het verdriet ook was, onder de Kalisstri bleef het tonen van heftige emoties niet gepast.

Lorin bracht de cerêler naar binnen, legde hem op bed en spreidde een laken over hem uit. Even later verscheen Kiurikka om het ritueel voor de doden uit te voeren.

Lorin keek scherp of de priesteres – die haar aanvankelijke hekel aan hem, Matuc en Fatja vanwege hun Ulldrael-geloof niet onder stoelen of banken had gestoken – hem een beschuldigende blik toewierp. Maar de vrouw zegde de gebeden voor Kalfaffel en bad Kalisstra om bijzondere genade voor de ziel van de overledene.

Toch zal zij een van degenen zijn die mij verwijten maken, vermoedde Lorin. Misschien niet ten onrechte, want hij en niemand anders had de stenen tot zingen en tot glinsteren gebracht. Nu moest hij alleen voorkomen dat er nog meer slachtoffers zouden vallen.

Lorin knielde bij het bed, boog zijn hoofd en bad de cerêler in stilte om vergeving. Toen stond hij op en draaide zich om naar de deur.

'Waar ga je heen, Seskahin?' wilde de priesteres weten. Ze noemde hem bij zijn Kalisstronische naam, die hij van de mensen in Bardhasdronda had gekregen als teken dat ze de voormalige vreemdeling als een van hen hadden geaccepteerd.

'Naar de open plek,' antwoordde hij langzaam. 'Ik moet ontdekken waarom de stenen hem hebben gedood.' Hij keek haar aan. 'Weet jij er iets meer van?'

'Nee, niet meer dan wie ook,' gaf ze toe. 'Met een beetje geluk kan ik nog wel iets vinden in de oude aantekeningen van de tempel, maar reken er niet op. De stenen zijn al heel oud, en als er ooit iets over geschreven is, zijn die teksten allang vergaan.' Kiurikka glimlachte hem bemoedigend toe. 'Het is jouw schuld niet. Misschien hebben de stenen Kalfaffel ergens voor gestraft. Alleen Kalisstra weet waarvoor hij zich moet verantwoorden.'

Lorin knikte. 'Dank je voor je woorden, maar ik moet mijn eigen oplossing voor het raadsel vinden.' Hij maakte een korte buiging, stapte naar buiten en verdween door de aanzwellende mensenmassa die met fakkels en kaarsen voor het huis had postgevat en zachte gebeden de nacht in zond.

Het was moeilijk voor hem om zijn weg te zoeken tussen de mensen door, die hem tersluiks opnamen, met een verwijt in hun ogen. Als ze hem met gloeiende naalden hadden gestoken zou dat hem veel minder pijn hebben gedaan.

Hij moest spitsroeden lopen, maar aan de rand van de menigte wachtte Jarevrån als beloning. Ze sloot hem in haar armen en kreeg tranen in haar groene ogen. 'Wat is er gebeurd?' vroeg ze vol onbegrip en met een verstikte stem. 'Wat heeft die steen met ons gedaan?'

Arnarvaten, de beste verhalenverteller van de stad, en zijn vrouw Fatja – Lorins grote zus, al waren ze geen familie – kwamen op hen toe.

Fatja klemde Lorin tegen zich aan. 'Hoe gaat het, broertje?'

'Ik mankeer niets.' Hij wees naar een zijstraat. 'Laten we even bij de mensen vandaan stappen. Ze hoeven niet te horen wat wij bespreken.' Ze verwijderden zich een paar passen van de menigte. 'De steen wilde meer magie,' zei Lorin gedempt. 'Het was hetzelfde gevoel als een tijdje geleden, toen we Govan te slim af waren. De steen wilde me beroven van het beetje macht dat ik nog bezit.'

'Jouw magie?' Onwillekeurig draaide Fatja zich om naar Jarevrån. 'Dat Kalfaffel een rijkere buit was, kan ik begrijpen. Maar wat moest hij met jou?'

De Kalisstroonse keek nog altijd verward. 'Ik weet het niet. Ik heb helemaal geen magie. Misschien heeft hij me daarom weer losgelaten.'

'En ik had te weinig,' concludeerde Lorin. 'Daarom concentreerde hij zich op Kalfaffel.' Hij leunde tegen de muur van een huis en keek zuchtend naar de zee van lichtjes voor de deur van de burgemeester. Alweer kwam het door de magie dat hier verschrikkelijke dingen gebeurden. 'Arnarvaten, jij bent verhalenverteller,' zei hij zacht. 'Ik weet dat ik je al eens naar de Zingende Stenen heb gevraagd...'

'Maar toen had ik weinig zin om te antwoorden, dat is waar,' reageerde de man meteen. 'Nu wel. Zodra ik van Fatja hoorde wat er op de open plek was gebeurd, heb ik geprobeerd me alle bijzonderheden te herinneren die ik ooit over de stenen heb gehoord.' Hij wreef over zijn artistiek geschoren baardje. 'En er schoot me iets te binnen: het verhaal van een klein meisje dat op een avond in de buurt van de stenen speelde.' Arnarvatens stem kreeg de klank van een echte verteller, die zijn publiek alleen al met de melodie van zijn woorden kon betoveren...

'Het was een koele najaarsdag, jaren en jaren geleden, toen de mensen het bontgekleurde herfstbos in trokken om hout te sprokkelen voor de naderende winter.

Drinje hielp haar vader en moeder bij het verzamelen van hakhout en slenterde naar de open plek. Ze had haar kleine hond meegenomen om hem te leren een stok te apporteren.

Op een gegeven ogenblik gooide ze de stok over de stenen heen.

Het hondje rende erachteraan, tot achter de stenen, maar kwam met een bot bij het meisje terug. Het was een klein menselijk onderarmbeen!

Drinje wist niet wat de hond haar had gebracht en schrok daarom ook niet. Ze gaf hem een standje en wierp een nieuwe tak.

De hond verdween achter de stenen en kwam opnieuw met een bot terug, nu van een onderbeen.

Het meisje verbaasde zich over dat vreemde hout en liet het aan haar ouders zien, die vol afschuw gingen kijken wat er verder nog achter de stenen lag.

Tot hun grote ontzetting ontdekten ze de resten van vijf kinderen, die in handen moesten zijn gevallen van een stel beestachtige moordenaars. De daders hadden de lijken daar verborgen.

Haastig liepen de ouders met Drinje naar de stad terug om over hun afschuwelijke vondst te vertellen. Maar niemand miste een zoon of dochter, en daarom werden de botten van de onbekende kinderen ten slotte vermalen en op de wind verspreid.'

Lorin dacht na. In het licht van wat hij zelf had beleefd, kreeg het verhaal een heel andere betekenis. 'Nee, het waren geen kinderbotten,' zei hij met een huivering.

Fatja sperde haar ogen open. 'Cerêlers?'

'Zouden de stenen vroeger al meer mensen hebben gedood?' vroeg Jarevrån fluisterend.

'Deze stenen voeden zich met magie. Als je ze die niet vrijwillig geeft, zullen ze je dwingen, met geweld. En dat kan dodelijk aflopen,' vermoedde Lorin. Het leek een geruststelling dat gewone mensen veilig waren voor de vraatzucht van de stenen, hoewel hij dat niet zeker wist. In andere omstandigheden zouden ze zijn vrouw misschien hebben gedood.

'Ik begin te begrijpen waarom na een bepaalde tijd niemand die stenen meer tot zingen bracht,' zei Arnarvaten opgewonden. 'We hebben het geheim nu wel ontsluierd, maar waar heeft Kalisstra onze stad mee opgezadeld?'

Lorin haalde hulpeloos zijn schouders op. 'Ik zal Rantsila zeggen dat we morgenochtend meteen een hek om de stenen moeten zetten, op veilige afstand. Niemand mag er in de buurt komen voordat we het raadsel hebben opgelost.'

'En jij gaat er ook niet meer naartoe, Lorin,' zei Jarevrån beslist.

Uit angst om haar man klonk haar toon scherper dan anders. Ze pakte hem bij zijn arm. 'Hoor je me? Je blijft daar vandaan!'

Maar in het bos voor de poorten van Bardhasdronda leek midden in de nacht een donkerblauwe zon op te gaan, die zijn licht tussen de stammen van de bomen door naar de sterren scheen te zenden. Toen de mensen naar de hemel tuurden, zagen ze een wonderbaarlijk maar ook beangstigend schouwspel, dat niemand nog ooit had gezien.

Lorin vermoedde wat het betekende. De steen riep hem. Zachtjes maakte hij Jarevråns vingers van zijn jak los, terwijl hij tegen haar glimlachte en haar lippen kuste. 'Ik moet gaan kijken wat er op de open plek gebeurt. Als er gevaar dreigt voor de stad, ben ik misschien de enige die er iets tegen kan doen.' En hij liep langs haar heen naar de poort.

Jarevrån slikte haar protest in, omdat ze begreep dat niets hem zou kunnen tegenhouden. 'Je kunt ook de enige zijn die sterft,' fluisterde ze verdrietig, toen hij haar al niet meer kon horen.

Fatja sloeg een arm om haar schouder in stille troost.

Toen hij de open plek naderde, voelde Lorin zich als in een vreemde droom.

Alles om hem heen was in het blauwe licht van de steen gehuld; de bomen en bladeren, het mos en alle details van het bos hadden een nieuwe kleur gekregen die volstrekt onwerkelijk leek. Zo nu en dan ritselde er iets in het struikgewas. De dieren die door het geflakker waren gewekt sloegen op de vlucht. Lorin zag zelfs een zwarte wolf ervandoor gaan.

Geen goed teken, als een heilig dier vlucht. Hij liep tot aan de rand van de plek, liet zich op zijn hurken zakken en keek wat zich daar afspeelde. Inmiddels was het licht zo fel geworden dat hij zijn ogen moest beschutten om naar de steen te kijken.

Alsof ik tegen de zonnen in kijk. Haastig bracht hij zijn hand voor zijn ogen en tuurde tussen zijn vingers door. Met grote schrik constateerde hij dat hij elk botje onder zijn huid kon zien. De steen maakte die doorzichtig, waardoor zijn lichaam iets spookachtigs kreeg.

Een zoemend geluid vulde de omgeving, als van een zwerm woedende horzels die probeerden uit een ton te ontsnappen, alleen nog veel harder en angstaanjagender.

Lorin bleef op afstand en vroeg zich af wat hij kon doen. Hij betwijfelde of hij het gedrag van de steen met zijn magie zou kunnen beïnvloeden. *Ze beroven je van je magie. Ze nemen wat ze nodig hebben*, dacht hij, om een aanknopingspunt te vinden. *Maar waarom? Wat doen ze met die krachten? Voeden ze zich ermee, zoals mensen met vlees en brood? Heeft Kalisstra ze geschapen om het aantal mensen met magische gaven beperkt te houden? Of is dit het werk van Tzulan?*

Hij kon er zo lang over nadenken als hij wilde, maar zolang hij en zijn vrienden geen oude, geschreven bronnen vonden, zou het raadsel van de stenen blijven bestaan.

Opeens viel hem iemand in die hen zou kunnen helpen: Soscha!

Hij herinnerde zich dat de koning van Ilfaris in zijn land een soort school wilde stichten voor het onderzoek naar magie. En juist Soscha, die hem zoveel had geleerd om hem op de strijd met Govan voor te bereiden, bezat de unieke gave om magie bij mensen en voorwerpen te herkennen.

Lorin besloot koning Perdór een brief te schrijven om de situatie uit te leggen. Dat was een mogelijkheid. En ook voor Soscha zou het een kans zijn meer over het wezen van de magie te weten te komen.

Blij dat zijn overpeinzingen in elk geval iets hadden opgeleverd, kwam hij overeind om door het bos naar Bardhasdronda terug te lopen toen er aan de zuidkant van de open plek een processie tussen de bomen tevoorschijn kwam.

Voorop liep een zingende Kiurikka. Ze droeg haar ceremoniële gewaad en werd gevolgd door een rij priesteressen van de Kalisstratempel. Haar liederen ter ere van de Bleke Godin overstemden het gezoem en Lorin kreeg de indruk dat de stemmen van de mensen wedijverden met die van de steen.

De zottin! Wat wil ze hiermee bewijzen? dacht hij, geërgerd over de lichtzinnige actie van de hogepriesteres.

Het volgende moment kreeg hij de verklaring voor deze waaghalzerij.

Vlak achter de eerste processie kwam nog een tweede. Maar deze mannen en vrouwen droegen de donkergroene toga's van Ulldrael de Rechtvaardige en zongen hun eigen hymnen. Het zaad van het nieuwe geloof dat Matuc in Kalisstron had verbreid had wortel geschoten en een rijke oogst aan ijverige Ulldrael-zendelingen opgeleverd.

Niet te geloven! Voor Lorins verbaasde ogen begonnen beide groepen nu in een kring om de steen heen te lopen. Hun lofliederen vormden een ongelooflijke kakofonie. Maar het blauwe lichtschijnsel werd opeens zwakker en doofde, totdat de steen er weer net zo onopvallend bij lag als voorheen.

Lorin hoorde de aanhangers van Ulldrael en Kalisstra bekvechten wie voor dit wonder verantwoordelijk was. Na een korte maar heftige woordenwisseling verkondigde Kiurikka arrogant: 'Wij blijven, wij gaan door. Met onze gebeden aan de Bleke Godin zullen we ervoor zorgen dat de steen nooit meer zijn afschuwelijke werk kan doen.'

'O ja?' klonk het uit de rijen van de Ulldrael-gelovigen. 'Denk je echt dat jouw godin die steen heeft gekalmeerd?' De man gaf de anderen een teken om rond de rotsblokken te gaan staan. 'In werkelijkheid was het Ulldrael die zijn macht heeft bewezen door de steen tot zwijgen te brengen.' Hij ging griezelig dicht bij de steen zitten, haalde een deken uit zijn rugzak en maakte het zich gemakkelijk, terwijl de anderen hout sprokkelden en een vuurtje maakten in de koude nacht. 'Wij blijven ook, om te voorkomen dat de tragedie van vanavond zich nog eens herhaalt.'

Kiurikka keek de man verachtelijk aan en stapte terug naar haar eigen mensen. Lorin schudde zijn hoofd en hoopte dat de goden de twee groepen tegen de razernij van de steen zouden beschermen. Hij verdween bij de rand van de open plek, waar het nu een drukte van belang was, en liep terug naar Bardhasdronda. Jarevrån wachtte thuis met ongeduld. Haastig vertelde hij haar over zijn plan en wat hij in het bos gezien had.

'Het verbaast me niets,' zei ze bezorgd, terwijl ze opstond en haar man omhelsde. 'Sinds Matuc naar Ulldart is vertrokken is de rivaliteit tussen de twee geloven steeds scherper geworden. Er zijn geen verstandige mensen meer om de heethoofden onder de Ulldraelpriesters wat af te remmen en te herinneren aan de ware weg van de Rechtvaardige.'

'Misschien heeft de steen nog nut door die twee groepen te verzoenen.' Hij kuste haar en ze liepen arm in arm de trap op naar de slaapkamer. 'Of hen minstens tot het inzicht te brengen dat ze in vrede met elkaar moeten leven. Kalisstron heeft geen behoefte aan fanatici.' Toch zou hij Rantsila vragen de open plek te laten ontruimen. Het gevaar was nog altijd niet geweken.

Jarevrån zag dat hij van streek was. Ze trok hem tegen zich aan, nam hem in haar armen en gaf hem de rust die hij zo nodig had. Innig verstrengeld lagen ze in bed, en algauw sliep Lorin in.

Voordat ze zelf ook naar dromenland vertrok, wierp ze nog een laatste blik door het raam. Met een zucht van opluchting zag ze dat het blauwe licht aan de hemel was verdwenen.

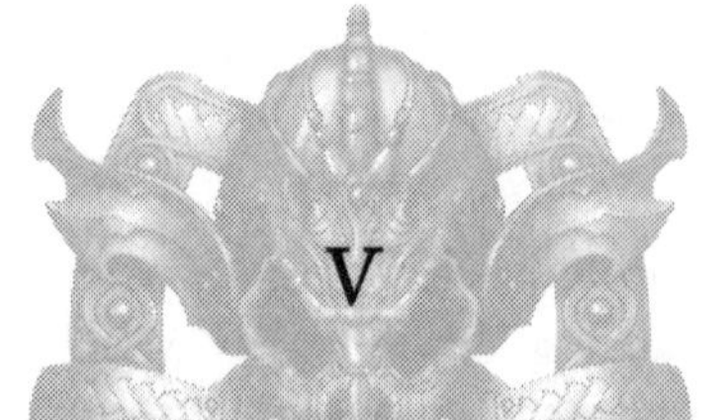

V

Continent Ulldart, koninkrijk Tarpol, hoofdstad Ulsar, late zomer van het jaar 1 Ulldraels (460 n.S.)

Het was een koude, regenachtige nacht, waarin de bewoners van Ulsar aan de naderende herfst en de ijzige winter begonnen te denken. Ze stookten de kachel op, dronken hete thee met een flinke scheut brandewijn en kropen onder de warme dekens. Niemand die niet echt buiten hoefde te zijn ging de deur uit.

Daarom viel de donkere gestalte die heel ontspannen door de straten van de hoofdstad wandelde en zich niet aan de stromende regen leek te storen, maar weinig mensen op. Hij bleef zo veel mogelijk in de schaduw, zodat er geen licht op zijn gezicht onder de capuchon kon vallen. De wandeling ging naar de Verloren Hoop, de grote gevangenis van Ulsar, waar mensen zaten opgesloten die tijdens het bewind van Govan Bardri¢ zware misdrijven hadden begaan en nu op hun straf wachtten. Toch waren nog niet alle misdadigers opgepakt.

De gestalte liep de hoofdpoort voorbij, sloeg de hoek om en keek scherp naar alle kanten voordat hij een bos valse sleutels uit zijn zak haalde en die op het slot van de zijdeur probeerde. Met een klik ging het open.

De deur kwam uit op de binnenplaats. De soldaten die daar normaal de wacht hielden om onbevoegden aan te houden, hadden om een of andere reden hun post verlaten.

De gedaante glipte naar binnen en sloop langs de hoge muren naar het trappenhuis. Daar nam hij de trap naar beneden, op weg naar de catacomben van de Verloren Hoop. Hij liep de gangen door, zonder zich te storen aan het gejammer dat hier en daar achter de celdeuren klonk.

Cellen van misdadigers die ter dood waren veroordeeld werden door de cipiers meestal gemarkeerd met een sikkel, het teken van Vintera, de godin van de dood. Voor een van die cellen bleef de gedaante staan. Onder het symbool van de sikkel stond de naam Vanslufzinek.

Voorzichtig opende de bezoeker het kijkgaatje om te zien wat de gevangene deed. Hij sliep. De gedaante schoof de grendel terug en glipte door de kier van de deur.

Zachtjes liep hij op de strozak van de gevangene toe, trok het krukje bij en ging zitten. De blauwe ogen met de zwarte pupillen richtten zich op Vanslufzinek, die onmiddellijk onrustig werd en begon te draaien.

Hij mompelde zacht en hief beschermend zijn armen op, alsof hij een paar aanvallers tegelijk wilde afweren. Toen schoot hij overeind en hapte rochelend naar adem. Zijn vingers groeven zich in het vochtige stro en verkrampten. Het zweet brak hem uit en zijn onderrug kromde zich steeds verder. Ten slotte sperde hij hijgend zijn ogen open, keek om zich heen en ontdekte zijn bezoeker. Met een zachte kreet deinsde hij terug. 'Vintera!' fluisterde hij.

'Nee,' antwoordde een diepe, ijskoude mannenstem.

Vanslufzinek keek wat beter, en opeens week alle kleur uit zijn gezicht. 'Jíj bent het! Dan klopt het wat ze hier vertellen... Lodrik Bardri¢ is de dood in eigen persoon, die 's nachts door de gangen van de Verloren Hoop waart en...' Kreunend greep hij naar zijn borst, wendde zijn gezicht af, kroop weg tegen de muur en begon schril te jammeren, als een angstig kind. Toen zakte hij levenloos in elkaar.

Wat wilde je me nog zeggen, Vanslufzinek? Lodrik staarde naar het lijk, mompelde een paar duistere formules en concentreerde zich op de bezwering.

Het duurde niet lang voordat er als uit het niets een vuistgrote, turkooiskleurige bol oplichtte, die opgewonden door de cel heen en weer kaatste en om de dode heen bleef draaien.

Laat me gaan, moordenaar! gilde de ziel wanhopig. *Dan kan ik naar de goden om je aan te klagen.*

Die zullen niet naar je luisteren. Hij hield het zielenlicht gevangen en richtte de rest van zijn aandacht op het lijk, dat zich op zijn bevel oprichtte, stijf als een pop. Het hoofd met de glazige ogen draaide zich naar de zwevende ziel toe.

Lodrik verdubbelde zijn inspanningen. De dode stond op en liep door zijn cel heen en weer. Hoe langer hij zich bewoog, des te natuurlijker werden zijn passen, totdat hij op het eerste gezicht niet meer van een levend mens te onderscheiden was. *Kijk hoe je je beweegt. Je bent mijn speelgoed geworden, zoals je ooit het speelgoed van mijn zoon Govan was.*

Laat me gaan! kermde de ziel wanhopig.

Nee, je zult de straf krijgen die bij je daden past. Lodrik stak zijn knokige vingers in de flakkerende bol en hoorde Vanslufzinek jammeren, totdat het vlies brak en de ziel in grote druppels uit elkaar spatte en zich oploste. Tevreden stond Lodrik op en liep naar de deur. Zodra hij hem sloot, stortte het lijk van de misdadiger tegen de stenen vloer van de cel.

De necromant liep geruisloos door de gangen van de vesting, voldaan over zijn werk. Hij was inmiddels in staat de ziel van iedere overledene uit het dodenrijk op te roepen en aan zijn wil te onderwerpen. Ook de dode lichamen onderwierpen zich aan zijn macht.

Binnenkort wilde hij zich wagen aan de ziel van iemand die al heel lang dood was. Omwille van Norina. Ze verlangde zo naar hem dat het hem pijn deed haar te zien lijden.

Hij liep de trappen op in de richting van de uitgang. Een groepje soldaten dat van boven kwam en dat hij onmogelijk meer kon ontwijken, maakte onmiddellijk rechtsomkeert om een ontmoeting te vermijden.

Lodrik wist waarom.

Zodra hij zijn macht gebruikte, verbreidde hij angst – een onvoorstelbare angst, waarmee hij ieder levend wezen zou kunnen doden. Maar in een lichte dosis was het voldoende om mensen en andere schepsels op afstand te houden. Dat was ook de reden waarom de wachters kort voordat hij de Verloren Hoop was binnengedrongen hun posten hadden verlaten. Angst was de sterkste emotie die een levend wezen kende, sterker nog dan de liefde, wat anderen ook mochten beweren.

Hij liep door de schaduwen van de verlaten binnenplaats, verdween door de kleine zijdeur van de poort en bleef voor de hoge muur staan, terwijl de regen nog altijd op Ulsar neerkletterde.

Lodrik was zich nog maar nauwelijks van de nattigheid en de kou bewust. Vroeger zou hij het vervelend hebben gevonden en een waterdichte jas hebben aangetrokken, maar nu maakte het hem niets uit. Al een tijdje besefte hij dat zijn gevoel afzwakte, zonder dat hij daar iets aan kon doen.

Dus tilde hij zijn hoofd op en liet de druppels op zijn bleke, uitgemergelde gezicht vallen. Als het de wil van Vintera of zijn magie was dat hij in een wandelend lijk zou veranderen... het zij zo. Dan was dat de straf voor alles wat hij de mensen van Ulldart had aangedaan, al het leed, de verwoestingen en de veldslagen met ontelbare doden, die hem 's nachts in zijn dromen bezochten en zwijgend rond zijn bed stonden.

Al heel lang zocht hij een opgave om iets van zijn schuld teniet te kunnen doen. Degenen die zich aan de greep van het recht hadden onttrokken en waren ondergedoken, zouden niet aan zijn onzichtbare helpers ontkomen.

Lodrik veegde de regen van zijn gezicht, als kille tranen. Hij liet zijn hoofd zakken en liep de straten door naar zijn koets, die hem naar het familieslot van de Bardri¢s moest terugbrengen.

Het tweespan stond nog waar hij het had achtergelaten. De koetsier wachtte bewegingloos en apathisch op de terugkeer van zijn heer.

De man was het resultaat van een ongeluk: geen ondode marionet die door Lodrik werd bestuurd, maar een mens met een gebroken verstand, die door een hevige angst zijn hele persoonlijkheid was kwijtgeraakt en nog slechts een aantal fundamentele vaardigheden bezat. Lodrik had hem gewoon van het terrein van zijn paleis willen verjagen, maar de angst was te groot geweest voor het kwetsbare brein van de man. Sindsdien volgde hij als een trouwe hond Lodriks bevelen op; een eigen wil had hij niet meer.

'Gleb, breng me naar huis,' zei Lodrik toen hij instapte. Hij liet zich in de zachte kussens zakken en even later ging de koets op weg door de straten van de hoofdstad.

Lodrik staarde naar de ramen van de huizen, waarachter hier en daar een lichtje brandde. Het was goed dat hij de macht aan Norina had overgelaten. Zelf had hij nooit alle verplichtingen kunnen vervullen, en niemand uit de andere koninkrijken zou hem hebben vertrouwd. Dankzij zijn vrouw bloeide Tarpol weer op en lonkten er vreedzame tijden.

Lodrik pakte de leren map die op de bank tegenover hem lag, sloeg hem open en las de lijst van mensen die zich openlijk verzetten tegen de hervormingen die Norina als nieuwe Kabcara wilde doorvoeren. Het waren er veel minder dan zo'n zestien jaar geleden, maar toch groef de elite haar hakken in het zand.

Met zijn krachten zou Lodrik hen wel dwingen zich aan te passen. Hij glimlachte stilletjes toen hij zich verheugde op de ontstelde gezichten bij de tegenstanders van zijn vrouw op het moment dat hun hart bijna stil zou staan van angst en het koude zweet van hun voorhoofd zou gutsen. Niemand zou Norina de voet dwars durven te zetten. Hij zou het eenvoudig niet toestaan.

De koets stopte voor het paleis. Gleb sprong van de bok en hield de deur voor Lodrik open.

'Span de paarden uit en verzorg ze goed,' beval hij toen hij hem voorbijliep. 'Daarna kun je gaan slapen.'

Gleb maakte een buiging en keek zijn heer gelukkig aan. Weer had hij zijn plicht vervuld en Lodriks waardering verdiend. Dat was het belangrijkste in zijn leven.

Lodrik stapte het imposante gebouw binnen dat onmiddellijk zijn hart had gestolen toen hij het voor het eerst in zijn vervallen toestand zag. De meeste ruiten waren gebarsten. Plunderaars hadden alles wat ze niet konden wegslepen grondig vernield; overal in de kamers en brede gangen lagen glasscherven en kapotgeslagen meubels. Weggehakt stucwerk lag verspreid over de marmeren vloer en sierde niet langer de plafonds. Slechts een paar kamers waren voor de ergste ravage gespaard gebleven. Daar woonde nu de voormalige koning van Tarpol.

Het gebouw paste bij hem. Het was oud en dood. Het had zijn tijd gehad, maar toch kon het niet vergaan. De ziel – de mensen die er ooit hadden gewoond – was verdwenen. Wat overbleef was een levenloos geraamte.

Liefdevol streek Lodrik over de leuning toen hij de brede trap naar de eerste verdieping beklom. In het voorbijgaan raakte hij de geschonden wanden en pilaren aan. Nooit had hij zich zo met dit paleis verbonden gevoeld.

De gescheurde gordijnen, voor zover ze er nog hingen, dansten op de bries. In het hele gebouw was het melancholieke lied van de wind te horen, zachtjes jammerend en fluitend. Het was een geluid dat de meeste mensen kippenvel zou hebben bezorgd, net als de donkere kamers en gangen. Lodrik wist die atmosfeer op de juiste waarde te schatten.

De duisternis had één nadeel. Duidelijk zag hij dat er vanuit de kamer waar hij nu woonde goudgeel licht onder de deur door scheen.

Zijn goede stemming was op slag verdwenen. Hij wilde niemand zien. Zelfs zijn discussies met Norina over de toekomst van het land voerde hij al een tijdje per brief. Hij noteerde zijn adviezen en liet ze door Gleb overbrengen.

Na zijn vertrek uit Ulsar had hij al haar pogingen tot een ontmoeting weten te ontwijken. Hij hield van zijn vrouw, maar hij wilde haar de aanblik van zijn uitgemergelde lijf besparen. Al zo lang was hij niet meer de man die zij ooit had gekend en bemind.

Lodrik zou de kamer achter de drie passen hoge deur met een angstaanval kunnen bestoken, maar hij beheerste zich. In plaats daarvan drukte hij de klink omlaag en stapte energiek naar binnen. Een indringer zou hij altijd nog kunnen verjagen.

In het licht van de kaarsen herkende hij de mismaakte gestalte van zijn jongste zoon, die het zich op de vloer voor de loeiende haard gemakkelijk had gemaakt.

'Vader, daar ben je! Ik maakte me al zorgen.' Krutor, die het uniform van een Tarpoolse prins droeg, stond op, zodat hij meer dan een hoofd boven Lodrik uitstak. Hij kwam op zijn vader toe en sloot hem in zijn sterke armen, onhandig als altijd. Bij al die kracht moest de necromant onwillekeurig aan een beer denken. 'Fijn je te zien.'

Lodrik beantwoordde de omhelzing en was oprecht blij. Hij had dus nog een restje menselijkheid in zijn hart. 'Je had niet geschreven dat je zou komen. En waarom zat je op de grond?'

'Als ik wél geschreven had, zou je vast niet thuis zijn geweest. Net als bij Norina.' Hij knipoogde ondeugend. De vreugde over het weerzien stond duidelijk op zijn scheve gezicht te lezen. 'Ze laat je zeggen dat ze echt boos is omdat je steeds verstoppertje speelt.' Krutor wees beschaamd naar de versplinterde stoel die in de haard lag te branden. 'Daar ging ik eerst op zitten, maar hij zakte door. Helemaal kapot. Daarom heb ik hem maar als brandhout gebruikt.'

Lodrik grinnikte. 'Geeft niet. Ga maar op de bank zitten, die is sterk genoeg.' Zelf liet hij zich in een gemolesteerde stoel zakken die iemand in grote woede met een mes had bewerkt, waardoor de voering uit de kussens puilde. 'Waar kom je voor?'

Krutor vlijde zijn achterwerk voorzichtig op de sofa, totdat de springveren zijn hele gewicht droegen. Tot zijn zichtbare opluchting ging het goed. 'Waar ik voor kom?' herhaalde hij verbaasd. 'Om jou te zien, vader. Ik mis je.' Hij vouwde zijn handen in zijn schoot en keek hem met zijn grote ogen aan. 'Dat is alles. Gewoon om jou te zien.'

Lodrik vergat steeds weer dat zijn zoon ondanks zijn geweldige kracht en zijn indrukwekkende gestalte niets anders dan een groot kind was. Geroerd stond hij op, kwam naast Krutor staan en streek hem door zijn haar. Zijn zoon lachte gelukkig.

'Wat heb je in Ulsar gedaan, vader? Was je bij Norina?'

'Nee, ik heb wat door de stad gereden om naar de mensen en de huizen te kijken,' loog hij.

'In dit weer? Waarom doe je dat niet overdag, als de zon schijnt?' vroeg Krutor verwonderd. 'Omdat je zo veranderd bent?'

Lodrik knikte. 'Precies, jongen. De mensen zijn bang voor me, en hun praatjes zouden Norina geen goed doen als Kabcara.'

Krutor schudde zijn vreemd gevormde hoofd. 'Dat begrijp ik niet, vader. Moet je zien hoe lelijk ik ben, maar de mensen vinden me toch aardig. Waarom zou dat bij jou anders zijn?' Hij keek Lodrik weer aan. 'Kom nou terug naar Ulsar,' smeekte hij.

'Dat kan niet, Krutor.'

'Ga dan met mij mee, en met Waljakov en Stoiko,' deed hij een ander voorstel. 'Zij beginnen morgen aan een reis door het land, en ik kom later achter ze aan. We willen zien of de veranderingen die Norina heeft bevolen ook echt worden uitgevoerd.' Hij glimlachte trots.

Lodrik lachte terug. 'Dan heb je de beste leraren die er op Ulldart maar te vinden zijn, mijn jongen. Wat heb ik daar nog te zoeken? Ik zou alleen maar in de weg lopen.'

'Nee!' protesteerde Krutor. 'Waljakov en Stoiko zouden blij zijn om je te zien, maar ze res... reps...' Hij worstelde met het lastige woord en begon opnieuw. 'Ze komen niet langs omdat je dat zelf niet wilde.' Hij liet zijn grote hoofd hangen. 'Ik mag het je niet vertellen, vader, maar zij maken zich ook grote zorgen om je. Net als Norina en ik.'

'Dat is niet nodig. Zeg maar tegen ze dat het goed met me gaat, maar dat ik rust nodig heb om na te denken over Tarpol en mijn vrouw goede adviezen te kunnen geven.'

Krutor keek zijn vader met kinderlijke argwaan aan. 'Volgens mij ben je nog magerder geworden. Je gezicht is vel over been en je mooie blauwe ogen liggen zo diep in je hoofd dat ik ze bijna niet meer zien kan.' Hij stond op. 'Kom alsjeblieft uit dat oude paleis. Of ga met ons mee.'

Lodrik zuchtte. 'Goed dan, Krutor. Zeg tegen Norina dat ik over twee weken, als de feesten rond haar kroning voorbij zijn, wel bij haar langs zal komen. En ik neem een gast mee met wie ze heel blij zal zijn.'

'Over twee weken pas?' riep hij teleurgesteld. 'Dan zijn Waljakov en Stoiko al onderweg.'

'Jij bent altijd welkom, Krutor. Als je dat maar niet tegen de anderen zegt, want dan willen ze ook een uitnodiging om hier te komen,' zei hij met een samenzweerderige knipoog. 'Alleen mijn zoon wil ik hier zien.'

'Dank je!' Krutor drukte hem weer dolblij tegen zich aan, voordat hij naar de deur liep. 'Ik loop weer terug naar Ulsar. Ik loop graag.'

'Doe de anderen de groeten en zeg alsjeblieft dat het goed met me gaat en dat je hebt gezien dat ik ben aangekomen.'

Zijn zoon keek onzeker. 'Maar dat is toch niet zo, vader? Je bent juist afgevallen...'

'Zeg het toch maar, dan hoeven ze zich geen zorgen te maken. Begrijp je? Norina heeft het al druk genoeg met regeren. Ze heeft geen andere problemen nodig om haar uit de slaap te houden.'

Na lang aarzelen knikte zijn mismaakte zoon. 'Goed, dat doe ik.' Hij wilde de deur al achter zich dichttrekken toen hij zich met een klap tegen zijn voorhoofd sloeg. 'Dit moest ik je nog geven.' Hij haalde een dikke envelop uit zijn jaszak. 'Hier staat alles in wat er de laatste weken op Ulldart aan belangrijks is gebeurd. Perdór heeft het voor je verzameld, zei Norina. En als je het hebt gelezen, moet je hem maar schrijven wat je ervan denkt.' Hij stak zijn hand op als afscheid. 'Ik vond het fijn je weer te zien, vader,' zei hij nog eens nadrukkelijk, voordat hij vertrok.

Zijn zware voetstappen klonken nog lang door de gangen van het stille paleis. Lodrik hoorde hoe hij de binnenplaats overstak en in de verte verdween.

Er is geen eerlijker ziel dan Krutor, dacht hij en hij ging bij de haard zitten. Daar verbrak hij het zegel van de envelop, haalde het ene bericht na het andere eruit en las alles aandachtig door.

Toen hij bij de gebeurtenissen rond de verkiezing van de nieuwe Kabcar van Borasgotan kwam, gleed er een onverklaarbare huivering over zijn rug. Zonder het te weten stelde hij zich dezelfde vraag als de koning van Ilfaris: *Wie is die raadselachtige vrouw van Raspot de Eerste?*

Continent Ulldart,
zuidwestkust van Tûris,
herfst van het jaar 1 Ulldraels
(460 n.S.)

Het moest zich lonen dat ze de vesting vooraf hadden verkend. Omdat er maar een handvol verdedigers was, zoals ze nu wisten, zwommen Torben Rudgass en Puaggi aan het hoofd van vijftig kapers in een maanloze nacht door het ijzige water tot voor de muren, waar ze wachtten totdat de hel zou losbreken.

'Zou het lukken?' vroeg de Palestaan wel voor de honderdste keer.

'We zullen zien,' herhaalde Torben zijn vaste antwoord, en hij gaf het zeilschip het afgesproken teken.

Even later vuurden de bombardes een vernietigend salvo af op de spits van de rechter wachttoren. Stenen en versplinterde balken regenden rond de kapers in het water neer, gelukkig zonder slachtoffers te maken.

Ze hoorden de geschrokken reacties vanaf de andere wachttoren. Haastig werd er een schrille klok geluid, die de rest van de soldaten naar hun posten riep. Intussen draaide de *Varla* in alle rust om haar eigen as voor een tweede beschieting, die de Tzulandriërs nog kwader moest maken.

Toen ook de spits van de andere toren was verpulverd, zette het schip alle zeilen bij, alsof het na deze geniepige aanval de vlucht wilde nemen.

Torben grijnsde toen hij zag hoe het hek voor de havenmond langzaam opzij werd geschoven voor twee van de kleine, snelle zeilboten van de bezetters. Hij had de Tzulandriërs goed ingeschat. Ze wilden zich wreken voor de beschieting van de torens en de dood van hun mensen. Alles hing nu af van zijn ervaren bootsman Hankson, die voldoende afstand moest houden, terwijl hij de achtervolgers toch in de waan liet dat ze hem konden inhalen.

De boeg van de eerste boot kwam tevoorschijn.

De kapers zwommen om de wrakstukken van de toren heen en zochten een beschutte plek om niet bij toeval te worden ontdekt. *Ulldrael en Kalisstra zijn ons gunstig gezind*, dacht Torben opgelucht. Terwijl de Tzulandrische boten de achtervolging inzetten, zwommen de mannen langs het hek de haven binnen. Grotendeels onder water legden ze de laatste meters naar de steiger af.

De opwinding in de vesting was zo groot dat geen van de wachters aandacht had voor de bewegingen in het water bij de kade. Luid roepend verzamelden ze zich op de weergang van de buitenmuur om te zien wat zich op zee afspeelde.

Zo wist het entercommando ongezien aan land te komen. Onmiddellijk renden ze naar het gebouw waar de Dă'kay van de vesting zich moest bevinden. Achter de ramen brandde licht. De mannen hurkten bij de muur.

'Gefeliciteerd, kapitein Rudgass,' fluisterde Puaggi de Rogogarder in het oor. 'Uw plan is geslaagd.' Er klonk bewondering in zijn stem.

'We mogen de goden danken dat we zo ver gekomen zijn.' Torben trok zijn sabel, knikte tegen zijn mannen en wees naar de deur. 'Laten we bidden dat ze ons nog even helpen.' Met die woorden sprong hij op en stormde naar voren, op zijn hielen gevolgd door zijn mannen en de Palestaan. Hij trapte de deur in, met zo'n geweld dat die half uit zijn scharnieren vloog en scheef aan de deurpost bleef hangen.

Haastig keek Torben om zich heen om de Dă'kay ergens te ontdekken en zo snel mogelijk te overmeesteren. Hij wist heel goed dat deze Tzulandriërs de meest onverschrokken en vastberaden tegenstanders waren die hij de afgelopen jaren had getroffen. Eén moment van onoplettendheid zou zijn dood kunnen betekenen.

Het leek erop dat de ongenode gasten een bespreking hadden verstoord. Sopulka sprong achter zijn schrijftafel vandaan en greep een bijl. De overige vijf soldaten in de kamer hadden hun wapens al in de hand.

'Sla ze neer, maar laat ze in leven!' riep Torben, en hij stortte zich op de Dă'kay. 'We hebben hun informatie nodig.'

Sopulka nam de Rogogarder even op. 'Je bent vindingrijk, dat moet ik toegeven.' Zonder enige waarschuwing slingerde hij een stoel naar Torben toe en sprong er zelf achteraan, met zijn bijl geheven.

Torben dook onder de stoelpoten weg en pareerde de strijdbijl met zijn sabel. De klap waarmee de twee wapens tegen elkaar sloegen veroorzaakte een felle pijnscheut in zijn pols. De Dă'kay beschikte over reuzenkracht. 'We hadden een paar vragen over de vloot die jullie hier verwachten.' Hij wilde Sopulka met de beugel van zijn sabel in het gezicht slaan, maar de Tzulandriër was hem voor en ramde hem zijn elleboog tegen de slaap.

'Hier heb je mijn antwoord,' lachte de man. 'En er komt nog meer.'

Torben had een gevoel alsof hij tegen de slingerende klepel van een zware klok was opgelopen. Het werd hem zwart voor de ogen en hij ging tegen de grond.

Vaag zag hij het blad van de bijl naar zijn hoofd toe komen. Weliswaar beval hij zijn arm om de sabel omhoog te brengen als verdediging, maar tot meer dan een zwakke poging was hij niet in staat.

Hij meende de pijn al te voelen, het bot te horen breken en het bloed te zien spuiten, toen er een degen door de lucht siste, die met een helder geluid tegen de strijdbijl sloeg en hem uit zijn koers sloeg. In plaats van in Torbens schedel groef de bijl zich in het houten tafelblad.

'Ik had je een lesje beloofd, barbaar,' zei Puaggi op de arrogante toon van een echte Palestaan. 'Ben je er klaar voor?'

Sopulka lachte ongelovig. 'Jij? Een ijdele pauw die mij de les wil lezen?' Hij rukte de bijl uit het hout en viel de moedige officier aan, die zijn degen uitdagend in zijn rechterhand hield, terwijl zijn linkerhand op zijn heup bleef rusten alsof hij daar vergroeid was.

'Ik word oud. Nou moet ik al worden gered door een Palestaan.' Torben hees zich voorzichtig overeind om Puaggi te hulp te komen, omdat hij niet geloofde dat die melkmuil ook maar een schijn van kans had tegen de Dă'kay.

Maar hoe meer zijn troebele blik opklaarde, des te meer hij zich verbaasde. Puaggi bewoog zich razendsnel en vederlicht. Op zijn spitse gezicht had hij een hooghartige glimlach, als een masker, waarachter hij de enorme concentratie verborg waarmee hij zijn tegenstander te lijf ging.

De andere Tzulandriërs waren in een hard en bloederig gevecht gewikkeld met de Rogogarders, die de grootste moeite hadden de krijgers te overmeesteren. Beide partijen hadden al gewonden te betreuren. De Tzulandriërs waren zeker niet van plan zich aan de indringers over te geven en vochten verbeten terug.

De strijd tussen Puaggi en Sopulka leek in evenwicht. De jonge Palestaan beheerste zijn wapen als een volleerde degenvechter en toonde geen spoor van angst of ontzag voor de veel sterkere Dă'kay. Met de lange kling van zijn wapen hield hij hem op veilige afstand en had hij hem al ettelijke verwondingen op zijn armen toegebracht. Tijdens het gevecht liet hij de degen zelfs van hand verwisselen.

'Ik zei toch dat ik je een lesje zou leren,' riep hij nog eens, en zijn linkerpols flitste naar voren. De scherpe punt van de degen raakte de rug van Sopulka's hand en sneed de pezen door. Onmiddellijk verloren de vingers hun greep en boorde de strijdbijl zich in de vloer. 'Zo is het genoeg, Sopulka Dă'kay. Geef je je over?'

Torben geloofde zijn ogen niet. Puaggi kón gewoon geen Palestaan zijn! Hij moest Rogogardisch bloed in zich hebben. Nooit eerder was de gemeenschappelijke afstamming van de beide zeevarende volkeren zo duidelijk aangetoond.

Maar de Tzulandriër dacht niet aan opgeven. Met zijn goede hand greep hij de dolk aan zijn zij, en weer drong hij naar Puaggi op.

Torben achtte het moment gekomen om iets terug te doen voor zijn redder. Hij dook voor de Dă'kay op, met de sabel in zijn uitgestrekte arm. 'Kap ermee, Sopulka, of je zult de rest van je leven kreupel zijn. Vertel ons nou maar wat we weten willen, dan kom je er zonder kleerscheuren vanaf. Hoe zit dat met die vloot? En waar heb je de gevangenen uit Tarvin naartoe gebracht?' Hij wekte opzettelijk de suggestie dat hij meer wist dan hij deed, in de hoop dat de Dă'kay erin zou trappen.

Sopulka haalde zijn schouders op, sloeg de sabel met zijn dolk opzij en probeerde de Rogogarder met een slangachtige beweging dwars over zijn borst te snijden.

Torben deinsde vloekend terug. Op hetzelfde moment flitste er een degen langs hem heen die zich door de hals van de Tzulandriër boorde.

Rochelend wankelde de Dă'kay achteruit. Hij drukte zijn hand tegen de bloedende wond, maar de naar buiten gutsende levenssappen lieten zich niet tegenhouden. Stervend zakte hij achter zijn schrijftafel in elkaar, met de dolk nog altijd voor zich uit gericht. Hij wilde niet geholpen worden.

De andere Tzulandrische officieren hadden zich nog altijd niet overgegeven, maar ten slotte eindigde het gevecht. Aan vijandelijke kant was er één zwaargewonde overlevende, die ze konden verhoren – als hij niet aan zijn wonden zou bezwijken.

'Ik geef het niet graag toe, maar een betere vechter dan jij ben ik nog niet tegengekomen. Ik ben je mijn leven schuldig.' Torben bedankte Puaggi met een handdruk en een hoofdknik. 'En dat ik dat uitgerekend tegen een Palestaan moet zeggen vind ik wel een beetje pijnlijk.'

Puaggi, die het zweet op zijn gezicht had staan, maakte een buiging. 'Het was me een eer om een van de meest gehate mensen in mijn land het leven te redden.' Hij veegde zijn bebloede degen aan de kleren van de Dă'kay af. 'Ik wilde hem niet doden, maar hij maakte een beweging die ik niet had verwacht.'

'Gelukkig maar dat je dat niet eerder in het gevecht is overkomen.' Hij maakte de jongeman geen verwijten, maar toch was het jammer dat de best geïnformeerde man onder de Tzulandriërs nu dood op de vloer lag. 'Jij!' zei Torben, en hij draaide zich om naar de gevangene. 'Moeten we je geboeid hier achterlaten, zodat je eigen mensen je voor een ellendige lafaard zullen houden die vanwege zijn gejammer is gespaard?'

De Tzulandriër keek hem woedend aan, maar zei geen woord.

'Spaar u de moeite, kapitein Rudgass,' zei Puaggi tevreden en hij haalde een pak papier uit de la. 'Hier hebben we de nodige informatie, neem ik aan. Daaruit kunnen we afleiden wat ons te wachten staat.'

'Neem je aan?'

'Het is in het Tzulandrisch of hoe je die schrifttekens ook noemt.' De Palestaan bladerde de papieren door. 'Zei u niet dat u goede contacten had met koning Perdór? Hij zal toch wel verspieders hebben die de afgelopen jaren de taal van onze vijanden hebben geleerd?' Hij gooide het stapeltje op de tafel.

'We zullen de stukken samen met onze zwijgzame vriend naar Ilfaris brengen,' besloot de Rogogarder, 'maar eerst moeten we de *Varla* tegen die twee zeilschepen helpen.'

Nu volgde het tweede deel van hun plan.

Ze renden naar buiten, beklommen onder dekking van het donker de weergang van de vestingmuur en overmeesterden de wachtposten en bombardiers.

De Tzulandriërs boden wel tegenstand, maar door het voordeel van de verrassing wisten de kapers de vesting toch in handen te krijgen. Lang zou dat niet duren, maar dat was Torbens bedoeling ook niet.

'Gereedmaken om te vuren,' beval hij zijn mannen, die het geschut nu op de beide vijandelijke, nietsvermoedende schepen richtten.

Het eerste salvo vanaf de vestingmuur verlamde de betrekkelijk kleine zeilboten tot de hulpeloosheid van een tandeloze, manke haai. De *Varla*, die de steven had gewend, maakte het karwei af door de boten met nog twee snelle salvo's naar de kelder te sturen.

'Open de poort!' brulde hij tegen zijn mensen bij de lier.

'Wat doen we nu, kapitein Rudgass?' vroeg Puaggi gretig, gebrand op nieuwe avonturen.

'We gaan hier vannacht voor anker en doorzoeken alle huizen,' antwoordde Torben. 'Misschien vinden we aanknopingspunten die ons meer zeggen dan de papieren die jij hebt gevonden. Morgen vertrekken we om de documenten over te brengen.' Hij zag aan Puaggi's teleurgestelde gezicht dat zijn jeugdige bondgenoot andere plannen koesterde, die hijzelf zo'n twintig of vijfentwintig jaar geleden ook zou hebben gehad. 'Waar dacht u aan, commodore?'

Puaggi draaide er niet omheen. 'Ik vind dat we deze vesting met een paar man tegen aanvallen moeten verdedigen, terwijl de rest de documenten naar Ilfaris brengt en terugkomt met versterkingen. We hebben nu het eerste eiland op de Tzulandriërs veroverd, en...' Hij zweeg omdat hij Torbens brede grijns zag.

'Het doet me denken aan mijn eigen wilde jaren, commodore.' Torben sloeg hem vaderlijk op zijn schouder. 'We zouden samen een goed span zijn geweest.'

'Als we aan dezelfde kant hadden gestaan, ja,' antwoordde Puaggi onmiddellijk. 'Maar ik begrijp dat we hier niet blijven?'

Torben schudde zijn hoofd. 'Je had het over vijfendertig bombardeboten, en in die loodsen hier ligt materiaal om vijftig schepen na een lange reis een grote onderhoudsbeurt te geven. Het kan niet lang meer duren voordat die vloot uit Tzulandrië aankomt.' Hij maakte een weids gebaar om zich heen. 'Het is verspilde moeite om deze vesting te verdedigen. We kunnen beter ons leven wagen in een zinvol gevecht. Voor een geweldige strijder zoals jij zou de dood door een bombardekogel allesbehalve eervol zijn.'

'Dus u wenst me de dood door het zwaard toe, kapitein Rudgass?' vroeg Puaggi grijnzend. 'Nee, ik begrijp wel wat u bedoelt.' Hij liep naar de trap naar beneden. 'Laten we de huizen maar doorzoeken.'

'Kapitein!' riep een van de kapers, die naar de noordkant van de muur was gelopen. 'Boordlichten vooruit. Minstens twintig schepen!'

Torben en Puaggi renden naar de Rogogarder toe, die met zijn scherpe ogen het schijnsel ver op zee had opgemerkt. De kapitein klapte zijn kijker uit en tuurde over het water.

'Het zijn in elk geval geen bombardeboten,' meldde hij aan Puaggi. 'Daarvoor liggen de boordlichten te hoog boven zee. Maar het zijn ook niet de bekende Tzulandrische zeilschepen.' Hij probeerde te zien wat er aan dek gebeurde, maar in het zwakke licht kon hij geen details onderscheiden. 'Ze hebben een hoge opbouw om de vijand van bovenaf te kunnen beschieten.' Hij borg de kijker weer op. 'Het lijken mij kapersschepen.'

'Dan willen ze de Rogogarders dus onder hun duiven schieten,' merkte de Palestaan op.

'Zo'n vloot is een gevaar voor de hele westkust. Ze kunnen de handel lamleggen en de wederopbouw van de koninkrijken ernstig bemoeilijken. Bovendien zouden ze hun beide bastions in Palestan nog verder kunnen uitbouwen.' Torben riep instructies naar zijn mannen in de haven, die haast maakten met het doorzoeken van de barakken. 'Ze zijn nog hooguit dertig mijl bij de havenmond vandaan,' schatte hij. 'Wij steken die loodsen in brand. Ze moeten zo weinig mogelijk materiaal in handen krijgen.'

Het was Puaggi opgevallen dat de kapitein voortdurend met een leren lapje speelde. 'Wat is dat? Een trofee?'

'Nee, commodore. Het behoort zeer waarschijnlijk toe aan de vrouw van wie ik hou en die in handen van de Tzulandriërs is gevallen toen ze naar Tarvin voer.' Hij had al eens eerder gedacht dat hij Varla kwijt was, toen hij haar gewond op het belegerde Verbroog had achtergelaten. Maar ze was door de linies heen gebroken, en misschien lukte haar dat nu weer. Hij bad tot Kalisstra om Varla's leven te sparen.

'Is dat de vrouw naar wie u uw schip hebt vernoemd?' Puaggi's spitse gezicht stond meelevend. 'Ik heb ook mijn hart geschonken, en ik hoop dat mijn bruid nog veilig thuis in Muntburg op me wacht. Laten we op zoek gaan naar uw vriendin, anders voel ik me te veel in het voordeel tegenover u.'

Torben fronste zijn voorhoofd. 'Te veel...?'

De Palestaan stond al met een voet op de trap naar beneden. 'Natuurlijk. Ik ben de betere vechter en ik heb u het leven gered. Als ik nu ook nog een voorsprong zou hebben bij de dames, dan wordt me dat te veel.' Hij daalde de trap af en verdween uit Torbens zicht.

Nee, dat kan geen Palestaan zijn. De kapitein lachte zacht en volgde de jongeman, hoewel hij in gedachten nog steeds bij Varla was. Waar kon de vijand haar naartoe hebben gebracht? Naar een ander eilandfort? Hij keek naar de Tzulandrische gevangene, die door zijn matrozen met een roeiboot naar het zeilschip werd gebracht om hem naar Perdór te brengen.

De man scheen zijn blik te bespeuren. Hij tilde zijn hoofd op en keek Torben recht aan. Zelfs van die afstand zag Torben de haat en minachting in zijn ogen.

Continent Ulldart, Koninkrijk Tûris, zeventig mijl ten noordoosten van de vrije stad Ammtára, late zomer van het jaar 1 Ulldraels (460 n.S.)

'Gedraag je zo onopvallend mogelijk en kijk niet om of we worden gevolgd,' zei Tokaro, en hij reed verder naast de wagen waarop Estra en Pashtak zaten. Zijn toon klonk luchtig, alsof hij hun net had meegedeeld dat de zon scheen en de vogeltjes floten.

'En al een hele tijd,' merkte Estra terloops op. 'Het verbaast me dat je dat nu pas merkt. Onze schaduw doet niet veel moeite om zich schuil te houden.'

Tokaro kneep zijn lippen samen. 'En dat maakt je niet ongerust? Je had het me wel eerder kunnen zeggen.'

'Waarom? Ik ken hem wel,' mengde Pashtak zich kalm in het gesprek. 'Hij is ongevaarlijk, een doodgewone, trouwe wachtpost van de stad.'

'Wat doet hij dan híér?' wilde de jongeman weten. Het was hem aan te zien dat hij zich buitengesloten voelde. De anderen vonden het blijkbaar niet nodig hem op de hoogte te houden.

Estra draaide zich naar achteren en zag hoe het reusachtige schepsel zich probeerde te verbergen achter een groepje bomen, maar zijn silhouet bleef duidelijk zichtbaar tussen de stammen door. 'Wat leuk. Hij is hier voor jou,' zei ze tegen Tokaro. 'Zullen we hem roepen? Dan kun je het hem zelf vragen.'

Zonder iets te zeggen wendde de jonge ridder zijn schimmel Treskor en draafde op de schaduw toe. Toen hij dichterbij kwam, herinnerde hij zich weer wie het was: Gàn. Hij had dat imposante wezen, een van de zogeheten Veelvraten, ook moeilijk kunnen vergeten.

Een gewoon paard had Gàn niet dichter dan tot vier of vijf passen afstand durven naderen, maar gelukkig was Treskor goed afgericht en gehard in de strijd, zodat de hengst zich niet zo snel uit zijn evenwicht liet brengen.

Zelf voelde Tokaro zich niet helemaal lekker in zijn ijzeren huid toen de Veelvraat zijn pogingen om zich te verstoppen maar opgaf en zich tot zijn volle lengte verhief. Zijn hoofd bevond zich nu op gelijke hoogte met dat van de ridder.

'Angor zij met u, Tokaro van Kuraschka,' hoorde Tokaro de zware stem, die de grond deed trillen. 'Ik bespioneer u niet, maar ik hou me verborgen om u te beschermen.'

Het was vreemd dat de Veelvraat hem in de taal van zijn orde aansprak, omdat hij uiterlijk totaal niet paste bij de andere ordebroeders. Tokaro staarde naar de vier hoorns die uit zijn voorhoofd staken en zocht naar een antwoord. 'Nou, ik...' Hij aarzelde. In Ammtára had hij hem nogal respectloos aangesproken, maar ondanks zijn bizarre uiterlijk en zijn slecht passende wapenrusting kwam Gàn zo waardig over dat Tokaro opnieuw begon: 'Ook ik wens je Angors zegen toe. Maar waarom volg je ons? De stad kan jouw bescherming toch beter gebruiken, zou ik denken.'

Met twee handen – dubbel zo groot als de klauwen van een beer – leunde Gàn op zijn ijzeren piek van vier passen lang. 'Hebt u het nog niet gehoord? De grootmeester is overvallen door zogenaamde Tzulani. Het schijnt dat ze niets kostbaars hebben buitgemaakt, maar... Nou, u zult zelf wel weten wat het betekent als de grootmeester de rovers achternagaat om zoiets onnozels als een wagen met proviand terug te krijgen.' Hij knipperde met zijn ogen en wachtte op het antwoord van de orderidder.

'Is hij gewond?' vroeg Tokaro bezorgd.

'Nee, hij mankeert niets.'

Opgelucht onderdrukte Tokaro zijn neiging om ter plekke rechtsomkeert te maken en Kaleíman te hulp te schieten. 'Zogenaamde Tzulani?' herhaalde hij verbaasd, en Gàn bracht hem zo goed mogelijk op de hoogte.

Tokaro maakte zich in stilte boos op de grootmeester, die blijkbaar geheimen voor hem verborg. Natuurlijk was het geen toeval dat de orde naar Ammtára was gereisd. En Pashtak wist er meer van. 'En wat wil je nu?'

Gàn rekte zich uit en zijn hoorns zwiepten dicht langs het gezicht van de jongeman. 'Ik ben u gevolgd om u drieën tegen rovers en andere gevaren te beschermen en zo te bewijzen dat ik heel geschikt ben om een ridder en dienaar van Angor te worden.'

Tokaro beheerste zich om de Veelvraat niet in zijn gezicht uit te lachen. Nog altijd had hij moeite met het idee dat een schepsel van Tzulan een vurige aanhanger van de god van de strijd, de jacht, de eer en het fatsoen kon zijn. Bovendien ging hij zelf niet over het toelatingsbeleid van de orde.

Blijkbaar had Gàn zijn gedachten gelezen. 'Ik vraag u, Tokaro van Kuraschka, goed op mij en mijn gedrag te letten. Als mijn daden beantwoorden aan de wetten van uw orde, wilt u dan een goed woordje bij de grootmeester voor me doen? Vertel hem wat u hebt gezien en vergeet dat ik een Veelvraat ben. Zie mij gewoon als een schepsel van Ulldart, zoals ik u ook beschouw.'

Tokaro kon niets anders dan zwijgend knikken. Gàn maakte indruk door zijn onberispelijke houding, waaraan sommige leden van de Hoge Zwaarden nog een voorbeeld konden nemen. Daarbij sprak hij de taal verrassend goed.

Opeens herinnerde hij zich zijn eerste ontmoeting met zijn adoptievader. Tokaro was ooit struikrover geweest en had van Nerestro van Kuraschka de kans gekregen te bewijzen dat er meer in hem stak. 'Goed dan, Gàn. Kom maar met ons mee,' nodigde hij hem uit en hij wendde zijn paard. 'Als het op vechten aankomt, luister je naar...'

'... Pashtaks bevelen,' vulde Gàn onmiddellijk aan. Hij liep met Tokaro mee. 'Vergeet niet dat hij mijn heer is, als voorzitter van de vergadering. Ik zal hem net zo beschermen als de inquisiteur.' Hij draaide zijn enorme hoofd naar de ridder toe. De spieren in zijn nek waren dik als touwen. 'Op u hoef ik zeker niet te passen, Tokaro van Kuraschka?' Hij trok zijn lip op en ontblootte een hele rij scherpe tanden.

De ridder was ervan overtuigd dat Gàn in noodgevallen niet eens een wapen nodig had om zijn vijanden te doden. Wie hij niet met zijn geweldige handen kon doodslaan, zou hij wel verslinden met zijn gebit. 'Zo is het. Bekommer je maar niet om mij.' Bijna hadden ze de wagen met Pashtak en Estra ingehaald. 'De twee onderhandelaars moeten ongedeerd in Kensustria aankomen. De rest doet er niet toe. Het is hun missie om een hele stad met onschuldige mensen voor de ondergang te behoeden.'

'Angor zal onze wapens leiden en ons pad zegenen,' verklaarde Gàn overtuigd. Hij hield halt naast de bok en boog zijn hoofd voor Estra en Pashtak. 'Ik was u gevolgd om u tegen bandieten te beschermen,' verklaarde hij zijn aanwezigheid, en hij deed opnieuw verslag van de overval op de Hoge Zwaarden en de diefstal van de kar met proviand.

Tokaro hield de voorzitter scherp in de gaten en lette op iedere reactie op zijn knokige gezicht. En inderdaad zag hij dat de man even met zijn kleine oren trok. 'Voorzitter, wordt het geen tijd mij te vertellen wat er in dat bericht stond dat ik u van Kaleíman moest overbrengen?' ging hij tot de aanval over. 'Dat was geen kar met proviand die gestolen is, of wel? En ook onze reis naar Ammtára was geen toeval.'

'Jonge ridder, dat zul je je grootmeester moeten vragen,' antwoordde Pashtak, en hij gaf de paarden met de leidsels een teken om op te schieten.

Tokaro zag het als een bevestiging van zijn vermoeden.

Estra schraapte haar keel. 'Het was de glazen sarcofaag van Govan Bardri¢.'

'Estra!' viel Pashtak uit, met een geluid dat het midden hield tussen grommen en grauwen. 'Hoe kom je daarbij? En wie heeft je toestemming gegeven om daar iets over te zeggen?'

Ze grijnsde breed. 'Ik ben inquisiteur van Ammtára, of was je dat vergeten?' zei ze met een ondeugend lachje. 'Vanaf het eerste moment dat ze de stad binnenkwamen konden de Hoge Zwaarden rekenen op mijn onverdeelde aandacht. En dat heeft wel iets opgeleverd.' Ze keek de ridder aan. 'Je ziet het, ze hebben mij ook niet alles verteld. Maar ik heb het voordeel dat ik er makkelijker achter kon komen dan jij.'

'Je had het ook voor je kunnen houden,' bromde Pashtak verontwaardigd en beledigd.

'Waarom? Hoe moest ik weten dat het geheim was?'

'Omdat niemand het je had verteld.'

'Precies!'

Tokaro volgde de snibbige woordenwisseling, maar was in gedachten nog bezig met die verschrikkelijke onthulling. 'En het waren gewone struikrovers?' vroeg hij aan Gàn.

De Veelvraat, die in een rustige looppas met de wagen meeliep, knikte. 'Ze droegen Tzulani-harnassen om angstaanjagend over te komen. Die weg wordt meestal door kooplui gebruikt. De aanblik van die rode wapenrustingen zou voor gewone reizigers al voldoende zijn geweest om onmiddellijk al hun goederen af te geven.'

'Dat maakt het niet veel beter.' Tokaro legde een hand op het gevest van zijn zwaard. 'Ze zullen snel genoeg begrijpen wat ze toevallig hebben buitgemaakt en het glas stuk hakken om bij Govans Aldorelische zwaard te komen.'

'Of ze verkopen hem aan de Tzulani. Dat zou nog erger zijn,' merkte Pashtak op. 'Dat was de reden waarom Perdór mij vroeg het glazen blok met die gevaarlijke inhoud in het diepste geheim in Ammtára te verbergen. Niemand mocht weten waar Govans lijk en het zwaard naartoe waren gebracht, zodat die fanatici hun icoon niet konden terughalen.'

'Wat wilden ze er dan mee doen – hem in een hoek van een tempel zetten om hem te aanbidden?' lachte Tokaro.

'Dat is niet eens nodig. Als mijn ogen en oren me niet bedriegen, hebben ze al een vervanging gevonden.' Estra stapte in de laadbak van de wagen en zocht iets te eten, terwijl Tokaro en Pashtak ongelovige blikken wisselden. 'Willen jullie ook iets eten?' vroeg ze.

De voorzitter keek haar verwijtend aan en bromde misnoegd. 'Estra, ik vind het griezelig wat jij allemaal weet. En erger nog: waarom weet ík dat niet?'

Ze kwam terug met wat gedroogd vlees, waar ze zo gretig haar tanden in zette dat haar gezichtje in Tokaro's gedachten heel even werd verdrongen door de kop van een gevaarlijk roofdier. 'Misschien omdat je mijn verslagen niet leest,' antwoordde ze luchtig. 'Kort voor de aankomst van de Hoge Zwaarden hoorde ik iets over een "kleine zilvergod" die op Ulldart zou zijn opgedoken.'

'Dat had je me wel kunnen zeggen.'

'Je had het veel te druk met je herverkiezing, en daarna kwamen de ridders en de Kensustrianen.' Estra kauwde op haar vlees. 'In alle opwinding ben ik vergeten het je te zeggen.' Ze hield hem uitnodigend een reep gedroogd vlees voor, maar hij bedankte, net als Tokaro. Gàn nam graag een flinke portie en keek daarna nog steeds hongerig. De naam Veelvraat was niet zomaar gekozen. 'We hebben een Tzulani gevonden, geen fanaticus, maar wel eentje die berichten van de echte fundamentalisten krijgt. In plaats van ze te vernietigen als hij ze gelezen heeft, verstopt hij ze.' Estra nam een slok uit een leren drinkzak. 'Als hij naar de markt gaat of ergens anders heen, dringen wij zijn huis binnen en lezen zijn berichten, zodat we op de hoogte blijven.'

Pashtak knikte waarderend. 'Het was een goed idee om jou als inquisiteur te benoemen. En wat stond er in het laatste bericht?'

'Het was niet erg specifiek, maar er zou een "kleine zilvergod" zijn opgedoken die in het verborgene opgroeit en zich op de dag van zijn verschijning voorbereidt. Hoewel ze de slag bij Taromeel hebben verloren, twijfelen de Tzulani niet aan hun god en hun geloof, omdat hij een kiem heeft achtergelaten waaruit een god op Ulldart zal groeien tegen wie niemand is opgewassen – ook de goden zelf niet.'

'Het klinkt als een wanhoopsverhaal, een excuus om het toch maar vol te houden,' vond Tokaro. 'En dat verwondert me niet. Ze hebben zware klappen gehad, hun god is ze niet te hulp gekomen, en ondanks zijn magische krachten is Govan Bardri¢ toch verslagen.'

'Dat kan zijn.' Pashtak was het niet met de ridder eens. 'Maar ik denk dat er toch een kern van waarheid in die brief zit.' Hij hield de paarden in, die probeerden bij Gàn vandaan te komen. De nabijheid van de Veelvraat maakte ze nerveus. De lucht die ze regelmatig opsnoven waarschuwde ze voor een roofdier.

'Een kleine zilvergod,' herhaalde Tokaro en hij keek Estra aan. 'Dat is alles?'

'Ja. Alleen die vage aanduiding en de opmerking dat hij door Tzulan hier is achtergelaten.' Ze hielp Pashtak met de leidsels, en algauw liet hij het mennen verder aan haar over.

'Dan moet hij zich in een of andere uithoek verborgen houden,' opperde Tokaro.

'Geen probleem. In Borasgotan en Hustraban heb je nog streken waar bijna geen mens durft te komen en waar schepsels zoals ik het voor het zeggen hebben,' mengde Gàn zich in het gesprek. 'Een ideale omgeving.'

'Maar hoe zijn de Tzulani dan achter zijn bestaan gekomen? In die uitgestrekte, ontoegankelijke gebieden,' weifelde Pashtak.

'Zou het niet beter zijn zo'n god onder het oog van iedereen te laten opgroeien, terwijl Perdórs spionnen zich een ongeluk zoeken in alle uithoeken van het continent?' luidde Estra's totaal tegenstrijdige suggestie. 'Er is geen betere plek om je te verbergen dan in alle openbaarheid. Hoe vaak ben je niet iets kwijt en kun je het niet vinden omdat het gewoon op tafel ligt?'

Ze zwegen en dachten na over het nieuws dat ze van de inquisiteur hadden gehoord. Bovendien maakte Tokaro zich zorgen over Kaleíman van Attabo en zijn ordebroeders, die op jacht waren naar de struikrovers en hun kostbare buit. Hij kon niet echt geloven dat het een toevallige overval was geweest, maar daar had hij geen aanwijzingen voor.

Omdat het geen zin had om zich ongerust te maken, dacht hij liever aan wat komen ging. 'Hoe willen jullie de Kensustrianen ervan weerhouden de stad aan te vallen?'

'Dat weet ik niet,' gaf Pashtak toe. 'Eerst moeten we met die priesters praten, zodat ik eindelijk weet wat er werkelijk achter de plattegrond van Ammtára steekt. Lakastre heeft ons een erfenis nagelaten die een ramp zou kunnen betekenen.'

Estra beet op haar lip. 'Ik weet niet wat de bedoeling van mijn moeder was,' antwoordde ze. 'Ze heeft er nooit over gesproken, maar ze was er wel trots op Ammtára uit de puinhopen te zien herrijzen.' Ze probeerde zich de talloze gesprekken met haar moeder te herinneren. 'Het enige wat ik nog weet is dat ze het er dikwijls over had hoe gelukkig ze was in onze stad. En dat ze met een rein geweten voor haar god zou kunnen verschijnen als ze stierf. Daar dacht ik verder niet over na... toen.'

'Nu weten we dat ze ons in de loop van al die jaren de haat van de Kensustriaanse priesters heeft bezorgd.' Pashtak siste misnoegd en spoorde de paarden wat aan. 'Ik bedenk zojuist dat we maar een week voorsprong hebben op de boodschapper die de Kensustriaanse krijgers naar hun land willen sturen,' verklaarde hij zijn haast.

'We hadden toch een schip kunnen nemen,' zei Estra teleurgesteld. 'Ik zou zo graag over zee zijn gevaren.'

'Nou, je mist niets,' mompelde Tokaro, die op zijn reis naar Kalisstron het grootste deel van de tijd over de reling had gehangen om de vissen te voeren. Honderd keer liever maakte hij de reis op het lastigste paard dan nog ooit een voet op zo'n deinend dek te zetten.

Tot zijn opluchting kwam een schip niet in aanmerking, in elk geval niet naar Tûris. De Tzulandriërs hadden hun kaapvaarten uitgebreid, zodat geen enkel schip zich meer onbewapend buiten de haven waagde. 'Met dank aan de Tzulandriërs,' zei hij zacht.

Gàn kon het tempo van de paarden niet meer bijhouden, ook al deed hij zijn best. Dus sprong hij in de laadbak van de wagen, die meteen een stuk zwaarder werd. De wielen begonnen langzamer te draaien en sneden dieper in de grond.

'Nee, nee, Gàn! Zo gaat het niet snel genoeg,' protesteerde Pashtak.

De Veelvraat opende zijn muil en liet een luid gebrul horen. De paarden hinnikten van schrik en gingen ervandoor alsof Tzulan zelf ze op de hielen zat. Estra lachte luidkeels.

De merkwaardige stoet trok in hoog tempo verder. Tokaro vroeg zich af wat er zou gebeuren als ze voor het eerst in een grotere stad kwamen, waar Gàn en Pashtak zeker opzien zouden baren.

In Tûris was er jarenlang kopgeld uitgeloofd voor het doden van moerasmonsters, zoals de wezens op veel plaatsen nog werden genoemd. Hoewel koning Bristel die premies had verboden, bestond het wantrouwen tegenover die vreemd uitziende schepsels nog altijd. Dat zou niet zo snel veranderen.

De ridder wierp een tersluikse blik op de Veelvraat, die achter de inquisiteur en de voorzitter opdoemde. *Een toekomstige volgeling van Angor?* vroeg hij zich af, terwijl hij zich Gàn in een prachtige wapenrusting voorstelde.

In elk geval zou hij indruk maken.

Continent Kalisstron, Bardhasdronda, late zomer van het jaar 1 Ulldraels (460 n.S.)

Uwe hoogweledelgeboren majesteit, koning Perdór,

Dringend wil ik u verzoeken om zo snel als mogelijk is mijn lerares Soscha naar ons in Bardhasdronda te sturen.

Wij staan tegenover een magisch verschijnsel dat niemand van ons verklaren kan. Wij maken ons grote zorgen, omdat er al een dode is gevallen. Niemand weet hoe dit zal aflopen, en ik ben bang dat het niet bij één slachtoffer zal blijven.

In dat verband herinnerde ik me de bijzondere gave van Soscha als...

Lorins hand hield stil, zijn pen zweefde boven het papier en een druppeltje inkt bleef aan de punt hangen. Hij zocht naar de juiste woorden. 'Jarevrån, hoe zou je een vrouw noemen die in staat is magie in mensen en voorwerpen te herkennen? "Magiezieneres" klinkt een beetje te simpel.'

'Vraag het je zuster,' klonk het van ergens uit het huis.

'Die weet het ook niet!' riep Fatja vrolijk uit de keuken, waar ze bezig was om voor iedereen thee te zetten.

Haar man Arnarvaten zat in de voorkamer over een stapel papieren gebogen, als voorbereiding op de avond dat hij zijn titel als beste verhalenverteller van de stad moest verdedigen. Hij wist nog altijd niet welk thema hij uit het grote aanbod zou moeten kiezen. 'Het wordt het verhaal van de Zingende Stenen,' besloot hij ten slotte. 'Dat zal de meeste aandacht trekken.'

Fatja, die uit Borasgotan kwam maar voor de liefde en een leven op Kalisstron had gekozen, kwam binnen en schonk thee in. 'Vind je dat niet een beetje smakeloos, na de dood van Kalfaffel?'

'Nee, want ik zal zijn nagedachtenis in ere houden en de mensen herinneren aan zijn verdiensten voor Bardhasdronda,' antwoordde hij kribbig.

Ze lachte lief. 'Het klinkt meer alsof je zelf niet helemaal gelukkig bent met je keuze.' Ze zette een kopje bij hem neer en gaf er een aan Lorin. 'Om op jouw vraag terug te komen,' zei ze tegen hem, 'waarom zeg je niet gewoon "magiër"?'

'Maar klopt dat wel?' vroeg hij peinzend. 'Ze zag de magie al lang voordat ze zelf die gave kreeg, als ik me Perdórs woorden goed herinner.'

'Maakt het wat uit hoe je haar noemt?' vroeg Arnarvaten, zichtbaar geërgerd omdat het gesprek zijn aandacht afleidde. 'De koning weet heus wel wat je bedoelt.' Hij schoof zijn aantekeningen opzij en pakte een paar blaadjes van onder uit de stapel.

Fatja zag dat hij een ander verhaal had gekozen en lachte hem vriendelijk toe, maar zonder iets te zeggen. Ze genoot in stilte van haar triomf.

Lorin maakte zijn brief af en beschreef met Arnarvatens hulp de gebeurtenissen bij de Zingende Stenen. Samen probeerden ze Perdórs nieuwsgierigheid te wekken en tegelijk de onzekerheid en angst van de mensen over te brengen, in de hoop dat ze zo snel mogelijk hulp zouden krijgen.

Opeens werd er luid geklopt. Lorin deed open en zag een doorweekte poortwachter staan.

'Kom snel, Seskahin!' hijgde de man, die blijkbaar de hele weg door de regen had gerend. 'Er gebeurt iets op de open plek.'

Lorin aarzelde niet, greep een jas tegen het slechte weer en ging met de wachter mee. Bij de poort stond al een kleine eenheid gewapende mannen klaar. Hun wapenrusting vormde geen bescherming tegen de macht van de stenen, zoals iedereen wist, maar gaf hun het gevoel dat ze niet helemaal weerloos waren.

In looppas ging het naar de hondenwagens, waarin ze naar het bos reden. Al van verre was een donkerblauwe straal te zien die als een baken loodrecht omhoogwees en zich dwars door de laaghangende grijze bewolking boorde.

Bij de bosrand gekomen liet Lorin de mannen uitstappen en een linie vormen. Langzaam rukten ze op door het struikgewas, tussen de bomen door.

Opeens doofde het licht van de steen en het volgende ogenblik heerste er een diepe duisternis.

Het duurde wel even voordat hun ogen weer gewend waren aan

het donker en het zwakke licht van de sterren. Tot die tijd durfde niemand zich te verroeren.

'Ik heb geen idee wat ons te wachten staat,' waarschuwde Lorin de soldaten van de militie. 'Als die stenen mij aanvallen, net als Kalfaffel, aarzel dan niet en ren voor je leven, anders krijgen ze jullie ook te pakken.' Hij zou met Rantsila moeten overleggen om de open plek definitief af te sluiten. De onheilspellende en onverklaarbare gebeurtenissen hier sterkten hem in zijn plan om Soscha zo snel mogelijk naar Bardhasdronda te laten komen voor een nader onderzoek.

Dicht naast elkaar slopen ze weer verder, enigszins gebukt en met hun speren in de hand, alsof ze tegen een echte vijand oprukten. Maar allemaal hadden ze liever een tegenstander van vlees en bloed gehad, die ze met een goed gerichte stoot hadden kunnen doden.

Het kreupelhout werd dunner en even later zagen ze de open plek.

'Bij de Bleke Godin!' fluisterde de soldaat naast Lorin, en van verder weg hoorde hij de geluiden van iemand die begon te kotsen.

In het laatste flakkerende licht zagen ze de lijken van de priesters, die in de vreemdste houdingen op de grond lagen. Sommige lichamen vertoonden geen enkele wond, andere waren bezaaid met snijwonden, en hier en daar waren hele stukken vlees weggescheurd of weggevreten.

De aanvaller, wie of wat het ook was, had geen enkel onderscheid gemaakt tussen de priesters. De aanhangers van Kalisstra lagen net zo morsdood in het vochtige mos als de Ulldrael-gelovigen, en de zoete lucht van bloed zweefde de verbijsterde toeschouwers tegemoet.

'Vorm een cirkel,' beval Lorin gedempt. 'En let op alle geluiden om je heen.' Hij trok zijn zwaard, omdat hij niet geloofde dat de moorden het werk waren van een steen. Na zijn ervaringen op Ulldart met de magie in al haar verschijningsvormen was hij ervan overtuigd dat hij hier met menselijke overvallers of een roofdier te maken had. Een hongerige beer had zoiets kunnen aanrichten. 'Langzaam vooruit,' beval hij, en hij ging op weg. Zijn mannen volgden hem.

Voorzichtig betraden ze de open plek, terwijl ze scherp naar alle kanten keken, voorbereid op een hinderlaag. De stenen leken vreedzaam genoeg.

De doden vormden een afschrikwekkende aanblik. De angst had

hun gelaatstrekken bijna onherkenbaar veranderd. Bij sommige mensen moest Lorin twee keer kijken om te zien wie het was, zodanig had de doodsschrik hun gezichten verkrampt.

'Seskahin!' riep een militair, en hij wees met zijn speer op een grote steensplinter die in een onthoofd lichaam stak.

Eerst begreep Lorin niet waarom de man zijn aandacht op dat gruwelijke tafereel vestigde, maar toen drong het tot hem door.

Het langwerpige fragment behoorde tot een verzameling splinters die zich een heel eind door de omgeving hadden verspreid en zich in boomstammen of de lichamen van de geestelijken hadden geboord.

'Een van die stenen is uiteengespat,' begreep Lorin, toen hij de lege plek tussen de Zingende Stenen zag. 'Maar waarom? Hou je hoofd erbij!'

Hij liep het lijk voorbij, knielde op de plek waar de steen had gelegen en legde onderzoekend zijn hand op de grond.

De bodem was heet. De torren en kevers die onder de steen hadden geleefd waren door de hitte gekookt en opengebarsten.

'De magie heeft hem aan het gloeien gebracht totdat hij explodeerde,' verklaarde Lorin. Zijn blauwe ogen tuurden naar de bosgrond, op zoek naar aanwijzingen. Algauw vond hij een spoor, dat zijn nekharen overeind deed komen: de afdruk van een reusachtige klauw, zo lang als een onderarm en voorzien van enorme nagels.

Lorin riep een van de mannen bij zich en liet hem zijn ontdekking zien, omdat hij in de omgeving van de stad geen enkel dier kende dat zulke sporen achterliet. Maar ook de soldaat kon hem niet verder helpen en klemde de schacht van zijn speer nog steviger in zijn vuist.

'Breng de doden naar de wagens,' beval Lorin. 'We laten ze hier niet liggen als maaltijd voor de aanvaller.'

De ene helft van de groep sjouwde de lijken door het donkere bos, onder bescherming van de andere helft.

Lorin bleef alleen op de open plek achter. Hij was niet bang voor een confrontatie met het wezen, waarover hij al een vermoeden had.

Tot nu toe was Kalisstron voor de schepsels van Tzulan gespaard gebleven. Monsters kende hij alleen uit de verhalen van Arnarvaten en zijn eigen belevenissen op Ulldart. Voor zover hij zich kon herinneren waren er rond de stad nooit incidenten geweest met creaturen van het Kwaad.

Dat was nu veranderd.

Hoe langer hij de stenen bekeek, des te meer hem een gelijkenis opviel. Met een beetje fantasie zou je ze als eieren kunnen zien, heel grote eieren. Zo had hij het nooit eerder bekeken. Zou er iets uit een ei gekomen zijn?

Lorin legde zijn hand op een van de stenen en schrok. Het leek wel of het gesteente door de zon werd beschenen in plaats van door de sterren.

Als zijn vermoeden juist was, zou Bardhasdronda binnenkort veel grotere problemen krijgen. Met een beetje pech was er op het continent een nieuwe of juist heel oude soort tot leven gewekt. Een golf van afschuw ging door hem heen. 'En dat komt door mijn magie!'

Lorin dacht koortsachtig na, terwijl zijn mannen van hun eerste gang naar de wagen terugkeerden voor de volgende, droevige expeditie.

Hij hielp hen nu, legde Kiurikka over zijn schouder en droeg haar naar de plek waar de honden wachtten. Het viel de jongeman op dat de dieren zich heel rustig hielden en geen enkel teken gaven dat er een monster in de buurt was.

Hij legde de priesteres in de wagen en klom op de bok. 'Terug naar de stad,' beval hij. 'We zullen de mensen waarschuwen dat ze niet in hun eentje...'

Opeens begonnen de honden te grommen en keken achterom, naar het bos. Ze legden hun oren plat en ontblootten dreigend hun tanden. Een paar begonnen woedend te blaffen en lieten zich niet meer kalmeren door de commando's van de mannen.

Toen kwam er een antwoord vanaf de bosrand.

Nog nooit had Lorin zo'n angstaanjagend geluid gehoord, dat met niets te vergelijken was. Al zijn instincten dwongen hem onmiddellijk op de vlucht te slaan.

In paniek schreeuwde hij een bevel tegen de doodsbange honden, en met halsbrekende snelheid ging zijn wagen ervandoor.

Lorin hield geen enkele rekening meer met de dieren of met de lijken op de wagen, die op en neer dansten alsof de doden weer levend waren geworden.

Pas toen de muren van Bardhasdronda voor hem opdoemden en hij zich veilig wist durfde hij eindelijk vaart te minderen.

De poort ging open en daarachter wachtte een dodelijk ongeruste Rantsila. Zijn ogen puilden bijna uit zijn hoofd toen hij het lijk van Kiurikka zag.

'Wat is er gebeurd?' vroeg hij meteen, en hij greep Lorin bij zijn schouders, maar de jongeman beefde nog steeds van angst.

'Een monster... er is een monster uit het ei gekomen,' stamelde hij, terwijl hij probeerde zich te beheersen. Pas toen hij achteromkeek om zijn mannen bij zich te roepen, zodat ze zijn verhaal konden bevestigen, zag hij dat hij alleen was. 'Waar zijn de anderen?' hijgde hij ontsteld. Hij ging op zijn tenen staan, maar kon niemand ontdekken. Ook de wachters op de stadspoort zagen geen hondenkarren naderen.

'Het monster heeft ze allemaal te pakken gekregen,' fluisterde Lorin en hij staarde dwars door Rantsila heen. 'Ik heb het tot leven gewekt! Het is mijn schuld, en...' Hij aarzelde. 'Perdór. Hij moet ons helpen.'

'Kalm nou maar, Seskahin.' Rantsila nam hem mee naar het wachtlokaal, waar hij thee voor hem inschonk, met een flinke scheut njoss. 'Drink dit maar op. En vertel me dan precies wat er is gebeurd.'

'Dat zal ik doen.' Lorin nam afwezig een slok en sprong weer overeind. 'Maar eerst moet ik een brief afmaken. Hoe eerder die naar Ulldart onderweg is, des te beter voor ons allemaal. En sluit de poorten!' In paniek stormde hij het wachtlokaal uit.

Rantsila keek hem bezorgd na. Het zag ernaar uit dat er weer nieuwe moeilijkheden dreigden voor Bardhasdronda. Maar omdat hij de jonge buitenlander nog altijd vertrouwde, sloot hij even later de poorten van de stad.

VI

Continent Ulldart, baronie Kostromo, hoofdstad Kostromo, herfst van het jaar 1 Ulldraels (460 n.S.)

Ten prooi aan tegenstrijdige gevoelens stond Aljascha voor het paleis waar ze ooit als vasruca over de baronie Kostromo had geregeerd.

Nadat ze door haar man Lodrik uit haar ambt als Kabcara was gezet, was ook de titel van vasruca haar ontnomen. Maar dat weerhield haar er niet van haar oude, legitieme aanspraken te laten gelden.

De tijden waren veranderd. Haar ex-man en achterneef had niets meer te vertellen op het continent, en niemand kon haar verbieden haar rechten weer op te eisen.

Het gebouw in oude stijl getuigde van de rijkdom van de kleine staat, die zijn welvaart dankte aan grote voorraden van het kostbare iurdum. De gevel was een droom van gepolijst marmer, dat glansde in de stralen van de zonnen; de halfronde, vergulde koepeldaken vingen het licht en kaatsten het terug naar de straten van Kostromo.

Het paleis zag er nog altijd zo uit als in haar herinnering. Hier, achter de muren van de macht, wilde ze opnieuw haar intrek nemen.

Net als vroeger bevonden zich aan de voorkant nog nissen met levensgrote beelden van de voormalige heersers, waaronder ze ook het hare ontdekte. Maar in tegenstelling tot de andere was haar standbeeld vuil en besmeurd met rottende groenteresten.

Aljascha voelde dat ze kwaad werd. De mensen in de baronie waren haar vergeten en hadden haar – hoewel ze nog leefde – door de plaatsing van een beeld naar het dodenrijk verbannen. Beter had het volk van Kostromo niet duidelijk kunnen maken dat Aljascha niet meer welkom was als vorstin.

Ze kneep haar groene ogen tot spleetjes en tuurde omhoog naar de ramen waarachter de vasruc woonde en op dit moment zijn nieuwe raadsleden de eed afnam. Als het aan haar lag, zouden ze maar heel kort in functie zijn.

Aljascha had geen keus. Ze had alle schepen achter zich verbrand, want als ze naar Tarpol terugkeerde, zou ze in de gevangenis belanden. Alleen met hulp van de Tzulani was het haar gelukt aan de scherpe blik van haar bewakers te ontkomen. Perdórs spionnen, die haar in de gaten moesten houden, lagen dood in de goot van een steegje in Granburg. Voorlopig wist niemand waar ze was.

Ze had zich voor haar optreden bijzonder elegant gekleed, in een lichtgrijze jurk met fraai stiksel en een rode ceintuur die strak om haar smalle middel sloot en bij haar haar kleurde. Subtiele sieraden uit het mooiste malachiet en jade onderstreepten haar schoonheid, die met het klimmen der jaren nauwelijks was verbleekt. Sinds de dood van haar dochter Zvatochna was er geen enkele vrouw, zeker niet van haar eigen leeftijd, die met haar kon wedijveren.

Aljascha zette haar voet op de eerste tree en beklom het bordes. Haar dertig zwaargeharnaste lijfwachten, die zwijgend hadden afgewacht, volgden haar met het dreigende geluid van stampende laarzen en rinkelende wapens, schilden en maliënkolders. De nieuwe macht rukte op.

Aan het hoofd van de groep Tzulani liep Aljascha met de zekerheid van een slaapwandelaarster de brede gangen door, waar behalve enkele livreiknechten geen levende ziel te bekennen was.

'Blijkbaar wisten ze al dat u in aantocht was om uw rechten met geweld op te eisen, hooggeboren vasruca,' zei Lukaschuk, die in zijn wapenrusting niet te herkennen was als de hoogste leider van de verborgen Tzulani-sekte. Hij had zich de kans niet laten ontnemen bij dit belangrijke moment aanwezig te zijn – en niet alleen omdat hij hopeloos voor Aljascha gevallen was.

Ze antwoordde met een zacht, helder lachje, waarin al haar vreugde besloten lag om weer plaats te kunnen nemen op de troon van de baronie. 'Ja, ik ben een strijdbare vrouw, Lukaschuk.' Meteen verdween haar lach. 'Zorg daarom dat jullie die struikrovers grijpen die er met míjn Aldorelische zwaard en Govans lijk vandoor zijn, voordat de Hoge Zwaarden ze te pakken krijgen.' Ondanks haar waarschuwende woorden behandelde ze hem met de eerbied die een hogepriester verdiende, waardoor ze hem status gaf onder de Tzulani. 'Hoe kon dat gebeuren?'

'Een ongelukkige samenloop van omstandigheden,' antwoordde Lukaschuk onderdanig. 'Ze waren ons een uur vóór. We moesten improviseren toen de Kensustrianen onze voorbereidingen voor een overval op de orde in Ammtára bij toeval hadden ontdekt.'

'Het was niet bepaald subtiel om die diplomatieke delegatie tot de laatste man uit te moorden,' zei ze op scherpe toon.

'Dat was de afleidingsmanoeuvre die we nodig hadden.'

'Totdat die struikrovers onverwachts opdoken. Iedere domme boer had daar zonder probleem mee afgerekend.'

Lukaschuk zweeg, om haar niet verder te provoceren. Bekvechten met de vasruca had weinig zin.

Voor de kamer waar de kleine ceremonie werd gehouden bleef Aljascha staan en ze gaf twee van haar soldaten een teken om de deur open te gooien voor haar dramatische entree.

Theatraal schreed ze de kamer binnen, met een hooghartige blik, bestemd voor de mannen en vrouwen die waren uitverkoren om het land te besturen.

Maar tot haar verbazing keek ze niet in de gezichten van de raadsleden, maar in de loop van een batterij buksen die op haar en haar lijfwacht waren gericht.

'Welkom in Kostromo,' hoorde ze een mannenstem die niet bepaald vriendelijk klonk. 'Maar om te voorkomen dat u zich thuis gaat voelen, Aljascha Radka Bardri¢, verzoek ik u onmiddellijk rechtsomkeert te maken. Anders openen wij het vuur.' Een goed geklede man van een jaar of dertig kwam achter de schutters vandaan. Hij knikte kort en bracht zijn hand naar de rand van zijn muts, maar zonder die af te nemen.

Aljascha kende hem en zijn familie. 'Gegroet, Silczin. Het is prettig om na een lange afwezigheid door een bekend gezicht te worden verwelkomd,' zei ze vriendelijk. 'In mijn eigen huis,' voegde ze er met een glimlach aan toe.

'Het is uw huis niet. U hebt geen rechten meer,' antwoordde Silczin onmiddellijk op scherpe toon. 'Ik ben de nieuwe vasruc en u bent slechts een onaangename herinnering aan de tijd toen de mensen minder te eten hadden en harder moesten werken dan goed voor hen was.'

'U en uw familie hebben zich daar nooit aan gestoord. U had niets te klagen.' Opzettelijk langzaam keek ze om zich heen. 'Ik kan begrijpen dat u deze luxe niet graag opgeeft, maar u hebt weinig keus, vasruc Silczin. Ik heb de wet aan mijn kant. De vrouw des huizes is teruggekeerd.'

'U bent afgezet. De vrouw des huizes is niet eens een dienstmeid meer. Wegwezen!'

Aljascha hief een hand op. Een van haar lijfwachten kwam naar haar toe – heel rustig, om geen schietpartij uit te lokken – en gaf haar een opgerold perkament. 'U kent de bepalingen die bij de Vrede van Taromeel zijn opgesteld?' Ze rolde het perkament uit. 'Daar is vastgesteld dat we teruggaan naar de oude grenzen van vóór de aanval van Borasgotan op Tarpol.'

'Naar de grenzen, ja, niet naar de regenten,' hield Silczin vol.

'Toch is mijn recht op de titel schriftelijk vastgelegd!' zei ze luid, zodat haar woorden nog lang door de kamer galmden. 'Ik ben een Bardri¢, een nicht van de voormalige koning van Tarpol, Grengor Bardri¢. Dat mijn gestoorde echtgenoot in zijn waanzin allerlei besluiten voor of tegen bepaalde mensen heeft uitgevaardigd, betekent niet dat ik afstand doe van mijn aanspraken.' Aljascha keek langs hem heen naar de blijkbaar al beëdigde raadsheren en -vrouwen. 'Bewijs mij en de burgers van de baronie maar dat u zich aan uw eigen wetten houdt. Ik eis een onderzoek naar mijn zaak en ik klaag vasruc Silczin aan wegens poging tot een staatsgreep.'

'Ach, klets toch niet,' lachte Silczin haar uit. 'Ga nou maar, anders moet ik mijn dreigement uitvoeren.'

'Nee, ze heeft gelijk,' zei een vrouwelijk raadslid tot stomme verbazing van de anderen. 'We kunnen het verleden niet zomaar negeren. De Kabcar heeft haar al haar rechten ontnomen, dat is waar. Maar we weten allemaal dat Lodrik Bardri¢ zich liet adviseren door boze machten. Wie zegt ons dat diezelfde machten hem niet hebben ingefluisterd zijn vrouw te verstoten?'

Silczin draaide zich om en staarde de vrouw aan. 'Wat nu? Laat u zich bij de neus nemen door die Bardri¢?' Hij strekte een vinger uit naar Aljascha. 'Het gaat haar enkel om de macht, niet om gerechtigheid. Dat is maar een voorwendsel.'

'Toch moet er een onderzoek komen,' viel een raadsheer zijn collega bij. 'Hoezeer het me ook spijt, vasruc. We moeten het volk laten zien dat de raad niet willekeurig besluit, maar een kwestie eerst onderzoekt voordat ze tot een oordeel komt. Het gaat om onze geloofwaardigheid.'

Silczin schudde zijn hoofd. 'Niet te geloven! Jullie laten je manipuleren! Jullie zetten alles op het spel wat wij in die paar weken van onze nieuwe regering al hebben bereikt. Zij zal alles terugdraaien, zodat het weer wordt als vroeger.' Hij keek haar vijandig aan. Haar verleidelijke schoonheid had geen effect op hem. 'Of nog erger.'

Aljascha nam niet de moeite om te antwoorden, maar wierp hem een hete en tegelijk spottende blik toe, waarvoor andere mannen een moord zouden hebben begaan. Ze hoopte op een bepaalde reactie.

En Silczin tuinde erin. In zijn opwinding verloor hij een moment zijn beheersing en deed twee snelle stappen naar haar toe.

Misschien wilde hij alleen maar praten, of haar bij de arm pakken en door elkaar schudden om haar fysiek te imponeren. In elk geval was zijn onverhoedse beweging voor haar lijfwacht genoeg reden om in actie te komen.

Bliksemsnel vormden ze met hun zware schilden een muur, terwijl drie van hen op de man vuurden, voordat de wand van staal zich gesloten had. Aljascha zag het bloed uit Silczins rug spuiten, over de soldaten achter hem. Toen schoven de schilden zich aaneen.

Op hetzelfde moment knalde het vanaf de andere kant. Een hagel van ijzer sloeg tegen de schilden en ketste af.

Op een bevel van Lukaschuk draaiden de Tzulani hun schilden enigszins schuin, om hun eigen schutters een opening te bieden. Ze richtten hun wapens op de bleke gezichten van de soldaten van Kostromo, die na hun eerste mislukte salvo hun buksen moesten herladen.

'U zag dat de vasruc me wilde aanvallen en dat ik geen andere keus had dan me te verdedigen. Ik neem aan dat niemand er bezwaar tegen heeft dat ik voorlopig het bestuur van de baronie overneem totdat de raad mijn aanspraken heeft onderzocht?' zei Aljascha met bijtende spot. 'Of heeft iemand een beter idee?'

Ze had op een veel groter bloedbad gerekend. Het bleek een goede investering dat ze die twee raadsleden van tevoren had omgekocht om haar kant te kiezen in de discussie. Nu sprak niemand meer een woord. Haar goede argumenten werden onderstreept door de geladen buksen.

'Laat jullie wapens zakken,' beval het vrouwelijke raadslid, en de soldaten gehoorzaamden. De Tzulani volgden hun voorbeeld en de spanning week. Tussen de twee groepen lag vasruc Silczin, die door verscheidene kogels was getroffen. Hulp zou hem niet meer baten.

Aljascha liep om hem heen, met haar korte sleep bij de plas bloed vandaan, en beklom de lage treden naar de troon.

Voor het eerst in heel lange tijd voelde ze zich weer een echte edelvrouwe. Ze liet zich elegant op de troon zakken en klemde haar handen om de vertrouwde leuningen, genietend van haar macht. Een rilling liep over haar rug. Kostromo was terug in haar bezit, of het wilde of niet.

'Laat bekendmaken dat ik met vreedzame bedoelingen naar Kostromo ben gekomen en door Silczin werd aangevallen omdat hij wist dat mijn aanspraken rechtmatig waren en hij mijn terugkeer wilde verhinderen,' zei ze tegen de mannen en vrouwen van de raad. 'Leg het mijn onderdanen uit en nodig ze over een maand uit voor een groot feest in de stad ter ere van Ulldrael, waarbij ook mijn troonsbestijging zal worden gevierd.'

De raadsleden bogen en vertrokken. Wie aarzelde, werd meegetrokken door degenen die beter begrepen hoe de machtsverhoudingen in de baronie nu lagen.

Aljascha draaide zich om naar de soldaten die Silczin hadden gediend. 'En jullie? Zweren jullie dat je mijn leven net zo zult verdedigen als jullie hebben geprobeerd de vorige vasruc te redden? Zijn jullie bereid de vasruca van Kostromo te dienen zoals het de eer van een krijgsman betaamt?'

De kapitein van de wacht boog zijn hoofd. Gezien de overmacht van Aljascha's troepen bleef hem geen andere keus. 'Wij zullen uw trouwe nieuwe garde zijn,' beloofde hij terneergeslagen.

'Ga dan en bewaak de ingangen van het paleis,' beval ze, terwijl ze zich liet terugzakken in de kussens van de troon. 'Ik heb geen behoefte om nu al mijn onderdanen te ontvangen.'

Toen de mannen waren verdwenen, kwam Lukaschuk naar haar toe, knielde op de bovenste tree en stak haar een langwerpige houten kist toe, die als uit het niets in zijn handen was verschenen. 'Een geschenk voor u, hooggeboren vasruca, dat u zeker zal bevallen,' zei hij.

Aljascha opende de sluitingen en klapte het deksel naar boven. Ze zette grote ogen op en liet een korte, blijde lach horen. 'Lukaschuk! Het Aldorelische zwaard!' Ze tilde het uit zijn bed van zacht fluweel. 'Hoe heb je dat voor elkaar gekregen?'

'We moesten improviseren, zoals ik al zei,' antwoordde hij met een voldane glimlach. 'We hebben ons voorgedaan als struikrovers, zogenaamd vermomd als Tzulani, juist om de aandacht van ons af te leiden. Voorlopig is dat gelukt. De Hoge Zwaarden zijn er vast van overtuigd dat ze jacht maken op doodgewone bandieten.'

'Je bent een schurk, Lukaschuk, om me zo om de tuin te leiden,' vleide en berispte ze hem tegelijkertijd. Ze keek hem met haar groene ogen stralend aan – een blik die hem beloofde dat hij komende nacht opnieuw het bed met haar mocht delen. 'Dus dan hebben jullie ook Govans lijk in handen?'

Er gleed een schaduw over Lukaschuks gezicht. 'De Hoge Zwaarden zaten ons te dicht op de hielen, hooggeboren vasruca,' verontschuldigde hij zich. 'Het duurde lang voordat we het glas rondom het zwaard hadden weggebroken, en er bleef geen tijd meer over om ook Govan los te hakken.'

Aljascha keek geërgerd. Ze was van plan geweest het lijk aan Vahidin te geven, zodat hij er misschien nog wat magische restanten uit kon zuigen voor eigen gebruik. Ze wist niet of zoiets mogelijk was, maar in elk geval viel dat plannetje nu in duigen. 'Wat hebben jullie dan met hem gedaan?'

'We hebben hem in een rivier laten zinken, zodat de Hoge Zwaarden hem niet zouden kunnen vinden en ontdekken dat wij nu het zwaard in handen hadden.'

'Ga dan terug om hem...' begon ze, maar ze zag aan Lukaschuks gezicht dat er niets meer was om naar te zoeken.

'Hij ligt er niet meer. We hebben al gezocht,' bevestigde hij. 'Het glazen blok met Govan is verdwenen. De sterke stroming heeft het meegesleurd.'

Aljascha trok het Aldorelische zwaard en legde het met de platte kant op de geharnaste schouder van de geknielde man, niet meer dan een handbreedte van zijn kwetsbare hals.

'Je hebt me vandaag teleurgesteld, Lukaschuk, en daarmee ook mijn zoon, jouw toekomstige god.' Met een onverbiddelijke blik in haar ogen boog ze zich naar hem toe. 'Laat dat niet nog eens gebeuren, anders zal de orde van Tzulan een nieuwe hogepriester moeten kiezen,' waarschuwde ze hem, voordat ze hem een lange, hartstochtelijke kus op zijn lippen drukte. Toen pas haalde Aljascha het dodelijke zwaard weer weg.

Continent Ulldart, koninkrijk Tarpol, hoofdstad Ulsar, herfst van het jaar 1 Ulldraels (460 n.S.)

Lodrik stond in de audiëntiezaal van het paleis, liep om de man heen en bekeek hem nauwlettend van alle kanten om eventuele gebreken op te sporen.

De volle zwarte baard rustte op zijn borst, de handen lagen op het duidelijk zichtbare buikje gevouwen en de bescheiden kleding van de brojak paste hem goed. Alles leek in orde.

'Ben je blij haar terug te zien?' vroeg Lodrik nieuwsgierig.

De bruine ogen van de man keken hem verachtelijk en verwijtend aan.

'Ben je me niet dankbaar dat ik je de kans geef haar met eigen ogen te zien en haar in je armen te sluiten?' vroeg Lodrik teleurgesteld, terwijl hij voor hem bleef staan. 'Weet je niet hoeveel moeite me dit heeft gekost?'

'En heb jij enig idee wat dit voor mij betekent?' antwoordde de baardige man nors. 'Je hebt me ontvoerd en me al mijn zekerheden ontnomen!'

Een boosaardig lachje gleed over Lodriks magere, bleke gezicht.

'Wat heb je voor redenen om daar voor eeuwig te willen blijven? Het lijkt mij een prettige afwisseling in je saaie bestaan.' Hij liet zijn stem dalen. 'Ik vond het tenminste geen aantrekkelijke omgeving.'

'Jij? Jij had daar niets over te zeggen!' reageerde de man verontwaardigd. 'Je hebt het enkel en alleen aan je magie te danken dat je uit het hiernamaals bent teruggekomen.' Hij kwam op Lodrik toe. 'Maar dat is geen zegen, nietwaar, Lodrik?' fluisterde hij, en tot zijn genoegdoening las hij zijn gelijk in de ogen van de ander. 'Het is een vloek, waarvan zelfs Vintera je niet kan verlossen.'

Voordat Lodrik iets kon zeggen, ging de deur open en stapte Norina de weelderige zaal binnen met zijn kroonluchters, stucwerk, bladgoud en de geschilderde portretten van de vroegere heersers van Tarpol.

'Lodrik?' zei ze ongelovig maar verheugd. 'Wat fijn dat je op bezoek komt!' Ze liep naar hem toe en wilde zich in zijn armen werpen om even haar officiële functie af te leggen en te genieten van de aanwezigheid van haar man. Toen pas ontdekte ze de vertrouwde gedaante naast hem.

Norina bleef als aan de grond genageld staan, staarde hem aan en sloeg een hand voor haar mond om een zachte kreet te onderdrukken.

'Vader!' Ze durfde niet dichterbij te komen. 'Droom ik soms? Hoe is het mogelijk dat je levend voor me staat, terwijl je al jaren dood bent?' Ze kwam naar hem toe en stak een bevende arm naar hem uit. Hij pakte haar hand en drukte haar vingers, terwijl er een traan in zijn linkeroog opwelde. 'Je bent koud,' zei ze zacht, en eindelijk begreep ze het. Ontsteld keek ze Lodrik aan. 'Bij Ulldrael! Je hebt...' Ze was met stomheid geslagen.

'Ik wilde je een plezier doen, Norina,' zei hij zacht en vol liefde. 'Ik heb zijn ziel uit het hiernamaals opgeroepen, zodat je hem kunt zien en met hem praten.'

Norina staarde haar man aan alsof hij een vreemde voor haar was. 'Je hebt zijn ziel van zijn rust beroofd!' Ze draaide zich weer naar het beeld van haar vader toe en las de pijn op zijn geliefde gezicht. 'Hoe kón je? Begrijp je dan niet wat je hebt gedaan?'

Haar onverwachte verwijt en haar duidelijke boosheid kwetsten Lodrik. 'Het is helemaal niet erg,' antwoordde hij, waarmee hij haar woede nog groter maakte. 'Ze merken nauwelijks iets van...'

'Stuur zijn ziel terug!' eiste ze scherp.

'Maar jullie hebben nog niet eens met elkaar gepraat,' protesteerde hij zwak. 'Je verlangde er zo naar dat hij weer naast je zou staan en je advies zou kunnen geven. Ik kon er niet meer tegen om je te horen huilen, je tranen en je wanhoop te zien als je over hem sprak.' Hij hief zijn arm op en wees naar IJuscha Miklanowo. 'En nu staat hij voor je, Norina. Je droom.'

'Het is een náchtmerrie,' antwoordde ze vol afschuw en haar ogen fonkelden van woede. 'Maak er een eind aan en verlos zijn ziel van die pijn!'

Lodrik, die zich helemaal verkeerd begrepen voelde, deinsde terug. 'Ik wilde alleen maar...'

'Stop ermee!' schreeuwde ze, met gebalde vuisten, alsof ze op het punt stond hem te slaan.

De necromant maakte de onzichtbare banden los die hij rond de ziel van haar vader had geslagen om hem uit het hiernamaals naar deze wereld terug te sleuren. Onmiddellijk verloor het beeld zijn intensiteit en begon te flakkeren. IJuscha's lichaam loste zich op, zijn ziel vormde zich weer tot een turkooiskleurige bol en zweefde nog een keer rond Norina voordat hij doorzichtig werd en verdween.

'Hoe kón je?' herhaalde ze zacht, verdrietig en teleurgesteld. Ze kwam naar hem toe, stak haar hand uit naar zijn vaalbleke gezicht en wilde hem strelen als teken dat ze hem vergaf. 'Zag je dan niet hoe erg hij leed?'

Lodrik trok zijn hoofd weg en weerde het verzoenende gebaar af. 'Ik wilde jou gelukkig maken, dat is alles,' antwoordde hij kort.

'Het zou me gelukkig maken als we elkaar wat vaker zagen,' zei ze. Haar stem klonk nu veel rustiger en haar bruine ogen stonden bezorgd. 'Je verandert zo erg, mijn lief. Je brengt meer tijd met de doden dan met de levenden door.'

'Ik onderzoek mijn gaven, om er meer over te leren en ze te kunnen gebruiken als Ulldart ze ooit nodig heeft,' verdedigde hij zijn afzondering.

Norina wilde hem nog eens aanraken, maar opnieuw ontweek hij haar. 'Ik heb je gekwetst met mijn afwijzing,' begreep ze. 'Maar probeer mij dan te begrijpen. Het was een vreselijke schrik om mijn dode vader te zien staan en te beseffen dat je zijn ziel uit het...'

'Wat betekent nou een ziel?' viel hij haar kil in de rede. 'Dat is niets anders dan het wezen van de mens, niet meer of minder dan het lichaam waarin hij woont. En verder volstrekt nutteloos.' Lodrik draaide zich om en wilde vertrekken. 'Maar je hoeft je geen zorgen meer te maken over hem. Ik zal hem in het hiernamaals laten rotten, zoals jullie allebei willen.'

'Wat praat je nou? De ziel is het kostbaarste,' protesteerde ze. 'Die reist na de dood naar de andere zielen van de voorouders, en...'

'En wat doet hij daar precies, Norina?' Abrupt draaide hij zich naar haar toe, en zijn blauwe ogen boorden zich in de hare. 'Hij blijft daar maar, en doet verder niets! Hij heeft geen taak meer en kan tot in de eeuwigheid wachten tot hij misschien wordt wedergeboren. Is dat niet vreselijk?' Hij haalde zijn schouders op en liep naar de deur. 'Maar als jij dat wilt, het zij zo.'

Norina had de neiging hem achterna te rennen en hem tegen te houden. Ze deed zelfs een paar stappen in zijn richting, voordat ze op de muur van angst stuitte die hij om zich heen had opgetrokken. Haar hart bonsde, de haartjes op haar armen en in haar nek kwamen overeind, het koude zweet brak haar uit en ze deinsde terug om aan die dreiging te ontsnappen. 'Lodrik, ik heb je nodig,' fluisterde ze smekend, terwijl ze hem nakeek. 'Ik heb je goede raad nodig, je...'

Hij was al aan het einde van de zaal en opende de deur. 'Schrijf me maar wat je weten wilt,' antwoordde hij luid en afwijzend. Zijn stem galmde door de hoge audiëntiezaal; een geluid als uit het graf. Met een klap viel de deur achter hem dicht.

De Kabcara staarde naar de deur en bad dat die weer open zou gaan en hij zou terugkomen om zich in haar armen te storten, zodat ze allebei konden zeggen dat ze spijt hadden.

Maar er gebeurde niets.

Norina wachtte, zonder te merken hoe de tijd verstreek. Ten slotte liep ze naar haar kamer terug. Ze ging aan haar werktafel zitten en schreef een brief aan Perdór, waarin ze al haar wanhoop neerlegde over Lodriks toestand sinds hij door zijn magie voor de dood was gespaard.

'Ik vraag u dringend om Soscha Zabranskoi te sturen, zodat ze zijn magische aura kan bekijken en misschien kan vaststellen hoe hij door de geestenwereld is veranderd – en of die verandering nog teniet kan worden gedaan,' luidde haar laatste zin.

Nog diezelfde nacht, toen de lak van het zegel nauwelijks droog was, verzond ze de brief per koerier naar Ilfaris. Daarna liep ze naar haar slaapkamer en keek uit het raam naar de sterren, die vredig op Ulldart neerschenen. Maar die rust en vrede waren slechts schijn. Haar blik daalde naar Ulsar. Zo had ze zich haar toekomst als Kabcara niet voorgesteld.

De moor was sneller dan welk ander paard op Ulldart ook. Zelfs een pijl had hem niet kunnen inhalen. Hij denderde over de nachtelijke wegen, zodat het zweet van zijn flanken spatte. Zijn natte vel glansde in het schijnsel van de manen.

En hoewel hij naar adem snakte en allang aan het einde van zijn krachten was, gaf hij niet op. Omdat de angst hem letterlijk op zijn nek zat.

Lodrik zat voorovergebogen in het zadel en spoorde het paard met zijn gave aan. Angst werkte beter dan sporen of de zweep.

Een doel had hij niet. Hij reed Ulsar uit, gewoon de weg af, om de wind te voelen en zijn hoofd vrij te maken van gedachten die hem meer bezighielden dan hij wel wilde.

Norina's houding tegenover de ziel van haar vader verbaasde hem. Maar hij besefte ook dat niemand behalve hij kon weten hoe het werkelijk met de zielen stond: hoe weinig ze waard waren; hoe ze konden worden gemanipuleerd; dat ze nauwelijks meer voorstelden dan wat blauw licht, aangevuld met beperkte vaardigheden.

Lodrik had nog altijd een sterke band met Norina, maar voelde zich steeds meer onbegrepen door haar en door de andere mensen hier op Ulldart. Dat juist zíj hem dat moest aandoen!

Dit onbegrip, dat opnieuw duidelijk was gebleken, deed hem twijfelen aan de bestendigheid van hun liefde. Maar die twijfel bracht ook de verschrikkelijke angst met zich mee om haar kwijt te raken en dan totaal alleen te zijn.

Ik wil haar niet opgeven! dacht hij, woedend en hulpeloos tegelijk, terwijl hij de moor – die last kreeg van spierkramp – met zijn magie nog verder aanspoorde.

Het dodelijk vermoeide paard stormde op de rivierbedding van de Nruta af, struikelde op het wegzakkende grind over wat wrakhout en sloeg een paar keer over de kop.

Lodrik zette zich op tijd af, vloog met een grote boog uit het zadel en landde in het ijzige water van de Nruta.

De golven sloegen over hem heen en sleurden hem mee. Zijn jas zoog zich vol en beperkte hem in zijn bewegingen, waardoor hij een paar keer kopje onder ging.

Verrassend genoeg was hij niet bang om te verdrinken. Hij vreesde de dood niet meer en was ervan overtuigd dat hij dit zou overleven.

Eindelijk liet de rivier hem los.

In een bocht spoelde hij op een vlakke zandbank aan. Hij kroop de oever op en leunde tegen een rotsblok – of zo voelde het.

Het oppervlak in zijn nek was koud en glad als glas. Lodrik draaide zich om en bekeek de steen, waarvan een groot stuk was afgebroken, wat nauwkeuriger.

Het duurde niet lang voordat hij zag wat hij voor zich had. Het was geen graniet of marmer, maar een doorzichtig materiaal waarin ook kleine luchtbellen waren opgesloten. En tussen die luchtbellen herkende hij een menselijke gedaante.

'Govan!' Opeens geloofde hij niet meer dat het water hem toevallig hierheen had gesleurd. Een hogere macht scheen plannen met hem te hebben.

Lodrik zag dat er een groot stuk glas was weggebroken, waarschijnlijk met scherp gereedschap. Rovers moesten met bijlen, hamers en beitels het Aldorelische zwaard uit het blok hebben gehakt. Kennelijk hadden ze geen belangstelling gehad voor het lijk van de ¢arije.

Bij hun werk hadden ze wel zijn rechterhand gedeeltelijk vrij gemaakt. Om bij het zwaard te komen hadden ze zelfs het bovenste derde deel van de hand afgehakt. De randen van de wond waren zwart en begonnen al te rotten.

Lodrik keek naar de korte stompjes van de vingers. Hadden ze bewogen? Hij tastte naar de verminkte hand van zijn zoon en concentreerde zich om langs magische weg een levensteken op te vangen.

'Wie is daar?' hoorde hij Govans angstige stem in zijn gedachten.

'Iemand die Ulldart van jou zal verlossen,' antwoordde hij. 'Voorgoed.'

'Nee, nee, dat mag je niet!' schreeuwde Govan in zijn hoofd. 'Bevrijd me uit mijn gevangenis, dan beloof ik je dat ik je de machtigste man van het continent zal maken.'

'O ja? Ik ken jou. Je zou me bedriegen en met je magie vernietigen zodra ik het glas had opengebroken,' ging Lodrik zogenaamd op het aanbod in, terwijl hij probeerde zich te beheersen. 'Hoe is het mogelijk dat je nog leeft? Je bent bij Taromeel gedood!'

Govan zweeg. 'Vader, ben jij dat? Ik herken je.'

'Ja, ik ben het,' gaf Lodrik toe. 'Noem me één goede reden waarom ik je niet zou vernietigen.'

'Ik zal mijn oneindige macht met je delen,' antwoordde Govan. 'Dan kun je al je oude plannen uitvoeren, zoals je altijd hebt gewild.'

'En wat wil je zelf?'

'Ik zweer je dat ik naar Tzulandrië zal vertrekken en nooit meer naar Ulldart terugkom,' maakte Govan zijn voorstel nog aantrekkelijker. 'Haal me hieruit.'

'Jouw oneindige macht stelt niet veel voor als je jezelf niet eens uit een blok glas kunt bevrijden.'

'Ik ben alleen opgesloten omdat ik dat toeliet. De veldslag was zo goed als verloren, en toen ik besefte dat ik geen kans meer had, leek het me beter dat iedereen zou denken dat ik dood was. Maar iets in het glas is immuun voor mijn magie.'

Lodrik stak een arm uit en raakte de verminkte hand aan. 'Laat eens zien hoeveel macht je nog bezit, zoon.' Hij sloot het contact en voelde onmiddellijk dat Govan probeerde de magie van zijn vader af te tappen.

Maar Govan was niet voorbereid op wat er nu gebeurde. Hij schreeuwde toen de totaal andere magie van zijn vader een golf van pijn door hem heen deed slaan en juist zijn eigen krachten wegzoog.

'Dat doet pijn, niet?' zei Lodrik onbewogen, en hij liet zijn krachten begaan. 'Zoiets heb ik vorig jaar ook meegemaakt, Govan. Toen je mij hebt verraden en gedood.'

De lucht begon statisch te knetteren door de strijd tussen de verschillende magieën, totdat de opgebouwde energie zich ontlaadde in kleine bliksemflitsen die willekeurig in het strand, de helling of het water insloegen.

'Vader, alsjeblieft! Hou op!' jammerde Govan.

'Waarom zou ik? Ik kan je niet voor de tweede keer doden. Iedereen op Ulldart denkt al dat je dood bent, en dat zul je binnenkort ook zijn. Er zal zelfs geen ziel van je overblijven.'

Govan schrok. Hij probeerde terug te slaan met zijn magie, maar het glas verhinderde de aanval. 'Ik ben je zoon!' smeekte hij om medelijden. 'Genade!'

'Je bent mijn zoon niet meer. Je bent niet eens een menselijk wezen. Je hebt zulke gruwelijke dingen gedaan en bedacht dat er geen woorden voor zijn.' Onverschillig keek hij hoe de vingerstompjes verkrampten. Govan leed helse pijnen. 'Voor jou kan er geen genade zijn.' Hij stelde zich open en hief de laatste beperkingen op die hij aan zijn gretige necromantie had gesteld om zich op de magie van zijn zoon te storten.

'Dan vergaat Ulsar!' kermde Govan.

'Wat heb jij met Ulsar te maken? De stad heeft zich hersteld van jouw schrikbewind. Niets herinnert meer aan de Geblakerde God.'

'Ik ken het geheim van de kathedraal,' kreunde Govan zacht. 'Ik weet wat zich in het gat verschuilt waarin ik die mensen gooide. Mortva heeft het me verteld.'

'Je liegt gewoon om jezelf te redden. Maar het zal je niet helpen.'

'Zonder mij kun je dat niet tegenhouden. Het komt naar boven om door de straten te dwalen en al die mensen op te vreten van wie jij zoveel houdt. En daarna zal het de hele stad vernietigen.' Govan slikte. De verlammende pijn beroofde hem van zijn taal, zodat hij alleen nog in onbegrijpelijke woorden dacht. Langzaam gleed hij af naar de waanzin.

Lodrik dook weer in die chaotische gedachten.

Hij herkende de gigantische zwarte schim van een afschuwelijk wezen, dat leek op het schepsel waartegen hij aan de rand van het slagveld bij Taromeel had gevochten – maar nog vier keer zo groot, sterk en gruwelijk als zijn voormalige raadsman Mortva Nesreca, in zijn ware gedaante van Ischozar.

Hij zag het silhouet met de talloze hoorns die uit de langwerpige kop staken, de ellenlange stekels op de huid en de zeven paar ogen, die oplichtten in het donkergrijs. Toen trok het wezen zich weer in de nevel terug.

Govan had dus niet gelogen! Tevergeefs probeerde Lodrik zijn magische krachten te beteugelen, maar ze gehoorzaamden niet meer en laafden zich aan de magie van Govan, die ze daardoor steeds verder uitputten.

Toen zijn zoon eindelijk stierf, slaagde Lodrik erin Govans ziel op te vangen en te dwingen om te blijven. Dat viel niet mee. De toename van zijn eigen macht maakte hem duizelig, waardoor de wereld om hem heen leek te draaien. Hij moest er niet aan denken wat er zou zijn gebeurd als Govan zich uit zijn gevangenis had kunnen bevrijden en onverhoeds het continent had overvallen. Hij zag de turkooiskleurige bol voor zijn ogen zweven. 'Vertel me meer over dat wezen!'

'Je hebt me zelf laten sterven, vader. Ik zeg niets.'

'Als ik je vermorzel, zal er niets van je overblijven en hoef je niet meer te hopen dat je nog ooit wordt wedergeboren,' gromde hij tegen de ziel van zijn zoon, om hem met dat dreigement in het nauw te drijven, maar tevergeefs.

'Moet ik daarop wachten, in het hiernamaals? Nee, vader, vernietig me dan maar.' De ziel zweefde op hem toe. 'Hoor je? Ik wil dat je me vernietigt! En je zult moeten leven met het besef dat jij de dood van al die mensen en de verwoesting van heel Ulsar op je geweten hebt. Samen met mij had je dat kunnen verhinderen. En ik bid tot Tzulan dat de schim morgen al uit zijn hol zal kruipen om als eerste Norina, die kleine hoer van jou, te verslinden,' siste de ziel vol haat.

Lodrik tilde zijn arm op en stak zijn vinger in de oplichtende bol. 'Ik zal doen wat je vraagt.' Govan slaakte nog een laatste kreet, voordat de bol uiteenbarstte en zich onherroepelijk oploste.

Lodrik voelde niets, geen verdriet, geen opluchting, geen spijt. Hij was net zo koud als het glas. Hij streek met zijn vingers over het doorzichtige materiaal, dat zo wonderbaarlijk in staat was elke vorm van magie tegen te houden. Hij zou het blok moeten verbergen voordat het de volgende dag door iemand anders zou worden gevonden die het voor veel geld zou verkopen.

Het maakte hem niet uit wie Govans Aldorelische zwaard nu had of hoe het glazen blok met zijn zoon was aangespoeld aan de oever van de Nruta in Tarpol. Hij moest onmiddellijk naar Ulsar terug om Norina te waarschuwen voor het wezen dat onder de kathedraal loerde!

Het werk aan de immense puinhoop was allang begonnen, het schoot al aardig op en de laatste restanten zouden naar de oude steengroeve ver buiten de stad worden gebracht. En daarmee was het deksel van de kooi van het monster geopend.

Met een zanderig, schrapend geluid spoelde het kadaver van zijn paard op het strandje aan. Het verzwakte dier had de val niet overleefd en was door het water achter zijn berijder aangespoeld.

Het kwam als geroepen.

Met zijn necromantische krachten wekte Lodrik de moor met ongekend gemak tot ondood leven. Hij sprong in het natte zadel en liet het paard met zijn borst het blok glas langs de oever omhoogrollen totdat het aan de voet van de steile helling lag. Daar legde hij er takken overheen om het aan nieuwsgierige blikken te onttrekken. De volgende nacht zou hij het door een paar bedienden laten ophalen, maar eerst moest hij terug naar de hoofdstad.

Op zijn stille bevel klom de moor de oever op. Lodrik loodste hem naar de weg en reed in een razend tempo naar Ulsar terug.

En weer had geen paard op het continent de hengst kunnen bijhouden. Ondood vlees bezat een ongelooflijk uithoudingsvermogen en een enorme kracht.

Continent Ulldart, zuidwestkust van Tûris, Samtensand, herfst van het jaar 1 Ulldraels (460 n.S.)

Perdór keek naar de ernstige gezichten van zijn gasten, die in volledige wapenrusting waren verschenen en hun wapens nog droegen. Dat was de eis geweest, anders zou de bijeenkomst op het strand van Samtensand niet zijn doorgegaan.

Een lauwe wind voerde schone zeelucht met zich mee en verdreef de doordringende stank van oud zeewier en stervende mosselen, die de koning zijn eetlust – zelfs zijn trek in snoep – had bedorven.

Hoewel hij had gezworen om na zijn lange ballingschap in Kensustria zijn eigen mooie land nooit meer te verlaten, stond hij nu op vreemde grond tegenover de Tzulandriërs om te onderhandelen over het welzijn van het hele continent.

Niet ver van het strand lagen twee bombardeboten voor anker, met de geopende geschutsluiken van hun kanonnen naar de mensen gericht als een niet mis te verstaan dreigement. Iedere verkeerde beweging zou met ijzer worden afgestraft.

'Ze zien er helemaal niet uit alsof ze willen onderhandelen,' fluisterde Fiorell zijn koning in het oor. Hij keek over hem heen naar de beide Kensustrianen, die ongetwijfeld tot de priesterkaste behoorden. Als lijfwacht hadden ze een stuk of tien krijgers meegebracht. 'En die daar ook niet.'

'Ze kennen ons plan en ze zullen meespelen. Overigens, jij bent officieel nog steeds mijn hofnar, totdat er een opvolger gevonden is,' antwoordde Perdór zacht, en hij richtte een schietgebedje tot Ulldrael de Rechtvaardige om hulp. 'Wees welkom, Dă'kay. Ik ben koning Perdór van Ilfaris, en de koninkrijken hebben mij gevraagd met u te onderhandelen,' begroette hij de Tzulandrische afgezant met een mengeling van vriendelijkheid en afstand, zoals het paste tussen verklaarde doodsvijanden. 'Om te beginnen dank ik u dat u tot dit gesprek bereid was.'

'We zijn bereid het aanbod van Ulldart aan te horen,' antwoordde de achterste man van het groepje, zonder dat hij de moeite nam zichzelf en de anderen voor te stellen.

Perdór negeerde die onbeleefdheid maar. 'Laat ik één ding duidelijk stellen, Dă'kay, wij komen hier niet met een smeekbede. U staat tegenover een slagvaardig verbond van koninkrijken en baronieën dat Sinured en een van de Tweede Goden verpletterend heeft verslagen. Dus zijn wij niet bang voor een vloot uit Tzulandrië, al zouden het honderd schepen zijn, met dertigduizend man.'

Die getallen hadden ze uit hun aantekeningen en van de gevangene, die opeens was gaan praten toen een Kensustriaans drankje zijn tong wat losser had gemaakt. Na een paar slokken was de soldaat als was geweest in de handen van zijn ondervragers.

Maar nog altijd maakten de scherp uitgesproken woorden van de koning geen indruk op de anonieme Dă'kay. 'U bent dus niet bang? Dat zou ik maar wél zijn, als ik u was.' Hij bleef de rust zelf.

'Integendeel. We weten waar uw vloot wil aanleggen en we hebben al tegenmaatregelen genomen,' antwoordde Perdór kalm. 'Voor het geval onze driehonderd schepen die op de iurdum-eilanden afkoersen geen indruk op u maken of u geen respect hebt voor de Kensustriaanse krijgers en hun uitvindingen, dan herinner ik u heel graag aan de mannen en vrouwen die aan mijn universiteit tot magiërs worden opgeleid. Ze willen u met alle genoegen een demonstratie geven.' Hij glimlachte tegen de Dă'kay. 'Stelt u zich een Govan Bardri¢ voor, maar dan veertig in getal, die tegen u ten strijde trekken. Hoe lang zou u het volhouden?'

'U weet dus waar wij zullen aanvallen, maar wat schiet u daarmee op? U zult nog grotere verliezen lijden als u probeert ons daar tegen te houden.' Ook het dreigement met de magie leek de Tzulandriër niet af te schrikken. 'Wie zegt u dat wij geen magiërs aan boord hebben?'

'Die zou u allang hebben ingezet als u ze had,' antwoordde Perdór. 'U weet heel goed dat u geen kans hebt tegen het bondgenootschap.' Hij deed moeite om groter te lijken en blies zich regelmatig op om meer indruk te maken. Zijn gedrongen gestalte en zijn gezellige buikje werkten daar niet aan mee. 'Ik garandeer u dat uw schepen zullen branden en tot zinken worden gebracht, waar u ook aan land wilt gaan. Er zal altijd een oplettende Ulldarter zijn die u ziet en ons waarschuwt voor uw komst.' De koning keek de Tzulandriër onbevreesd aan. 'Al moeten er honderden of duizenden doden vallen, Dă'kay, wij geven nooit op. Eén keer heeft een despoot ons bijna onderworpen omdat afzonderlijke landen nietsontziend hun eigen belangen najoegen, maar nu hebben alle koninkrijken zich vanaf het eerste moment verenigd. U kúnt niet winnen! Vergeet uw veroveringsplannen maar.'

De Dă'kay draaide zich naar zijn collega's om en overlegde zacht. Een van hen haalde een beschreven vel papier tevoorschijn, waarop hij herhaaldelijk iets aanwees. Het duurde een hele tijd voordat de man zich weer tot Perdór richtte. 'U moet wel bedenken dat het onze vorst grote inspanningen heeft gekost om deze vloot te bouwen.'

Perdór had wel kunnen juichen. Dit ene zinnetje, hoe terloops het ook klonk, bewees dat de Tzulandriërs hadden afgezien van hun aanval op de Ulldartse kust. Het was eenvoudiger een afkoopsom te eisen. 'Dat is nu eenmaal het risico van zo'n avontuur,' merkte hij zelfvoldaan op.

'Hoeveel willen de landen van Ulldart betalen als wij uw kusten ongemoeid laten?' informeerde de Dă'kay.

'Wat hebt u ervoor over als wij uw schepen niet naar de kelder sturen?' dreigde de koning op zijn beurt. 'We laten ons niet chanteren.'

De Dă'kay sloeg zijn armen over elkaar. 'En u kunt ons niet zo makkelijk verslaan als u zegt, anders waren onze buitenposten in Palestan allang uitgerookt en vernietigd.' Hij keek Perdór onderzoekend aan. 'Geef ons honderdduizend daalder en wij trekken ons van het vasteland en de eilanden terug.'

'Om nooit meer een voet op Ulldart te zetten,' voegde Perdór er ogenblikkelijk aan toe, en hij herinnerde zich de dringende vraag van Torben Rudgass. 'En u draagt alle gevangenen aan ons over.'

'Gevangenen? We hebben helemaal geen gevangenen,' zei de Dă'kay. 'Maar u zult ons wel terugzien, want onze kooplui hebben inmiddels ook van dit continent gehoord en willen hier graag hun waren slijten.' Hij grijnsde. 'Bovendien bevalt deze wereld me wel, wat ik er tot nu toe van heb gezien. Wie kan mij verbieden om regelmatig langs te komen en vreedzaam in deze landen rond te reizen?'

'De koning, bijvoorbeeld, en zijn soldaten?'

Fiorell boog zich naar het oor van zijn heer. 'Ze voeren iets in hun schild, denkt u ook niet, majesteit? Ik durf er uw voorraad taartjes voor een jaar onder te verwedden.'

'Heel slim van je, mijn beste Fiorell. Wil je de onderhandelingen overnemen of laat je me gewoon mijn werk doen?' siste hij de hofnar toe. 'U zult begrijpen dat ik uw woorden over vreedzaamheid niet helemaal vertrouw, Dă'kay. Maar om u te bewijzen dat wij er wel degelijk voor openstaan, beloof ik u dat iedere Tzulandriër die zich gedraagt zoals je van iemand in het buitenland mag verwachten, in Ilfaris als gast zal worden ontvangen. Geen graag geziene gast, weliswaar, maar toch als gast.'

'Dan zijn we het eens,' zei de Dă'kay. 'Het geld dient binnen een week op deze plek aan het strand te worden afgeleverd, en tot die tijd zullen wij geen aanvallen op uw schepen ondernemen. Als teken van onze goede wil.' Hij keerde Perdór zijn rug toe. 'Zodra wij het bedrag tot op de laatste daalder hebben geteld, zullen wij Palestan en de Tûritische eilanden ontruimen. Als er geld ontbreekt, zullen we het verschil gaan halen in de omliggende steden en dorpen.' En de Tzulandriër liep het strand af naar de roeiboten.

'Dă'kay! Houd u aan de afspraken. Wij weten meer van u en uw volk dan u denkt.' Perdór deed twee stappen achter hem aan. De man keek over zijn schouder. 'We kennen zelfs het geheim van uw zilvergod.'

De Dă'kay reageerde laconiek en de koning vroeg zich af of Tzulandriërs zich ooit érgens door uit hun evenwicht lieten brengen. 'Ik weet niet wat je bedoelt, kleine koning. Ik bid alleen tot Tzulan. Alle andere goden laten me koud.' Hij liep weer verder naar de sloepen, die hem en zijn collega's naar de bombardeboten terugbrachten.

Perdór, Fiorell en de anderen bleven op het strand achter en keken de Tzulandrische delegatie na.

Torben dook naast de koning op. Zijn kaken maalden. 'Ik zal ze heimelijk volgen,' zei hij met een grafstem. 'U wilt ook weten wat ze van plan zijn, neem ik aan.'

'Jij gelooft dus niet dat de Tzulandriërs echt zullen vertrekken?' vroeg Fiorell.

'Ik geloof het hele verhaal niet. Ze hebben jarenlang geprobeerd het continent te veroveren en dan zouden ze het nu zomaar opgeven alleen omdat wij dreigende taal uitslaan?' Torben keek de buitenlanders na. 'Als we dat geld betalen, zal ik ze naar Varla vragen.' Hij dacht niet echt dat ze zijn vriendin hadden vermoord.

'Ik heb hetzelfde gevoel,' knikte Perdór toen de kaper die laatste gedachte hardop uitsprak. 'Ik kan me goed voorstellen dat ze haar gevangen hebben genomen om meer over Tarvin aan de weet te komen. Misschien is dat continent vanuit de Tzulandriërs gezien veel beter geschikt voor een overval.' Hij legde een hand op Torbens schouder. 'Ik voel oprecht met je mee, maar ik waarschuw je dringend om je niet te veel door je emoties te laten leiden. Werp je niet blindelings in de armen van Vintera.'

'Als ik Varla kwijt zou raken, is mijn leven niet half zoveel meer waard.' Hij wees naar Puaggi, die een eindje verderop aarzelend stond te wachten. 'Vertrouw maar op hem. Hij is nog jong, maar hij heeft het hart op de juiste plaats. Hij zal een goede vervanger zijn zolang ik de Tzulandriërs achtervolg.' Hij knipoogde tegen Perdór. 'En hij is familie van de Palestaanse koning, met goede relaties aan het hof.'

'Alsof ik dat niet wist,' glimlachte Perdór. 'Maar ik begrijp wat je bedoelt, Torben.'

Puaggi overwon zijn reserve, kwam naar hen toe en maakte een voor Palestaanse begrippen armzalige, maar niet minder eerbiedige, buiging voor de koning. 'Het is niet moeilijk te raden waar u het samen over had,' begon hij. 'Ik zou graag met mijn schip erbij zijn om de Tzulandriërs te achtervolgen.'

'En zo zijn we onze nieuwe held alweer kwijt,' zei Fiorell. 'Dat heb je nou eenmaal met helden: ze kunnen geen enkel avontuur weerstaan.'

'We moeten tegen een vloot van honderd schepen uitvaren,' zei Torben ernstig. 'Het is één ding om tegen een stationaire vesting te vechten, maar iets heel anders om achter de zeilschepen van de Tzulandriërs aan te gaan. Ze zijn snel en wendbaar, en de officieren verstaan hun vak, commodore,' waarschuwde hij Puaggi, maar hij zag al aan het spitse gezicht van de Palestaan dat dit de uitdaging alleen maar groter maakte. Lachend stak hij hem zijn hand toe. 'Maar ik zal niet proberen je ervan af te brengen. Geef me een hand, commodore, om voor de tweede keer een verbond tussen Rogogard en Palestan te bezegelen.'

Puaggi greep Torbens hand. 'Ik maak er thuis geen vrienden mee, en mijn verloofde zal me de bons geven als ze ervan hoort, maar ik doe mee.' Had hij zopas nog luchtig geklonken, nu was het hem bittere ernst. 'Het is me een eer, kapitein Rudgass, om met u mee te varen.'

'Zo zou het overal op Ulldart moeten gaan,' verzuchtte Fiorell. 'Voormalige vijanden schudden elkaar de hand en hebben respect voor elkaar.' Hij knipoogde tegen Perdór. 'Zullen wij dat ook maar doen, majesteit? Hebt u me al mijn streken wel vergeven?'

'Op een ochtend, waarde Fiorell, zul je wakker worden en merken dat ik een bijzonder doeltreffende manier heb gevonden om wraak te nemen en je in één dag alles terug te betalen wat je me de afgelopen jaren hebt aangedaan. Misschien zing je daarna wel twee octaven hoger,' antwoordde hij, met gespeelde verontwaardiging. 'Ik wens je vele slapeloze nachten toe van angstig en onrustig woelen.'

Torben en Puaggi lachten en namen afscheid van de koning en zijn hofnar. De delegatie ging uiteen.

De Kensustriaanse priesters bleven opzettelijk bij de anderen uit de buurt. Ze waren bang voor verwijten wegens de belegering van Ammtára en de aanval die elk moment kon komen.

Perdór had de moed opgegeven om erover te beginnen. Ze weigerden de reden te noemen en wilden ook niet onderhandelen. Het was een zaak tussen Kensustria en de vrije stad, waar de andere landen niets mee te maken hadden, vonden ze.

Helaas hadden ze gelijk. Koning Bristel van Tûris had Ammtára volledige onafhankelijkheid gegeven, zolang er belasting werd betaald. Perdór had ook graag willen weten waarom de geleerden hun macht nu deelden met de priesters, die zich als alleenheersers gedroegen. Kensustria bleef een raadsel.

'Sturen we Soscha naar Ulsar, majesteit?' wilde Fiorell weten, omdat hij met de laatste correspondentie bezig was, die hij in een leren tas bij zich had. Hij zwaaide met de brief die Norina's handschrift droeg. 'Het klinkt niet hoopgevend. Ik maak me zorgen dat Lodrik, die het opgewekte karakter van een treurmars heeft, uit louter nijd en ongenoegen een tijdverdrijf zoekt dat ons niet goed zal bekomen.'

'Dat zou kunnen. Soscha heeft me gezegd dat ze nooit meer iets te maken wil hebben met de man die haar van haar jeugd heeft beroofd, maar toch moet ze gaan. Ik deel jouw zorgen en die van Norina.' Perdór herinnerde zich de bleke, uitgemergelde gedaante van Lodrik, die bijna net zo dood leek als de geesten waarmee hij zich omringde. Die experimenten, de toenemende macht van de necromant en Norina's brief maakten hem nerveus. 'En daarna gaat Soscha naar Kalisstron.'

'U stuurt onze kleine meid naar het Land van de Glimlach?' vroeg Fiorell verbaasd. 'Maakt het ons iets uit wat daar gebeurt? We kunnen ons beter om de universiteit bekommeren en eindelijk nieuwe kandidaten vinden met een aanleg voor magie. Straks vallen de Tzulandriërs ons toch nog aan, en dan staan we met lege handen.'

Perdór keek hem met toegeknepen ogen aan. 'Dat is nou precies de houding die ons op Ulldart zoveel ellende heeft bezorgd: niet over de grens heen kijken en enkel aan je eigen sores denken.' Hij pakte de stapel brieven uit Fiorells hand. 'Lorin heeft uitvoerig beschreven wat er is gebeurd, en dat vraagt om een onderzoek door een deskundige zoals Soscha. Die stenen kunnen een soort oeroude eieren zijn, Fiorell, en alleen de goden weten wie of wat ze daar heeft achtergelaten.' Met trefzekere hand trok hij de brief van Lorin uit de grote stapel en las voor de vijfde keer het verhaal over de slachtoffers en de omstandigheden van hun dood. 'Er zit niets anders op,' besloot hij nog eens. 'We moeten er meer van weten, om de mensen in Bardhasdronda te kunnen helpen.' Hij keek hoe de Tzulandriërs aan boord van hun bombardeboten gingen. De geschutsluiken bleven open en de wapens schietklaar. 'Anders hebben wij over een tijdje hetzelfde probleem.'

'Misschien hébben we dat al, maar heeft niemand het nog gemerkt,' vulde Fiorell aan. Hij hoopte vurig dat bij al die kleine rampen na de oorlog de volgende catastrofe niet vanaf het aangrenzende continent zou komen.

'Is er al nieuws over onze anonieme Kabcara in Borasgotan?'

'Ze heeft inmiddels een naam. Sinds haar troonsbestijging noemt ze zich Elenja de Eerste en ze heeft zich in het openbaar vertoond – helaas met een sluier voor,' antwoordde Fiorell. 'Ze schijnt een ernstige huidziekte te hebben en wil haar onderdanen die aanblik besparen.' Hij pakte een steentje van het strand, nam een aanloop en liet het over de golven scheren voordat het zonk. 'Je zou bijna denken dat er een man achter die sluier schuilgaat,' zei hij grijnzend. 'Misschien wilde onze vriend Raspot niet toegeven dat zijn voorkeur anders lag.'

'Onzin,' bromde Perdór. 'Koop een kamenierster om, of verzin iets anders om het raadsel op te lossen. Ik vrees het ergste.'

'In elk geval is ze niet zo gestoord als Raspot. Ze heeft haar spijt betuigd over de gruweldaden van haar man, de families smartengeld betaald en in Borasgotan dezelfde hervormingen toegezegd als in

Tarpol. Ze heeft zelfs een afspraak met Norina gemaakt om als Kabcara's te overleggen.'

Perdór zei niets. Bij het noemen van de twee vorstinnen had hij onmiddellijk aan Aljascha Bardri¢ gedacht, die in Kostromo met een staatsgreep aan de macht was gekomen. Er gebeurde van alles op Ulldart, dat stond vast. Maar het leek niet allemaal goed af te lopen. 'Laten we Ulldrael om hulp bidden,' zei hij een beetje moedeloos, terwijl hij toekeek hoe Fiorell nog een steentje over het water keilde.

Het was een perfecte worp. Het steentje sprong van de ene golf naar de andere en leek niet meer te stoppen, totdat het met een hoorbare tik tegen de romp van de rechter bombardeboot sloeg. De wacht tuurde meteen in de richting van het strand en schreeuwde iets wat op een waarschuwing leek.

'Heel goed, Fiorell,' zei Perdór. Hij schopte de hofnar tegen zijn scheenbeen en rende het strand op. 'Wat ook de gevolgen mogen zijn, het is allemaal jouw schuld!'

Fiorell strompelde scheldend achter hem aan.

Continent Ulldart, koninkrijk Tarpol, hoofdstad Ulsar, herfst van het jaar 1 Ulldraels (460 n.S.)

Norina sneed de platte taart zelf aan en liet zich niet de kans ontnemen haar bezoekster thee in te schenken. Toen schoof ze het schaaltje met kersenmarmelade naar haar toe en zette de taartpunt voor haar neer. 'Ik wil u nog condoleren met de dood van uw man,' zei ze. Ze was benieuwd hoe het gesprek zou verlopen, maar nog nieuwsgieriger hoe de bezoekster wilde eten en drinken met die sluier voor haar gezicht.

Elenja de Eerste, Kabcara van Borasgotan en treurende weduwe, scheen haar kant op te kijken toen ze haar voor het medeleven bedankte.

Maar zeker wist Norina dat niet. De zwarte doek over Elenja's hoofd liet geen enkele blik op haar gezicht toe. Hoe het licht ook door het raam naar binnen viel, alleen de omtrekken van het gelaat van de Kabcara waren zichtbaar, meer ook niet.

'Raspot wekte de schijn een heel goed mens te zijn. Ik viel voor die maskerade en was ook dankbaar dat hij mij ondanks mijn ziekte aan zijn zijde wilde hebben,' hoorde ze een hese stem van onder de zijden doek. 'Ik had nooit voor mogelijk gehouden dat hij zich tot zo'n monster zou ontwikkelen. Ik heb vreselijk te doen met die arme mensen die door zijn wandaden zijn omgekomen.'

Niet alleen de sluier, maar ook de rest van haar garderobe was in stemmig zwart gehouden; zelfs haar opvallend slanke, lange vingers staken in zwarte handschoenen.

Norina vond de Kabcara nogal griezelig en moest onwillekeurig aan haar eigen man Lodrik denken. Elenja had diezelfde, onbestemde, kille en afwijzende aura van de dood. Een huivering gleed over Norina's rug.

Ze stond op om het raam dicht te doen, een blok hout in het vuur te gooien en de haard wat op te stoken. 'De mensen zijn moediger geworden. Ze hebben geleerd zich tegen een schrikbewind te verzetten en zulke heersers te verdrijven.'

'Uw man had het ongeluk door zijn eigen kinderen te worden afgezet,' klonk het schor van onder de sluier, die nauwelijks bewoog door de adem van de vrouw. 'De mensen hielden van hem omdat hij hun de vrijheid bracht – de Borasgotanen, in elk geval.' Ze deed een klein schepje marmelade in haar thee, roerde efficiënt en bracht het kopje naar haar sluier. Dat lukte allemaal zonder dat Norina een glimp van haar gezicht opving. 'U moet het me niet kwalijk nemen dat ik mijn sluier niet afdoe,' zei Elenja vriendelijk, omdat ze Norina's blik wel zag. 'De wonden zijn niet prettig om te zien. Zelfs iemand die wel iets gewend is, krijgt er nog nachtmerries van.'

'Doet het pijn?'

'Alleen als ik lach,' antwoordde Elenja, met een geluid alsof ze glimlachte. 'Maar ik ben hier niet om medelijden op te wekken, Kabcara Norina,' kwam ze ter zake. 'De Borasgotanen verlangen terug naar de vrijheden die ze ooit van Lodrik Bardri¢ hebben gekregen. U bent daarmee doorgegaan in Tarpol, waar alles is begonnen, nietwaar?'

Norina knikte en vroeg zich heimelijk af hoe oud de vrouw tegenover haar was. Haar stem gaf geen uitsluitsel, evenmin als haar tengere postuur. Als het klopte wat er over haar werd verteld, kon ze niet ouder dan negentien of twintig zijn, maar als ze praatte, klonk ze als een oude dame. Het moest een vreselijke ziekte zijn.

'Ja, wij hebben de hervormingen opgepakt waar Lodrik al in de eerste jaren van zijn bewind aan dacht,' zei ze, en ze vertelde beknopt wat er de komende weken in haar koninkrijk zou gebeuren, welke rol de edelen zouden krijgen en hoe de hele omwenteling in zijn werk zou gaan.

Elenja luisterde aandachtig, dronk zo nu en dan van haar thee en at haar taart, nog altijd zonder iets van haar gezicht prijs te geven. 'Het is heel moedig van u, Kabcara Norina, om u tegen de adel te verzetten,' merkte ze op.

'Je mag geen zwakte tonen,' raadde Norina haar. 'Het is net als in een gevecht tegen een machtige krijger. Als je maar even een zwakke plek in je dekking over het hoofd ziet of verzuimt de genadeslag toe te brengen, zal je dat bitter berouwen.'

'U denkt dus dat u de adelstand kunt vernietigen?'

'Mijn wapens zijn woorden, wetten en de steun onder het volk. Je moet vertrouwelingen hebben op wie je blind kunt terugvallen. Zij helpen je, geven je rugdekking en zorgen ervoor dat niemand van de zogenaamde elite een stap verkeerd doet. De meesten hebben trouwens allang begrepen dat ze geen keus hebben.' Norina schonk haar nog een kop thee in. 'Hebt u niemand in uw land die u naar het hof kunt halen? Oude vrienden?'

Elenja verstijfde en Norina dacht al dat ze in slaap was gevallen of plotseling overleden. 'Nee, Kabcara Norina, ik heb geen vrienden. Niet zoals u, tenminste,' antwoordde ze spijtig. 'Ik ben helaas op mezelf aangewezen.'

'Als u dat wilt, Kabcara Elenja, zal ik u graag helpen,' bood Norina aan. 'Ik kan een paar ambtenaren met u meesturen om het politieke stelsel van Tarpol ook in Borasgotan door te voeren.' Ze huiverde en had heel even het gevoel dat een ijzige hand zich zachtjes op haar schouder legde. Om een onheilspellende reden scheen de haard de kou niet uit de kamer te kunnen verdrijven, hoewel de echte winter nog moest komen.

Met een luide klap vlogen de ramen open. De wind rukte aan de gordijnen en vormde gestalten uit het witte textiel die vaag aan menselijke gedaanten deden denken.

'Neem me niet kwalijk.' Norina stond op en deed de ramen dicht. Ze schrok toen ze zich omdraaide.

Geruisloos als een donkere geest was Elenja overeind gekomen en naar haar toe gelopen. Norina botste bijna tegen de vrouw op. Ze deinsde terug, en een kille angst greep haar bij de keel.

'Neem me niet kwalijk als ik u liet schrikken. Ik wilde u alleen maar helpen,' zei Elenja, die nog dichterbij kwam en een hand uitstak.

Als verlamd staarde Norina naar de zwarte handschoen die op haar keel afkwam alsof Elenja haar wilde wurgen. Ze probeerde zich te bewegen of iets te zeggen, maar haar lichaam gehoorzaamde niet. Ze voelde zich als bevroren.

De lange, dunne vingers gleden langs haar heen om het gordijn recht te trekken. 'Zo, dat is beter,' klonk Elenja's hese stem tevreden. 'Zullen we weer gaan zitten, Kabcara Norina? Hoeveel van uw ambtenaren zou u kunnen missen? En hoe lang?'

Norina knipperde met haar ogen. Eindelijk ontspanden haar spieren zich weer en wankelde ze terug. Ze liet zich op haar stoel vallen en pakte haar kopje hete thee. Geschrokken voelde ze het porselein. Het kopje was net zo ijskoud als de thee zelf!

'Ik kreeg net een idee.' Elenja boog haar gesluierde hoofd naar voren. 'Mag ik u uitnodigen om aan het eind van de week met mij terug te reizen naar Amskwa? Mijn volk zou het als een hoopvol teken zien dat ik de hervormingen met uw steun wil doorvoeren en dat wij als het ware een verbond van Kabcara's hebben gesloten.' Ze zag de aarzeling in Norina's bruine ogen. 'Alleen als uw agenda het toelaat, natuurlijk,' voegde ze er fluisterend aan toe. 'Ik wilde u niet overvallen. We kunnen het ook uitstellen naar...'

'Nee,' zei Norina haastig, om niet nog onbeleefder over te komen. 'U hebt gelijk. Juist aan het begin van uw regering moeten de mensen beseffen dat er dingen veranderen en dat u niets met Raspot de Eerste gemeen hebt.' Ze dacht na. 'Ik zal zien of ik het kan regelen.'

'Daar ben ik blij om,' klonk het gedempt van onder de sluier, en weer onderdrukte Norina een rilling.

Er werd luid geklopt, de deur ging open en niemand minder dan Lodrik kwam binnen. Zijn nachtblauwe mantel was besmeurd met modder en gras, net als zijn leren laarzen. 'Kom mee. Snel,' zei hij tegen Norina. Zijn blauwe ogen gingen naar de vrouw en verbaasd bleef hij staan. 'Neem me niet kwalijk... heel ongepast. Maar het is dringend.'

Norina keek naar het magere gezicht met het blonde haar, dat voor zijn ogen hing. 'Dit is Kabcara Elenja de Eerste van Borasgotan,' stelde ze haar bezoekster voor. 'Lodrik Bardri¢, mijn man.'

Elenja zat kaarsrecht en bewegingloos op haar stoel, haar hoofd met de sluier naar de deur gedraaid. 'Ik ken hem,' zei ze zacht.

'Nee, u kent me niet,' antwoordde hij vriendelijk maar beslist. 'U bent nog te jong, naar ik begrijp. Wij kunnen elkaar nooit hebben ontmoet.' Net zo vergeefs als zijn vrouw probeerde hij achter de sluier te kijken. Maar één ding wist hij wel: ze bezat een uitstraling die hem gevangenhield.

Hij raakte onmiddellijk in haar ban, zonder dat hij iets van haar ware gedaante te zien kreeg. Misschien kwam het door haar zwarte kleren, zijn hang naar melancholie, de dood van haar man of de afschuwelijke ziekte die haar tot een paria maakte. In elk geval was hij zich bewust van een dunne band tussen hen beiden.

Norina zag dat Lodrik langer naar de gesluierde vrouw staarde dan hij iemand de afgelopen weken had aangekeken.

Meteen werd haar argwaan gewekt, het oude monster van de jaloezie, hoewel ze zichzelf onmiddellijk berispte. Wat een onzin. 'Je moest me dringend spreken?' maande ze hem, terwijl ze opstond en voor hem bleef staan om hem het zicht op Elenja te ontnemen.

'Het werk aan de puinhopen van de kathedraal moet onmiddellijk worden stopgezet,' verklaarde hij.

Ze begreep hem niet. 'Waarom?'

'Herinner je je nog dat gat waarin Govan de mensen uit Ulsar smeet als offer aan Tzulan?' Hij zag dat ze knikte en verbleekte.

'Leeft daar nog iets?' Ze liep langs hem heen naar de deur. 'Bij Ulldrael de Rechtvaardige! De opzichters zeiden nog trots dat ze vandaag het hele terrein zouden hebben opgeruimd.'

Lodrik volgde haar en hoorde dat Elenja opstond om hen te helpen. 'Nee, Kabcara.' Hij hield zijn pas in. 'U bent veiliger in het paleis. Ik weet niet precies wat ons daar wacht, maar het moet gigantisch zijn.'

Ze kwam naar hem toe en bleef op een armlengte afstand staan. 'Hoe weet u dat eigenlijk?' fluisterde ze hees.

'Ik had... een droom,' antwoordde hij ontwijkend, en weer was hij zich bewust van die vreemde, vertrouwde band. Hij knikte haar toe en moest zich beheersen om niet haar sluier op te tillen om een blik te werpen op deze melaatse. Hij kon zich haar eenzaamheid zo goed voorstellen. 'Wacht maar hier, totdat we zeker weten dat er geen rampen kunnen gebeuren.' Hij rende de gang door en haalde Norina in.

'Een droom?' herhaalde zijn vrouw.

'Ja. Een heel beangstigende droom.' Zelfs tegenover haar hield hij zijn leugen vol. 'Een van de vele. Ik heb geleerd ze serieus te nemen.'

'Matuc zei ook al zoiets, maar ik was het vergeten,' zei ze geërgerd.

Ze liepen naar de stallen, waar paarden werden gehaald. Een kort bevel was genoeg, en een lijfwacht van dertig soldaten escorteerde hen.

Lodrik nam de tijd om een oude koetsiersjas van een haak uit de stal om zich heen te werpen en een breedgerande hoed op zijn blonde hoofd te drukken. Hij wilde niet door de mensen in Ulsar worden herkend.

In een snelle rit reden ze door de straten van de hoofdstad.

Lodrik ging het niet snel genoeg. Hij reed als een bezetene, zonder rekening te houden met zichzelf, zijn paard of wie toevallig hun pad kruiste. Met moeite lukte het Norina en de soldaten hem bij te houden.

Toen ze het bijna opgeruimde puinveld naderden, hoorden ze de opgewonden kreten van de arbeiders, die in paniek over de blokken steen, de sokkels en de neergestorte pilaren vluchtten, terwijl achter hen een reusachtige stofwolk opsteeg.

Lodrik gaf een harde ruk aan de teugels, waardoor het paard bijna zijn nek brak. 'Wat is er?' riep hij tegen de eerste man, terwijl hij afsteeg. Zijn paard ging er hinnikend vandoor.

'De grond is ingestort,' stamelde de angstige man. Norina kon niet bepalen of hij bang was voor wat er gebeurde of voor Lodriks aura. 'We hoorden afschuwelijke geluiden uit het gat daaronder, de bodem zakte in en twee van onze mensen stortten omlaag.' Hij week een stap terug. 'Ze schreeuwden nog... maar van zo diep...'

Lodrik stormde hem voorbij, sprong over het puin en rende naar de plek waar hij ooit had gestaan om tot Kabcar van Tarpol te worden gekroond.

Daar had zich een door steenhopen omzoomde krater van tien passen doorsnee gevormd. Het gat zelf, waarin steeds meer puin omlaag viel, was minstens zes passen breed. In de diepte gromde en pruttelde het zacht, alsof het een schoorsteen was met daaronder een fornuis waarop een enorme ketel stond te koken. Er hing een walgelijke stank van verrotting.

'Je had gelijk.' Norina dook naast hem op. Ze gaf de soldaten een teken om zich rond de krater op te stellen en scherp op te letten wat er gebeurde.

'Jammer dat ik die droom nu pas had,' zei hij peinzend. Zachtjes, zodat alleen zijn vrouw het kon verstaan, beschreef hij wat hij in Govans brein had gezien, om haar voor te bereiden op de verschijning van het monster. 'We kunnen het gat met puin dichtgooien en hopen dat het zich geen weg naar boven graaft. Of we gieten er kokende olie in en hopen dat het daaraan bezwijkt. Of we sturen een paar verspieders omlaag om te zien wat zich daar beneden afspeelt. Dan kunnen we daarna beslissen wat we doen.'

Norina dacht nog na toen er een lijfwacht naar hen toe kwam die ze bij de paarden hadden achtergelaten. 'Hooggeboren Kabcara, ik heb hier ene Soscha Zabranskoi,' zei hij, met een knikje naar de jonge vrouw die hij bij zich had en die Lodrik met onverholen haat aanstaarde. 'Ze moest u dringend spreken.'

Soscha had onmiddellijk de groep ruiters herkend, met vooraan de man die zij het meest verachtte op het hele continent. Op verzoek van Perdór was ze naar Ulsar gekomen, en ze maakte net van de gelegenheid gebruik om haar stad te bekijken, waar ze al zo lang niet was geweest.

Toen ze Lodrik en Norina zag, was ze de stoet gevolgd, zo snel als haar benen haar konden dragen.

De eerste indruk die de voormalige Kabcar van Tarpol op haar magische gevoeligheid maakte was zo hevig dat haar een zachte kreet ontsnapte.

Zijn aura was nog donkerder geworden; zelfs het lichte blauw dat hem ooit omgaf was veranderd in peilloos diep zwart. Het voelde alsof zijn krachten aanmerkelijk waren toegenomen, zelfs zo, dat ze onwillekeurig aan Govan moest denken.

Soscha bleef voor het puinveld staan en zag hoe Lodrik verdween, gevolgd door Norina en haar soldaten. *Waar heeft hij die magie vandaan? Er is niemand op Ulldart van wie hij die had kunnen roven. Zou necromantie vanzelf sterker worden? Kan hij soms geesten en zielen in kracht omzetten?*

Ze vond het heel bedenkelijk dat hij nu met zo'n immense magische kracht op een plek rondliep waar het Kwaad zijn klauwen diep in de aarde had geslagen. Soscha overwoog of Lodrik misschien een list had beraamd om Norina te doden en opnieuw de macht in Tarpol te grijpen.

Net had ze besloten om Norina te waarschuwen toen achter haar een koets stopte met het koninklijke teken van Borasgotan op de deuren. De paarden waren zo opgewonden en druk dat Soscha zich haastig in veiligheid moest brengen. Geïrriteerd keek ze naar het rijtuig.

Een zwarte handschoen schoof het gordijntje voor de ruit opzij en een gesluierd hoofd verscheen.

Onwillekeurig slaakte Soscha een kreet, totaal overrompeld als ze was.

Een magische aura van zwart en wat restanten violet omgaven het hoofd van de onbekende. *Nog een necromant! Iemand die bij Lodrik hoorde of juist tegen hem was?* Opeens had ze geen spijt meer dat ze naar Tarpol was gekomen. Dit waren dingen die Perdór zeker moest weten.

Het onherkenbare hoofd achter het raampje, dat eerst in de richting van het gat had gekeken, draaide zich abrupt naar haar toe. Ze was gezien.

Ik moet naar de Kabcara. Soscha wenkte een van de soldaten die de paarden van de Kabcara bewaakten. 'Ik ben Soscha Zabranskoi, afgezant van koning Perdór van Ilfaris. Breng me zo snel mogelijk naar de hooggeboren Kabcara, want ik heb dringend nieuws voor haar.' Ze liet hem het zegel van Ilfaris zien.

De man krabde zich verlegen onder zijn helm. 'Weet u zeker dat u naar dat vervloekte gat toe wilt? Het kan daar gevaarlijk worden,' legde hij uit. Maar toen ze knikte, drukte hij zuchtend een van de anderen de teugels van het paard in de handen. 'Komt u maar mee.'

Soscha meende de blik van de onbekende in de koets in haar rug te voelen en probeerde zo snel mogelijk weg te komen.

De soldaat liep naar Norina en Lodrik toe en meldde hun de komst van de bezoekster, die wel werd verwacht, maar niet hier. 'Hooggeboren Kabcara, ik heb hier ene Soscha Zabranskoi,' zei hij. 'Ze wilde u dringend spreken.'

Norina's gezicht klaarde op. 'Soscha! Wat een verrassing!' riep ze, alsof ze niets wist van Soscha's komst.

Soscha wilde antwoorden, maar een ijskoude straal sloeg door haar heen en sneed haar de adem af.

Kreunend wankelde ze naar voren, viel tegen Lodrik aan en klampte zich hulpzoekend aan hem vast. Ze wist wie haar het zwijgen wilde opleggen. Lodriks aura was niet veranderd, zoals bij een aanval gebruikelijk was. Dus moest het de onbekende in de koets zijn die haar wilde doden!

De angst drong diep in haar botten en vezels, klemde zich om haar hart en kneep het samen. Haar linkerarm voelde verdoofd en viel krachteloos omlaag.

'Je bent een mooi meisje,' fluisterde een vrouwenstem in haar oor. 'Ik verheug me op je, Soscha. We zullen samen veel plezier hebben.' Alsof de druk op haar wild bonzende hart nog niet groot genoeg was, sloten onzichtbare vingers zich om haar hals en beroofden haar van het laatste restje lucht dat ze nog in haar longen wist te zuigen.

'Geesten,' rochelde ze tegen Lodrik, in de hoop dat hij haar kon verstaan, en toen verloor ze het bewustzijn.

Tenminste, dat dacht ze.

Totdat ze opeens boven haar eigen lichaam zweefde, waar Lodrik en Norina zich nu overheen bogen. *Bij alle goden! Ben ik dood?*

VII

Continent Ulldart, baronie Kostromo, late herfst van het jaar 1 Ulldraels (460 n.S.)

Aljascha kwam uit bed. Hoewel het nog aardedonker was, hield ze het niet langer uit op de aangenaam zachte matras. Ze werd gekweld door angsten. Gevaarlijke angsten.

Ze pakte haar witte lamswollen ochtendjas en sloeg die om haar aantrekkelijke, naakte figuur. Met een blik op het ontspannen gezicht van Lukaschuk, die moe van het liefdesspel diep in slaap was, liep ze de kamer uit om bij Vahidin te gaan kijken.

Het nieuws over de zilvergod had zich veel te snel verspreid naar haar zin, maar Lukaschuk bezwoer haar dat niemand van de Tzulani zo dom was geweest iets over het geheim te verraden, behalve dat er een vaag bericht aan de Tzulandriërs was.

De Tzulandriërs moeten hun mond voorbij hebben gepraat, dacht ze geërgerd. Nu ging het erom de schade beperkt te houden. Er waren maar heel weinig mensen die haar zoon en zijn snelle groei met eigen ogen hadden gezien. Sommigen van die mensen zag ze liever verdwijnen.

Al haar bedienden in Granburg moesten uit de weg worden geruimd voordat ze met hun verhalen en de paar dingen die ze van Vahidin hadden gezien naar Perdór of iemand anders zouden stappen om hen op het juiste spoor te zetten.

Terwijl ze door het paleis liep waar Silczin een paar weken geleden nog vasruc was geweest, vroeg Aljascha zich af hoe ze het hele stel in één klap kon elimineren. Behalve haar kamenierster, haar kokkin en haar koetsier was er ook een handvol soldaten geweest die haar hadden bewaakt toen ze nog huisarrest had.

Een deur kraakte zacht, hout tegen hout. En nog eens. Het geluid kwam uit Vahidins kamer.

Met de vastberadenheid van een moeder die haar kind wil beschermen rende ze door de garderobe. Ze strekte haar hand al uit naar de klink van de deur, die op een kier stond, toen ze Vahidin hoorde giechelen, gevolgd door een zacht geritsel en het geluid van trippelende voetstappen. Ze verstijfde.

In plaats van als een furie de kamer van haar zoon binnen te stormen boog ze zich voorzichtig naar de deur en tuurde door de kier.

Vahidin was uiterlijk niet meer te onderscheiden van een jongen van zes. Hij zat op zijn bed in het licht van de manen, dat vaag door de wolken viel, in het gezelschap van een heel leger schepsels waarvoor een gewone Ulldarter gillend op de vlucht zou zijn geslagen. Maar Vahidin glimlachte tegen het wezen vlak voor hem, dat een onderdanige buiging maakte.

Aljascha hield haar adem in. Ze kende deze schepsels met hun magere lijf, hun grote kop, hun oogkassen van oplichtend purper en de imposante vleugels op hun rug. *De Modrak! Ze zijn terug*, dacht ze verbaasd. En tegelijk vroeg ze zich af of ze daar blij mee moest zijn.

De Waarnemers, die ooit Sinured hadden gediend en waarvan niemand wist welk doel ze in werkelijkheid nastreefden, waren na de slag bij Taromeel verdwenen. Het verhaal ging dat Tokaro van Kuraschka de amulet waarmee ze konden worden opgeroepen en gecommandeerd in een moeras had gegooid, zodat niemand meer macht over de schepsels zou kunnen krijgen.

En toch zaten ze nu als volgzame honden rond het bed van haar zoon. Blijkbaar had hij die amulet niet nodig.

Het geritsel dat ze hoorde kwam van al die vleugels die langs elkaar wreven. En hoewel de Modrak om hem heen dromden, hielden ze toch eerbiedig afstand. Ze leken bezield door het verlangen om bij hem in de buurt te zijn.

'Kom maar binnen, mama,' zei Vahidin zonder zijn hoofd naar de deur te draaien. 'Ze doen je niets. Het zijn mijn vrienden.' Hij wees op een klompje metaal naast zich op de deken. 'Dit hebben ze als geschenk meegebracht.'

Met een onbehaaglijk gevoel stapte Aljascha de kamer in.

De Modrak maakten ruimte om haar bij het bed van haar zoon te laten en sloten toen weer de kring. 'Heb jij ze geroepen, schat?' vroeg ze, en ze streek hem over zijn zilveren haar voordat ze naast hem kwam zitten. 'Hoe dan?'

'Ik weet het niet,' zei hij peinzend. 'Ik heb van ze gedroomd, en toen ik wakker werd, vlogen ze als vleermuizen voor mijn raam heen en weer.' Hij keek haar vragend aan. 'Had ik ze niet moeten binnenlaten? Ze zeiden dat ze mijn vrienden zijn en dat ze me mooie dingen kunnen brengen.'

Ze glimlachte en gaf hem een kus op zijn haar, terwijl ze probeerde niet naar links of rechts te kijken en zich alleen op haar zoon te concentreren. De Modrak boezemden haar angst in. 'Wees wel voorzichtig. Ik ken ze nog van vroeger. Ze werkten ooit voor je stiefvader en later voor je stiefbroer, totdat ze besloten om daarmee te stoppen.'

'Omdat ze beseften dat die geen van beiden hun beloften zouden houden,' antwoordde Vahidin heel volwassen. 'Dat hebben ze me verteld. En ze zeiden ook dat ik ze op de proef kon stellen om te zien of ze mijn vertrouwen waard zijn.'

Aljascha wilde het onooglijke klompje metaal pakken. 'Dat is zwaar.' Toen ze wat beter keek, herkende ze de karakteristieke flonkering. 'Het is iurdum!'

Niet zomaar iurdum, fluisterde een stem in haar gedachten. *Dit is een van de verdwenen Aldorelische zwaarden.*

Vahidin legde zijn hand in die van Aljascha en knikte haar geruststellend toe. Kennelijk had hij de Modrak die tegen hen sprak ook verstaan.

'Omgesmolten? Hoe is dat mogelijk?' vroeg ze toen ze van haar verbazing bekomen was.

Dat weten we niet. Maar toen Mortva dat gedaan had, zijn we de zwaarden gevolgd. Ze moesten met schepen bij Ulldart vandaan worden gebracht, legde de Modrak uit. Waarschijnlijk sprak ze met het schepsel dat recht voor Vahidin geknield zat en haar van onderaf aankeek. *We zouden de hoge heer ook de andere zwaarden kunnen brengen, want we weten waar ze zijn.*

'Ik heb een opdracht voor ze waarmee ze zich kunnen bewijzen,' stelde Aljascha haar zoon voor. 'Herinner je je nog de bedienden die we in Granburg hadden?' De jongen knikte. 'Die zijn een gevaar voor je, mijn zoon, omdat ze je kennen en weten hoe bijzonder je bent.'

'Kunnen ze me verraden?'

'Jou en mij.' Ze streelde zijn wang. 'De Tzulani zouden hun ook het zwijgen kunnen opleggen, maar je nieuwe vrienden zijn daar veel sneller toe in staat.'

'Wat bedoel je met "het zwijgen opleggen"?'

We hebben het begrepen, zei de Modrak. *Als de hoge heer dat wil, vliegen we naar Granburg om ze op te sporen.*

'Moet je dan niet weten hoe ze eruitzien?' vroeg Aljascha sceptisch.

U hebt een heel goed beeld van hen in uw gedachten, was het antwoord. *Dat is voor ons voldoende om de mensen te vinden.*

'Goed.' Ze dacht na. 'En probeer erachter te komen, voordat je ze doodt, of ze nog met iemand over Vahidin hebben gesproken.'

De eerste schepsels draaiden zich al naar het raam toe, vouwden op de brede vensterbank hun vleugels open en wierpen zich in de wind. Die ving ze op en droeg ze steeds hoger langs de zwarte nachthemel.

We begrijpen wat u bedoelt, moeder van de hoge heer, fluisterden nu talloze stemmen in haar hoofd. *Ze hebben niet lang meer te leven.*

Pas toen de laatste Modrak de kamer had verlaten haalde Aljascha opgelucht adem.

Ze stond op, deed het raam dicht waardoor de wezens als sprinkhanen naar buiten waren gesprongen en draaide zich om naar Vahidin. Met een gelukkige glimlach zag ze dat hij zich al ineen had gerold en in slaap gevallen was.

'Daar ligt hij, de hoge heer,' zei ze peinzend en geroerd. Ze dekte hem voorzichtig toe, zodat hij het niet koud zou krijgen, pakte het klompje iurdum en sloop de kamer uit.

Aljascha was ervan overtuigd dat Lukaschuk daar wel iets mee kon. In haar verbeelding zag ze al een heel nieuwe generatie heilige zwaarden – en deze keer in handen van de juiste partij.

Continent Ulldart, Khòmalîn, Kensustria, late herfst van het jaar 1 Ulldraels (460 n.S.)

De problemen voor Gàn, Tokaro, Estra en Pashtak begonnen al aan de grens. Want dat de priesters en geleerden de macht in Kensustria hadden overgenomen, betekende nog niet dat het land op slag een toonbeeld van gastvrijheid was geworden.

De grenswachten ondervroegen hen uitvoerig over hun bedoelingen en hadden deze merkwaardige reizigers zeker niet laten passeren, als Pashtak niet een paar keer het woord 'Ammtára' had genoemd.

Bij het horen van die naam gleed er een uitdrukking van afschuw over de bronskleurige gezichten van de soldaten, en ze gaven de bezoekers twee geharnaste bewakers mee van wie ze zich tijdens hun reis onder geen voorwaarde mochten losmaken.

Vanaf dat moment verliep de tocht nogal zwijgzaam. Geen van de Ulldarters wilde iets zeggen waar de Kensustrianen bij waren, omdat ze niet wisten hoeveel zij zouden begrijpen. Dat verhinderde de Kensustrianen er niet van om wel met elkaar te praten. 's avonds gaf Estra, die van haar moeder de taal had geleerd, een korte samenvatting van wat ze had opgevangen. Haar half Kensustriaanse achtergrond was nu een groot voordeel.

Hun begeleiders, die Pashtak als 'oppassers' betitelde, brachten hen via binnenwegen naar de priesterraad waarmee de delegatie wilde spreken.

'Ze vertrouwen ons blijkbaar niet,' zei Tokaro op de derde dag van hun route door Kensustria, toen ze in de verte weer een grote stad zagen die ze links lieten liggen.

Voor de jonge ridder was het een opwindende ervaring om door zo'n legendarisch land te reizen waarover zoveel verhalen de ronde deden. Van Estra wist hij dat er een strenge hiërarchie bestond. De kasten van de priesters en geleerden hadden nu de macht; daaronder kwamen de krijgers en de ambachtslieden, die weer boven de boeren en lijfeigenen stonden. Tot enkele maanden geleden hadden de priesters niets te vertellen gehad, maar de geleerden hadden hen in het zadel geholpen. Behalve aan hun kleding waren de leden van de verschillende kasten ook te herkennen aan hun postuur. De krijgers waren duidelijk groter en sterker dan hun landgenoten.

Tokaro rekte zich uit en verhief zich in het zadel van zijn schimmel om een glimp op te vangen van de stad waarvan hij de muren zag schemeren in het warme gele licht. Maar zijn nieuwsgierigheid werd niet bevredigd.

'Ik zie niets,' zei hij teleurgesteld. 'Als ze me thuis vragen wat ik van Kensustria vond, moet ik zeggen dat ik behalve een paar boeren en drie reeën niets bijzonders ben tegengekomen.' Hij nam een snee brood uit zijn proviandzak, at die onder het rijden op en keek naar Pashtak en Estra, die op de bok van de wagen heen en weer werden geschud. Gàn liep nu achter de kar. 'Had Mêrkos, die Kensustriaan, na de slag bij Taromeel niet beloofd dat zijn land zich zou openstellen?'

'Dat is ook zo,' antwoordde Estra kort. 'Vroeger zou je nooit langs de grensposten zijn gekomen – of anders had je het niet overleefd.' Ze luisterde met één oor naar de gesprekken van hun Kensustriaanse oppassers.

Zonder het te weten hadden de bewakers al heel wat verraden, bijvoorbeeld dat ze het niet eens waren met de machtspositie van de priesters. Volgens hen was het een stelletje profiteurs en strebers, die hun opkomst alleen te danken hadden aan de dood van de krijgerkoning en niet aan hun eigen verdiensten. Helaas voor Estra en de anderen spraken ze met geen woord over Ammtára.

'Hoe lang nog?' informeerde Pashtak bij de Kensustriaanse vrouw die voor de wagen liep. Hij was bang dat ze pas na de boodschapper zouden aankomen, zodat hij de ondergang van de stad niet meer zou kunnen voorkomen. 'Kan het niet sneller?'

Ze onderbrak haar gesprek met haar mannelijke collega en wierp hem een norse blik toe. Toen stak ze drie vingers op en wees naar de zonnen.

'Drie dagen?' gromde hij geïrriteerd. 'Nee, dat moet veel sneller, zeg ik! Er staan duizenden levens op het spel.' Als bewijs dat het hem ernst was, sloeg hij met de leidsels om de paarden aan te sporen.

De Kensustrianen vloekten, zo te horen, en sprongen haastig opzij. Toen sprongen ze in de laadbak, net als Gàn, en beduidden Pashtak om het rustiger aan te doen.

Estra schoot in de lach en verborg haastig haar vrolijkheid achter een zogenaamde hoestbui. Het woedende commentaar van de krijgers op Pashtak was niet van humor ontbloot.

Maar de voorzitter van de Vergadering van Getrouwen was niet onder de indruk. 'Ik laat me niet langer ringeloren. We hebben geen tijd meer te verliezen.' Bij het volgende kruispunt stuurde hij de wagen een brede, goed geplaveide weg op en keek over zijn schouder. 'Ammtára!' zei hij een paar keer achter elkaar en koppig liet hij de paarden galopperen.

Tegen de avond bereikten ze Khòmalîn, waar de priesterraad zetelde.

Zodra ze de stad naderden verbaasde het viertal zich al over wat ze aan de schemerige horizon zagen opdoemen. Het bewijs van de superieure technologie van de Kensustrianen werd opnieuw geleverd.

Overal verhieven zich torens, die via bruggen waren verbonden met een vrij zwevend plein op zeker vijftig passen hoogte, waarop nog een gebouw stond, dat boven Khòmalîn leek te drijven als een waterlelie op een vijver.

'Hoe bouw je zoiets?' vroeg Tokaro verwonderd.

'Je kunt beter vragen hoe vaak het is ingestort voordat het eindelijk bleef staan,' gromde Pashtak, die de paarden vaart liet minderen tot een lichte draf. Ze hadden hun haver – of wat paarden in Kensustria ook in hun trog kregen – nu wel verdiend. 'Stel je voor. Binnen één dag zijn we aangekomen waar we moesten zijn. Ze hebben opzettelijk een grote omweg genomen.'

'Het zijn dus niet alleen de priesters die de pest hebben aan onze stad,' zei Estra, terwijl ze de gebouwen bekeek. Haar verbazing nam nog toe, met elke meter die ze verder kwamen.

Dankzij hun oppassers werden ze door de poortwachters zonder probleem doorgelaten. Ze reden onder een reusachtige boog door, hoog boven hun hoofd en minstens twintig passen breed.

Khòmalîn zou wel de 'Stad van de Tempels' worden genoemd. In elk geval had het viertal de indruk dat bijna ieder gebouw aan een andere godheid van het schier eindeloze Kensustriaanse godenrijk was gewijd.

'Je ziet wel dat de Kensustrianen meer dan honderd wezens vereren,' zei Estra vol ontzag.

In de straten en op de pleinen hing een steeds wisselende geur van kruiden en wierook. In de heiligdommen werden de kostbaarste middelen geofferd.

Pashtaks gevoelige neus verzette zich met de ene niesbui na de andere. Nauwelijks was hij bijgekomen, of de volgende diende zich al aan. Anders dan Tokaro en vermoedelijk ook Estra nam hij tussen al die geuren ook een zweem van verbrand vlees waar. Hij weigerde te geloven dat het iets anders kon zijn dan dieren die in de vlammen omkwamen, maar onwillekeurig herinnerde hij zich het duistere verleden van de Verborgen Stad, toen de Tzulani nog mensenoffers hadden gebracht.

'We moeten naar de priesterraad,' zei hij tegen hun begeleiders. Vermoedelijk liep de weg via de torens naar het hoogste punt boven de stad, en inderdaad wees de vrouwelijke krijger eerst naar een toren in de buurt en vervolgens omhoog naar het zwevende gebouw.

Tokaro's aandacht voor de exotische schoonheid van de stad werd afgeleid door enig rumoer bij de stadspoort. Toen hij omkeek, zag hij een Kensustriaanse krijger, die de indruk wekte dat hij een lange reis achter de rug had. Aan zijn lichte wapenrusting kleefde het stof van talloze wegen, en hij zag er moe en uitgeblust uit.

'Pashtak,' maakte hij de voorzitter op de nieuwkomer attent. 'De boodschapper van de belegeringstroepen zou pas een week na ons vertrekken, maar ik ben bang dat hij al is aangekomen.'

Pashtak en de inquisiteur wisselden een haastige blik. 'Dan heb ik een speciale opdracht voor jou,' zei Pashtak meteen, en hij sprong van de bok, gevolgd door de jonge vrouw. 'Bedenk iets om hem tegen te houden, hoe dan ook. Ik moet de raad eerder te spreken krijgen dan hij.' En hij rende naar de toren. De Kensustriaanse volgde hem op de hielen, terwijl de andere oppasser bij de ridder bleef. 'Als je hem maar geen haar krenkt.'

Estra knikte hem toe en stak even haar hand op. In haar bruine ogen meende hij iets van bezorgdheid om hem te lezen, en dat deed hem goed. Hij voelde zich nog altijd erg tot haar aangetrokken, ook al hadden ze onderweg een paar felle discussies gehad. Toen draaide ze zich om en rende achter Pashtak aan.

Tokaro zag dat de boodschapper naar een fontein liep en zich wat water in het gezicht plensde om het stof weg te spoelen. 'Gàn, nu komt het op ons aan,' zei hij zacht, en hij liep recht op de boodschapper af. Aan de voetstappen achter zich hoorde hij dat zowel Gàn als de krijger hem volgde. 'Neem me niet kwalijk,' riep hij de boodschapper al van verre toe, 'maar komt u uit Ammtára?'

De man keek verrast op. Water droop van zijn gezicht en trok donkere strepen over zijn wapenrusting van hout, metaal en leer. Met zijn linkerhand streek hij door zijn lange groene haar, zijn rechterhand legde hij op het gevest van het korte zwaard aan zijn riem.

Tokaro spreidde zijn armen, waardoor zijn eigen harnas zachtjes rinkelde. 'Nee, nee, ik doe u niets,' zei hij bezwerend. 'Ik wilde alleen weten of u de boodschapper bent van het leger bij Ammtára...'

Opeens begreep de Kensustriaan het verband tussen het opduiken van deze buitenlander en het gehate woord dat deze hem toeriep. Hij draaide zich abrupt om en rende naar de dichtstbijzijnde toren.

Tokaro vloekte. 'Hij heeft blijkbaar opdracht om geen tijd te verliezen.' De ridder zette de achtervolging in, maar zijn harnas hinderde hem. Gàn, die naast hem rende, scheen nog genoeg snelheid over te hebben. 'Ga achter hem aan en hou hem tegen,' beval hij de Veelvraat. 'Het gaat om de stad, dus ook om je eigen toekomst.'

'En wat doe ik als ik hem heb ingehaald?'

'Dan hou je hem tegen. Verzin maar wat. Zolang je hem maar niet doodslaat. Ik kom achter je aan!'

De Veelvraat rende ervandoor, zo snel dat hun Kensustriaanse bewaker te laat reageerde. Hij schreeuwde een waarschuwing naar de boodschapper en dook toen voor Tokaro op om hem de weg te versperren, met zijn zwaard al in de hand. 'Blijf staan,' beval hij nerveus. 'En roep je vriend terug, anders zijn jullie er allebei geweest.'

'Het is allemaal een misverstand.' De ridder probeerde de zaak te sussen. 'We willen alleen van hem weten wat er in de tussentijd in Ammtára is gebeurd,' loog hij. Haastig deinsde hij terug toen hij de punt van het zwaard tegen zijn keel voelde.

'Je bent gast in Khòmalîn, en je doet wat ik zeg,' siste de Kensustriaan, en zijn barnsteenkleurige ogen boorden zich in de blauwe van Tokaro. 'Roep je vriend terug. Nú!'

Tokaro zag dat Gàn de boodschapper had ingehaald en hem de toegang tot de toren versperde. De grote muil van de Veelvraat bewoog, maar Tokaro kon niet horen wat hij zei.

De boodschapper aarzelde. De reusachtige buitenlander met al zijn spieren en stekels, zijn onvriendelijke gezicht en de vastberaden wil hem niet te laten passeren deed de gevreesde onverzettelijkheid van de Kensustriaanse krijgers toch wankelen. Misschien zat de lange reis hem nog in de benen. Vermoeidheid en gebrek aan concentratie maakten een vechtpartij te riskant.

Met een klein sneetje zette Tokaro's bewaker zijn dreigement kracht bij. Warm bloed sijpelde uit het wondje. 'Had je me niet verstaan?' De hand van de Kensustriaan klemde zich nog steviger om het gevest van zijn zwaard, alsof hij zich gereedmaakte het wapen door de hals van de jongeman te stoten.

'Laat hem niet door!' schreeuwde Tokaro tegen Gàn, en hij liet zich opzij vallen op het moment dat de krijger toestak.

De punt flitste vlak langs zijn kin en miste hem op een haar. In zijn val trok Tokaro zijn Aldorelische zwaard en pareerde op zijn rug gelegen de volgende aanval van de Kensustriaan.

De zwaarden sloegen rinkelend tegen elkaar en het wapen van zijn tegenstander werd half doorgehakt. Tokaro herinnerde zich Nerestro's beschrijving van het hoge iurdum-gehalte van de Kensustriaanse zwaarden, waardoor ze pas na de tweede slag braken. Gewoon metaal, zelfs staal, zou al zijn bezweken onder de kracht van het Aldorelische zwaard.

Het gevecht waarschuwde de poortwachters. Drie van hen kwamen met getrokken wapens aangerend om hun landgenoot tegen de lastige vreemdeling te helpen.

Tokaro zette zich met zijn hakken schrap en schoof achterwaarts over de grond. Zijn wapenrusting schuurde over de keitjes terwijl zijn tegenstander weer in de aanval ging.

Tokaro zag het zwaard omlaag komen en hield het tegen. Nu sneed het Aldorelische zwaard met een helder en triomfantelijk geluid door het andere wapen heen.

De Kensustriaan liet zich niet van zijn stuk brengen. Hij trok een dolk, schopte Tokaro's zwaard tegen de vlakke kant opzij en boog zich naar voren met zijn dolk.

De reflexen die de ridder in talloze oefengevechten en op het slagveld had aangeleerd om zijn leven te redden namen het van hem over. Sneller dan hij zelf wist maakte zijn zwaardarm gebruik van de schoppende beweging van zijn tegenstander om vanuit een hoek toe te slaan.

Het Aldorelische zwaard kende geen genade.

Het raakte de Kensustriaan tegen zijn rechterschouder, sneed schuin omlaag door het sleutelbeen, de borstkas en de ribben, en kliefde ten slotte de ruggengraat van de krijger, die niet eens meer de tijd kreeg om te schreeuwen. Hij was op slag dood.

Geluidloos zakte hij boven Tokaro in elkaar. Het bloed spoot uit de gapende wonden, stroomde in de naden van zijn wapenrusting, doordrenkte zijn maliënkolder en het gevoerde wambuis daaronder, sproeide over het gezicht van de jongeman en verblindde hem.

Tokaro hoorde dat de poortwachters zich om hem heen verzamelden en in het Kensustriaans overlegden. Iemand schopte hem tegen zijn hoofd, zo hard dat het hem duizelde. Laarzen gingen op zijn polsen staan, zodat hij zijn armen niet meer kon bewegen, en de wachters tilden de dode van hem af.

'Een ongeluk!' brabbelde hij onduidelijk. 'Ik zweer bij Angor dat ik hem niet...'

Na nog een harde trap tegen zijn slaap verloor hij het bewustzijn.

Pashtak en Estra renden intussen de brede trappen op. De bewaakster zat hen nog steeds op de hielen, maar probeerde hen niet tegen te houden.

Hoger en hoger kronkelde de trap zich naar de hemel. Zo nu en dan vingen ze een glimp op van de begane grond, die steeds verder weg kwam te liggen. Na nog een laatste bocht stonden ze hoog boven Khòmalîn.

Pashtak had de inspanning goed doorstaan, Estra ademde snel en drukte haar hand tegen haar zij, de bewaakster leek niet vermoeider dan na een lichte duurloop. 'Doorgaan,' zei hij, en hij liep naar het grote gebouw toe, waar ze even later aankwamen.

Estra keek om, maar kon de boodschapper nergens ontdekken.

'Het is Tokaro gelukt,' meldde ze opgelucht. 'Kan het nu wat langzamer?' vroeg ze smekend. De steken in haar zij benamen haar de adem.

'Dat kan, maar dat doen we niet,' gromde Pashtak terug, en hij rende het gebouw binnen door een grote poort, waarin allerlei Kensustriaanse symbolen waren uitgehouwen.

'Daar was ik al bang voor,' zuchtte de inquisiteur, en ze volgde hem.

Ook hier week hun Kensustriaanse begeleidster niet van hun zijde. Pas bij een grote deur, waar twee wachtposten stonden die niet tot de krijgerkaste behoorden maar wel tot de tanden toe bewapend waren, eindigde haar bevoegdheid. De gekruiste speren maakten duidelijk dat hier niemand naar binnen mocht.

De vrouw sprak met de wachters. 'Dit tweetal wil met de raad spreken. Het gaat om de nalatenschap van Belkala. Ze willen om genade smeken voor hun stad,' vertaalde Estra haar woorden heimelijk voor Pashtak. Ze wachtte op het antwoord. 'De raad vergadert, zegt de wachter. De sterrenwichelaars hebben de leden bijeengeroepen voor een bespreking. Dat kan wel even duren.'

Pashtak hield het niet langer uit en liep op de deur toe. 'Ik moet de raad spreken!' gromde hij. Zijn nekharen kwamen overeind en hij was bereid desnoods met geweld het gebouw binnen te dringen. 'De sterren moeten maar even wachten. Er staan levens op het spel!'

'Hij verstaat onze taal!' zei hun bewaakster verbluft.

'Jij verstaat ons toch ook?' bromde hij tegen haar, terwijl hij dapper voor de twee wachtposten bleef staan. 'Ik vraag u dringend om ons aan te kondigen! De raad moet ons in elk geval aanhoren, voordat de troepen Ammtára innemen en duizenden onschuldige mensen worden verdreven, verminkt of gedood. Ik heb het ook over Kensustriaanse levens!'

De mannen staarden nog eens naar dit vreemde wezen, waarmee ze niets konden beginnen en dat ze ook niet begrepen. Geërgerd richtten ze hun speren op Pashtak.

Estra had lang geaarzeld en met zichzelf geworsteld, maar er hing te veel van deze missie af om aan haar eigen veiligheid te denken. 'Ik smeek u in naam van Lakastra, de god van de zuidenwind en de wetenschap, om ons toe te laten tot de raad,' zei Estra in het Kensustriaans, met een bezieling en overredingskracht die de mannen noch de bewaakster konden weerstaan.

De wachtposten zetten hun speren tegen de wand. Tot Pashtaks stomme verbazing openden ze de deur om hem te laten passeren, samen met Estra.

De vrouw bleef achter. Zij had niets te zoeken bij de raad. Ongelovig en met grote ogen keek ze hen na, voordat de grote deuren zich weer achter hen sloten.

Binnen stonden vier krijgers klaar, die Pashtak en Estra tussen zich in namen en op weg gingen.

Pashtak klopte Estra op haar schouder. 'Heel moedig van je om te laten horen dat je de taal spreekt.'

'Dat zal nog wel gevolgen hebben,' zei ze kalm. 'Ze vragen zich natuurlijk af waar ik dat heb geleerd, en het zal niet lang duren voordat ze begrijpen dat ik de dochter van hun verbannen priesteres moet zijn.' Ze probeerde te glimlachen, maar dat lukte niet echt. 'Mijn moeder heeft de mensen in Ammtára in problemen gebracht, en als ik moet sterven om boete te doen en onze stad te redden, dan zij het zo.'

'Geen sprake van,' gromde Pashtak. 'Ik vind nooit meer zo'n goede inquisiteur als jij.'

Het groepje stapte een hoge ruimte binnen waar zich meer dan driehonderd Kensustriaanse mannen en vrouwen hadden verzameld. Ze droegen verschillende kleding, die echter ook overeenkomsten vertoonde in snit en stof, soms heel eenvoudig, dan weer zo kostbaar en exorbitant dat het zelfs een Palestaan te veel zou zijn geweest.

Pashtak ontdekte ook een paar naakte Kensustrianen, die de symbolen van hun god op hun huid hadden geschilderd of getatoeëerd. Hij vond het niet zo bijzonder, maar bij een mens zou de aanblik van die volmaakte lichamen heel andere gedachten hebben opgeroepen. Dan zou hij waarschijnlijk zijn omgekomen van de paringslucht.

De krijgers brachten hen naar het midden van de zaal, waar een Kensustriaan in een lilakleurige toga hen opwachtte. Zijn gezicht was versierd met diamanten, die vanzelf aan de huid leken te kleven, fonkelend in het licht van de kaarsen en lampen. Een band van zuiver iurdum om zijn voorhoofd hield zijn lange groene haar bijeen. Te oordelen naar zijn gezichtsuitdrukking en de lucht die om hem heen hing was hij niet echt blij met de interruptie. Zijn eerste woorden bevestigden Pashtak in die mening.

'U onderbreekt onze belangrijke vergadering voor iets wat het niet waard is genoemd te worden,' kregen Pashtak en Estra te horen in de algemene handelstaal van Ulldart. 'Ik ben Iunsa. Wij hebben wel andere dingen aan ons hoofd dan die verachtelijke vlek op de kaart van het continent, die een voortdurende belediging voor onze goden vormt. Hij zal worden uitgewist!' Zijn ogen bliksemden. 'Had u nog iets in te brengen?'

Estra en Pashtak maakten een buiging, stelden zich voor en vertelden in het kort wat er in Ammtára was gebeurd. 'En hoewel wij uw woede en vergelding voor de dood van de delegatie riskeerden, zijn wij toch naar Khòmalîn gereisd om u ervan te overtuigen dat zoveel onschuldigen niet gestraft mogen worden voor wat één mens heeft aangericht,' bezwoer Pashtak hem vurig. 'Onze bewoners kunnen het niet helpen dat Belkala, die door u was verstoten, onder de naam Lakastre onze stad op die manier heeft veranderd.'

Estra deed een stap naar voren. 'Ik ben Estra, de dochter van Belkala,' bekende ze. 'Als mijn dood u kan verzoenen, neem dan mijn leven en geef de stad de kans om binnen redelijke tijd haar gezicht aan te passen en een eigen naam te kiezen die geen belediging vormt voor de Kensustriaanse goden.'

'En leg ons alstublieft uit hoe het eigenlijk zit,' voegde Pashtak daaraan toe, terwijl hij Estra's hand pakte en er een kneepje in gaf om haar te steunen. 'Wij mogen toch weten waarom wij ons de haat van de Kensustriaanse priesters op de hals hebben gehaald.'

Iunsa beheerste zich en richtte zijn barnsteenkleurige ogen nu op Estra. 'Heeft Belkala een dochter nagelaten?' Hij wierp een blik over de menigte. 'Dan is het heel moedig van je om naar Khòmalîn te komen en te vertellen wie je moeder is, Estra. Die dapperheid betekent helaas niet dat je nu weer naar je stad kunt terugkeren.' Iunsa nam haar wat scherper op. 'Wees maar niet bang, we willen je niet doden. Maar we moeten wel praten.' Hij zuchtte diep. 'Wat het lot van de delegatie betreft... Jullie zullen de daders opsporen en aan ons uitleveren?'

'Natuurlijk,' stemde Pashtak onmiddellijk toe. 'Dat hebben we Waisûl ook al verzekerd.'

Iunsa kalmeerde zienderogen. 'Je hebt gelijk. Om onze reactie te kunnen begrijpen moeten jullie weten wat ons stoort aan die verschrikkelijke naam.'

'Laat mij het maar uitleggen,' zei een oudere Kensustriaanse vrouw, die naar hen toe was gekomen en die Pashtak enigszins bekend voorkwam. Ze droeg een grijsbruine mantel tot op haar enkels, met een geborduurde linnen stola over haar schouder. 'Ik ben Fioma.' Ze maakte een gebaar naar de priesters om hen heen. 'Dit zijn vertegenwoordigers van de goden die in Kensustria worden vereerd. Zelf ben ik een volgelinge van Lakastra. Het is onder meer mijn plicht ervoor te zorgen dat de leer van mijn god zuiver blijft en niet door valse interpretaties wordt bezoedeld.'

'We hebben al gehoord dat mijn moeder haar eigen versie van die leer had opgesteld,' zei Estra, die haar ogen niet van de Kensustriaanse kon afhouden. De gelijkenis met Belkala was dan ook treffend.

'En juist daarom ging het, toen wij besloten Belkala uit Kensustria te verbannen. We spaarden haar leven, omdat ze ooit hogepriesteres van de god Lakastra was geweest en zijn cultus in Kensustria nieuw leven had ingeblazen. Totdat ze alles in het werk stelde om zijn woorden naar eigen goeddunken te verdraaien.'

'Ik dacht dat iedereen hier zijn eigen geloof kon kiezen?' merkte Estra spits op.

'We hebben er niets op tegen als iemand in ons midden zijn eigen god vereert, zolang hij zich maar aan de wet houdt. Maar als je je bij een bekende godheid zoals Lakastra aansluit, moet je zijn regels respecteren,' zei Fioma geduldig. Haar blik hield Estra gevangen. 'Dat deed jouw moeder niet. Daarom riepen Belkala's eigen leerlingen haar ter verantwoording en verstootten haar uit de kaste toen ze begrepen wat voor veranderingen ze had doorgevoerd. Het werd zelfs nog erger. Pas toen ze Kensustria had verlaten, ontdekten we hoe ernstig haar manipulaties waren geweest. En dus werd ze alsnog ter dood veroordeeld.' Ze zag dat Estra en Pashtak nog niet helemaal van de ernst van Belkala's vergrijpen waren overtuigd, en probeerde het daarom met een gelijkenis. 'Stel dat er een vrouw door Ulldart zou trekken met het verhaal dat Ulldrael de Rechtvaardige pasgeboren baby's wilde laten vermoorden, mensenoffers eiste en van iedere man verlangde dat hij zijn linkeroog uitstak. Hoe zou de Geheime Raad van de Ulldrael-orde dan reageren?'

'Ze zouden haar laten oppakken en veroordelen,' gaf Pashtak toe.

Fioma knikte. 'En als die vrouw een stad zou bouwen waarvan de straten en stegen de symbolen vormden van die gruwelijke, ketterse leer? En die stad de naam gaf van een liederlijke, verdorven geest die juist alles belichaamde wat Ulldrael verafschuwde?'

'Het is wel duidelijk.' Estra begreep dat het zinloos was om tegen de eis van de priesters in te gaan.

'Alles wat wij vragen is dat onze stad meer tijd krijgt,' zei Pashtak. 'We willen graag in vrede leven met Kensustria.' Hij richtte zijn gele ogen op de menigte. 'Geef ons een halfjaar. Dan is er al veel gewonnen. We hebben uitstel nodig!' zei hij dringend.

Fioma en Iunsa wisselden een blik, en Fioma bewoog nauwelijks waarneembaar haar rechterwijsvinger omlaag. 'Eén voorwaarde wil ik nu al stellen. Estra blijft hier zolang wij dat willen.'

'Nee,' gromde Pashtak. 'Zij doet belangrijk werk bij ons. En ze moet de moord op uw delegatie oplossen. Dat kan ze niet vanuit Khòmalîn.'

Iunsa stak hooghartig zijn kin naar voren. 'Zij blijft hier, anders gaat er nog vandaag een bevel naar de troepen bij Ammtára om de stad binnen te vallen,' antwoordde hij onvermurwbaar.

Estra kneep even in Pashtaks klauwhand voordat ze hem losliet en naast Fioma ging staan. 'Pashtak zal de moordenaars wel vinden,' stemde ze toe, met doffe stem.

'Goed. Heel goed,' glimlachte Iunsa tevreden. Pashtak had hem het liefst op zijn zelfvoldane smoel geslagen. 'Dan kunnen we...'

De deuren gingen open en twee wachters kwamen binnen met de vrouw die Estra en Pashtak had begeleid. Met een diepe buiging bleven ze voor Iunsa staan.

'Er is een incident geweest, Iunsa,' zei de bewaakster, en ze wierp de buitenlanders een vijandige blik toe. 'De ridder en het monster hebben Troman gedood en een boodschapper zwaar verwond.'

Estra verbleekte op slag en Pashtak kreunde zachtjes van ellende. 'Dat is mijn schuld. Ik heb hun gezegd dat ze tijd moesten winnen,' verdedigde hij Tokaro en Gàn.

Iunsa zuchtte. 'Dat is onvergeeflijk. Er is Kensustriaans bloed vergoten, dus zullen zij terecht moeten staan.' Hij wees naar de deur. 'Maar eerst iets anders. Pashtak, ga naar buiten en wacht tot wij over jullie stad hebben beraadslaagd. We zullen je laten weten hoe de beslissing is uitgevallen.'

De wachters namen Pashtak mee, en de vrouw sloot de rij. Voordat hij de zaal verliet, keek hij nog over de schouder van de Kensustriaanse naar Estra, die klein en verloren tussen die honderden priesters achterbleef.

Alweer was het anders gelopen dan de bedoeling was.

Continent Ulldart, koninkrijk Tarpol, hoofdstad Ulsar, herfst van het jaar 1 Ulldraels (460 n.S.)

Norina staarde naar de ineengezakte Soscha, boog zich over haar heen en luisterde haastig naar haar hartslag. 'Ik hoor niets meer! Bij Ulldrael, ze is dood!' fluisterde ze, terwijl ze haar man ontzet aankeek. 'Wat heb je gedaan, Lodrik?'

'Ik?' reageerde hij verrast op haar verwijt.

Ze keek naar de soldaten. 'Een cerêler. Snel!' beval ze, voordat ze zich weer omdraaide naar Lodrik. Haar zwarte haar viel half over haar gezicht. 'Jij hebt haar vermoord! Waarom?'

Hij werd woedend omdat ze hem niet geloofde. In elk geval was ze erin geslaagd eindelijk weer een gevoel bij hem op te roepen. 'Ik heb helemaal níéts gedaan!' riep hij uit.

Norina trok haar mantel uit en legde die onder Soscha's hoofd. 'Lieg toch niet!' fluisterde ze bitter. 'Ik hoorde nog dat ze het woord "geesten" fluisterde voordat ze stierf.' Ze richtte zich op en kwam naar hem toe. 'Jij wilt iets verbergen, en dat had zij in de gaten. Was dat het?' vroeg ze heftig, maar zacht. De lijfwachten mochten niet horen waarvan ze haar man beschuldigde.

Lodrik deinsde een paar stappen terug. Hij voelde zich hulpeloos omdat hij niet kon verklaren wat er was gebeurd. En dat uitgerekend zijn eigen vrouw hem van moord verdacht, trof hem diep.

'Nee,' hield hij vol.

Ze kneep haar ogen tot spleetjes. 'Ik geloof je niet, Lodrik. Niet meer. Wie heeft er macht over de zielen van de doden, behalve jij? Ik had gelijk dat ik Soscha hierheen heb laten komen om je aura te onderzoeken. Maar als ik had geweten dat het zo met haar zou aflopen...'

'Wilde je me laten bespionéren?'

'Omdat je verandert, Lodrik. Omdat die necromantie jou verandert. En niet ten goede.' Ze strekte haar arm uit en wees naar de vrouw die op de grond lag. 'Zij herkende je geheim, en daarom heb je haar vermoord. Of niet soms?'

'Norina, ik...'

'*Of niet soms?*' riep ze luid, en ze deed weer een stap naar hem toe.

Lodrik deinsde terug en stapte zonder het te merken op de rand van de krater. Het puin rolde onmiddellijk onder zijn voeten weg en hij viel.

Zijn vingers groeven zich in het losse gesteente, maar hij kon geen houvast vinden. Met grote snelheid, omgeven door een stofwolk, gleed hij naar het gat toe.

Norina zag hoe haar man zijn evenwicht verloor en viel.

Op hetzelfde moment vergat ze alles wat er was gebeurd en al haar beschuldigingen. Ze stak een hand uit om hem te grijpen.

Bijna raakten hun vingers elkaar toen ze van achteren werd vastgegrepen, waardoor ze Lodrik niet meer kon helpen.

Hij verdween over de kraterrand en stortte met de kleine steentjes omlaag in een lawine. Het vuil wierp een wolk van fijn stof omhoog, waarin hij niet meer te zien was.

'Voorzichtig, Kabcara,' hoorde ze Elenja's rauwe stem bij haar oor. 'Als ik u niet had gegrepen, was u achter die ongelukkige lijfwacht aan gegleden.'

Er kwam een eind aan het gekletter van de stenen, de stofwolk sloeg neer en Norina staarde ongelovig naar de donkere, lege krater, in de verwachting dat elk moment Lodriks handschoen weer over de rand zou komen omdat hij op een of andere manier zichzelf had gered. Terwijl ze haar hart voelde bonzen en doodsangsten uitstond, fluisterden verwijtende stemmen in haar hoofd dat het haar schuld was.

'Het was geen lijfwacht,' antwoordde ze hakkelend. 'Het was mijn man.' Norina wist niet wat ze moest doen. Een blik op de gezichten van de soldaten vertelde haar dat niemand durfde af te dalen in dat zwarte gat waarin een verschrikkelijk monster loerde. 'Ga touwen halen,' zei ze, en ze liet zich op haar knieën vallen. De schrik had haar bijna verlamd. Nog altijd voelde ze de magere hand van de Kabcara van Borasgotan op haar schouder. 'Laat maar, Elenja, het gaat wel weer.'

Ze draaide haar hoofd om, keek recht naar de donkere sluier voor het gezicht van de vrouw en probeerde te glimlachen. Maar opeens had ze het gevoel dat het Vintera zelf, de godin van de dood, was die haar ondersteunde.

Elenja, die zich samen met Norina op haar hurken had laten zakken, knikte en kwam weer overeind. Maar daarbij gleed ze uit en leunde op Soscha's lichaam, om niet te vallen. 'Een aanval van duizeligheid,' legde ze uit, voordat ze overeind kwam. 'Veel te veel opwinding voor mij.'

Nu was het Norina's beurt om de vederlichte Elenja te helpen.

'U wilt toch niet in die zwarte diepte afdalen?' vroeg ze Norina op waarschuwende toon.

'De mannen doen het niet. Ze zijn bang voor wat er in die schacht leeft,' antwoordde Norina, die zich nog altijd niet goed voelde. Ze wist haar bevende handen niet tot rust te krijgen.

'Kijk hoe u staat te trillen.' Elenja haalde de mantel weer onder het hoofd van de dode weg en legde hem om Norina's schouders. 'Ik bid tot de goden dat Lodrik Bardri¢ een manier zal vinden om uit die krater te komen. Als je die verhalen over zijn krachten hoort, moet hem dat zeker lukken. Wees niet verdrietig, lieve vriendin.'

Norina keek haar dankbaar aan. 'Ik ben u heel dankbaar dat u me weer moed geeft.' Ze voelde zich ijskoud en ze stond te klappertanden. In die toestand was ze niet in staat om af te dalen of te vechten. 'Ik moet mijn poging maar even uitstellen.'

Twee soldaten kwamen op hen toe rennen en begroetten de vrouwen. 'Wij bieden ons aan om te gaan kijken waar de Kabcar... waar uw man is verdwenen,' verklaarde de kleinste van de twee.

'Daar ben ik heel blij om,' zei Norina opgelucht, en ze vermande zich, hoewel haar hele lichaam schreeuwde om rust. Eerst wilde ze zekerheid over Lodrik.

De lijfwacht van Norina hield de touwen vast toen de twee mannen zich in het gat lieten zakken en na elkaar uit het zicht verdwenen. Alleen aan de strakgespannen touwen was nog te zien dat ze daar hingen, verder leken ze net zo definitief door de duisternis opgeslokt als haar man.

Soscha zweefde boven haar lichaam en volgde hoe Norina vaststelde dat haar hart niet langer klopte. *Ik ben dood!* wist ze nu zeker.

Ze zag hoe haar magische blauwe aura rond haar lijk oplichtte en dunne draden wierp naar haar ziel, om die te vangen en langzaam terug in haar lichaam te trekken. Het leek alsof de magie haar dood niet wilde toestaan.

Steeds dichter naderde ze haar stoffelijke omhulsel, toen de vrouw uit de koets naar de krater kwam en Norina van achteren vastgreep.

Vanuit Soscha's gezichtspunt leek het alsof ze wilde verhinderen dat Lodrik werd gered. En inderdaad gleed hij dankzij haar ingrijpen nu hulpeloos de schacht in. Ze hoorden dus niet bij elkaar.

Zij heeft mij gedood en Bardri¢ in de krater laten storten. Nou ja, hij heeft het verdiend te sterven en ik hoop dat hij flink zal lijden, wie of wat hem ook te pakken heeft. Soscha kon nauwelijks wachten om in haar lichaam terug te komen, terug in het leven, en in de tegenaanval te gaan.

Maar opeens struikelde de onbekende vrouw en viel boven op haar. De magie stelde zich onmiddellijk teweer.

Een zwarte aura stortte zich op Soscha's eigen magie en er ontstond een gevecht. De twee krachten worstelden met elkaar en wervelden als wolken om elkaar heen, waardoor de dunne blauwe draden tussen Soscha's ziel en haar lichaam werden verbroken.

Het was een ongelijke strijd, die al snel beslist werd. De zwarte wolk absorbeerde de andere. Wat overbleef, was een levenloos lichaam, een doodgewoon lijk.

Soscha begreep dat er voor haar geen weg terug meer was. De onbekende had haar van al haar magie beroofd.

De machtige aura die zo was ontstaan, kon zich meten met die van Lodrik Bardri¢. Het was meer een gevoel dan een beeld, omdat zwart nu eenmaal geen schakeringen van licht en donker kent, van fel of zwak. Dat maakte een necromant tot zo'n onberekenbare tegenstander.

'Soscha,' zei een vrouwenstem achter haar. 'Daar ben je dan.'

Geschrokken en nog steeds verward draaide ze zich om en herkende de flakkerende gedaante van een wat oudere vrouw, die wellustig tegen haar grijnsde. Ze droeg een jurk die al tientallen jaren uit de mode was, maar toch maakte ze een heel elegante indruk. 'Een geest!'

'Eindelijk weer een meisje met wie ik me kan bezighouden,' zei ze verheugd.

'Wie bent u?'

'Ik ben Fjodora Turanow, liefje. En van de meesteres heb ik toestemming met jou te spelen. Zodra ze zelf met je klaar is.' Ze zweefde naar Soscha toe en stak haar hand uit. 'Kom mee, klein licht. De meesteres wil je zien. We zullen in de koets op haar wachten.'

Soscha staarde naar de gesluierde vrouw, die haar hoofd optilde en haar scherp aankeek. 'Wie is zij?'

'Als de meesteres vindt dat jij haar naam moet weten, zal ze je die wel zeggen.'

'Laat me met rust!' Soscha zweefde achteruit om aan Turanow te ontkomen. 'Zij heeft me vermoord...'

Turanow lachte. 'Nee, wij hebben je sámen vermoord, liefje, de meesteres en ik. Het was een genot om je zachte huid te beroeren en te voelen hoe je ziel uit je lichaam ontsnapte toen zij je hart liet stilstaan van angst.' Ze zag dat de jonge vrouw wilde vluchten. 'Dat is zinloos, Soscha. De meesteres zal je overal weer vinden. En ik ook. Je bent nu van ons...'

Soscha begreep dat er nog maar één uitweg was. Ze zou de man moeten volgen die ze had verwenst. Zopas nog had ze zijn dood bejubeld, maar nu bad ze tot de goden dat hij nog ergens was. Hij zou wel weten hoe ze kon ontsnappen aan haar situatie als dolende ziel.

Zonder nog naar Turanow te luisteren, wierp ze zich in de donkere krater waardoor Lodrik was verdwenen.

Het wachten viel Norina zwaar.

'Je begint steeds meer te rillen, lieve vriendin,' fluisterde Elenja bezorgd. 'Kom, laten we teruggaan naar het paleis. Dan kun je uitrusten.'

'Eerst wil ik weten wat de soldaten hebben gezien,' antwoordde Norina bibberend. Ze moest oppassen dat ze niet op haar lip beet.

Uit het gat klonk een gesmoorde kreet.

Het volgende moment kwam het rechtertouw slap te hangen. Toen ze het gerafelde, met bloed besmeurde uiteinde over de rand trokken, was wel duidelijk dat de soldaat niet zomaar zijn houvast had verloren.

'Trek die andere man omhoog!' beval Norina onmiddellijk. 'Snel!'

Allemaal hoorden ze het aanhoudende, diepe gegrom vanuit de duisternis, even later gevolgd door de schrille angstkreten van de tweede soldaat. Het touw kronkelde en spande zich als een vislijn met een zware, spartelende vis aan de haak.

'We trekken dat monster naar ons toe!' riep een van de lijfwachten in paniek. 'Laat los! Bij Ulldrael de Rechtvaardige, laat los! Anders sleuren we het Kwaad naar boven.'

'Nee!' beval Norina op scherpe toon. 'Trek die man omhoog. Eerder laat niemand...'

Ze zagen de armen, het bleke hoofd en het bovenlichaam van de moedige soldaat boven de rand verschijnen. Kermend klampte hij zich aan het touw vast, terwijl hij voortdurend over zijn schouder naar beneden keek.

Toen ze hem tot aan zijn bekken uit de krater hadden gesleurd, zagen ze dat zijn benen onder de knieën waren afgebeten. Het bloed spoot uit de stompjes en doordrenkte het puin rondom de schacht.

Ze trokken de soldaat naar vaste grond, waar hij kon worden behandeld door de cerêler die inmiddels was gearriveerd.

De magie stelpte de bloeding, maar de man hield niet op met schreeuwen en wilde het touw niet loslaten. Zijn nagels hadden zich diep in het vlees van zijn handpalmen gegraven.

Een gardist sloeg hem bewusteloos, om een eind te maken aan dat afschuwelijke gekrijs. Voorlopig zouden ze niets van de doodsbange man te horen krijgen.

'Breng hem naar het paleis,' zei Norina. 'Verzorg hem goed en waarschuw me zodra hij is bekomen van het schouwspel dat hij moet hebben gezien.' Droevig staarde ze naar het lichaam van Soscha. 'En haar lijk wordt in Ulsar opgebaard. Niemand mag weten waardoor ze is gestorven,' beval ze haar lijfwacht. 'Officieel is Soscha Zabranskoi het slachtoffer geworden van het monster dat in de krater woont.'

'Kom, lieve vriendin, rij maar in mijn koets mee,' bood Elenja zorgzaam aan. 'Je bent niet in staat om zelf te rijden, neem ik aan.' Ze ondersteunden elkaar toen ze terugliepen door het puinveld.

Norina stapte in de koets, dankbaar dat ze zich niet overeind hoefde te houden in het zadel. Zo gingen ze op weg naar het paleis. Al na de eerste bocht viel Norina uitgeput in slaap.

Ze voelde niet eens dat Elenja haar rechterhandschoen uittrok en met koude, witte spinnenvingers haar gezicht streelde.

Continent Kalisstron, Bardhasdronda, late herfst van het jaar 1 Ulldraels (460 n.S.)

Lorin liet de brief zakken en keek in de gezichten van de aanwezigen, met vooraan Rantsila en Sintjøp, de neef van de gestorven Kalfaffel en de nieuwe burgemeester van Bardhasdronda. In zijn werkkamer waren ze bijeengekomen om het nieuws te bespreken.

Helaas was dat nieuws allesbehalve gunstig. Buiten, onder een donkere hemel, loeide de wind, die een kille regen met zich meebracht. Het weer paste uitstekend bij Lorins stemming.

'Perdór schrijft dat het nog wel even kan duren,' vatte hij het bericht samen. 'Soscha reist eerst naar Ulsar en komt dan zo snel mogelijk naar ons toe.' Hij zocht naar de vermoedelijke datum. 'De koning denkt dat ze in het najaar hier kan zijn.'

Rantsila hapte hoorbaar naar adem. 'Seskahin, het ís al najaar. Late herfst, zelfs. En over een paar weken maken de najaarsstormen alle scheepvaart onmogelijk. Ze kan hooguit in het zuiden van Kalisstron aan land gaan en dan met een slee hiernaartoe komen.'

'Maar ze komt absoluut. Dat heeft Perdór beloofd,' probeerde Lorin de twijfels van de militieleider te bezweren.

Sintjøp, die sterk op zijn oom leek en dezelfde voorliefde koesterde voor tabak, trok een somber gezicht. 'Laten we van het ongunstigste scenario uitgaan. Stel dat ze niet komt om ons te helpen, wat dan? We zitten opgesloten in onze eigen stad, we kunnen de oogst van zoete knollen niet binnenhalen omdat de mensen zich niet op de akkers wagen, en de vis is naar het zuiden getrokken.' Hij stond op. 'Dus moeten we eten kopen bij andere steden en met schepen door het pakijs manoeuvreren. Tenzij we dat schijnbaar onzichtbare wezen, dat als een hongerig roofdier rond onze stad sluipt, nog op tijd weten te doden.'

'Ik kan het nog wel eens proberen,' bood Lorin onmiddellijk aan, maar Sintjøp schudde zijn hoofd. Hij had lang, bruin haar, en zoals alle cerêlers leek hij op een oud kind.

'Nee, Seskahin. Je hoeft je leven niet onnodig op het spel te zetten. Ik heb een ander besluit genomen.' Sintjøp keek aarzelend de kring rond. 'We zullen ons samen verdedigen tegen deze vijand. We halen de oogst binnen onder bescherming van de militie, die de akkers en de mensen bewaakt. Heel Bardhasdronda helpt mee, afgezien van zieken en bejaarden.' Hij stopte zijn pijp met een kruidige melange. 'Dat wezen kan ons niet allemaal tegelijk verslinden, en zodra het zich buiten het bos waagt, rekenen we ermee af.'

'Dan breng je wel een heleboel moeders en kinderen in gevaar,' waarschuwde Rantsila. 'We weten niet waartoe dat schepsel, dat zich uit de steen heeft bevrijd, allemaal in staat is. En misschien zijn er inmiddels nog wel andere uit hun gevangenis of hun ei of wat het dan ook is gekropen.'

'Ik besef het gevaar,' antwoordde Sintjøp ernstig, 'maar heeft iemand een beter idee?'

Lorin schraapte zijn keel. 'Ik zeg het nog één keer: laat mij nou kijken waar het zich heeft verstopt.'

'Heb je nog genoeg magie om jezelf tegen dat schepsel te beschermen?' vroeg Rantsila.

'Dat weet ik niet,' moest Lorin toegeven. 'En ik weet evenmin hoe sterk de tegenstander is.' Hij rechtte zijn rug. 'Maar wie van ons zou het tegen die vijand kunnen opnemen, behalve ik?'

Sintjøp keek hem aan. Hij nam een spaander om de brand in zijn pijp te steken en blies een paar rookwolken uit totdat zijn hoofd schuilging in een blauwe walm. Zo leek hij een jongere uitgave van Kalfaffel. 'Heb je het jezelf nog steeds niet vergeven, Seskahin?'

'Hoe bedoel je?' vroeg Lorin verwonderd.

'Je geeft jezelf de schuld van wat er op die open plek is gebeurd.' Sintjøp wond er geen doekjes om. 'Jij denkt dat je dat monster tot leven hebt gewekt, daarom wil je alles doen om het goed te maken.' Zijn gezicht dook weer op uit de rook. 'Wees maar niet bang, Seskahin. Niemand geeft jou de schuld.'

Lorin glimlachte zuur. 'Ik geef mezélf de schuld, Sintjøp. Dat is nog veel erger.'

'Maar ik laat je niet in je eentje gaan,' herhaalde de cerêler beslist. 'Allemaal samen, of helemaal niemand.' Hij wilde verdergaan, toen er op de gang het geluid van snelle voetstappen klonk. Even later werd er luid geklopt. 'Burgemeester, alstublieft, het is dringend,' riep een heldere stem buiten adem.

'Jarevrån?' Lorin deed open en zag zijn vrouw hijgend op de drempel staan. 'Wat doe jij hier? Was je niet bij de wacht op de zuidtoren ingedeeld?' Hij gaf haar een vluchtige kus op haar wang.

'Ja, daarom ben ik ook hier.' Sintjøp wenkte haar naar binnen. 'Ik heb boordlichten gezien,' meldde ze. 'Een schip dat op weg is naar Bardhasdronda. Mijn vuur werd door de regen gedoofd, en de petroleum kreeg het natte hout niet meer aan het branden, daarom ben ik het klif afgedaald en over het strand hierheen gerend,' verklaarde ze waarom ze geen signaal had gegeven.

'Hoe ver was dat schip nog weg?' Rantsila kwam overeind om zijn troepen te waarschuwen.

'Moeilijk te zeggen, maar niet verder dan een mijl of twee.'

'Ik zei jullie toch dat Soscha Zabranskoi wel zou komen.' Lorin dacht aan de lastige toegang tot de haven van Bardhasdronda, waar een zandbank lag die door de storm nu werd blootgelegd.

'Maak de sloepen gereed voor het geval dat schip aan de grond loopt en we de mensen van boord moeten halen,' zei Sintjøp, die hetzelfde had gedacht als Lorin.

'Ik kan me in de regen hebben vergist,' zei Jarevrån, 'maar ik denk dat het twee schepen waren. De boordlichten lagen te ver uit elkaar voor één schip.'

'Misschien een escorte vanwege de piraten of de Tzulandriërs?' opperde Rantsila, die al naar de deur liep. 'Nou ja, het zou iedereen kunnen zijn.'

'Nee, het is Soscha,' hield Lorin vol, met zoveel overtuiging dat de anderen hem geloofden. 'Laten we maar gaan, dan zullen jullie zien dat ik gelijk heb.'

Nadat ze zich in waterdichte leren kleding hadden gehesen renden ze door het noodweer vanaf de markt naar de haven toe.

Al van verre hoorden ze het doordringende geluid van de gong. De wachters van de voorste toren, die bij iedere hoge golf die tegen de muren brak in een witte fontein van schuim verdween, gaven het signaal dat er een onbekend schip naderde.

Rantsila spoorde zijn militie aan om de sloepen te lanceren voor de redding van de opvarenden, omdat hij er al van uitging dat het schip zou stranden.

Zoals altijd had Lorin bewondering voor de mannen, die niet bang waren om de kolkende zee op te gaan.

De Kalisstroni van de kuststrook hadden een geheime band met de zee. Ze respecteerden het water, en daarom vreesden ze niet voor hun leven als ze uitvoeren bij een zware zee, die zelfs een Rogogarder zou hebben afgeschrikt. Niet dat ze zich veilig voelden, maar ze wisten wel dat ze zich op geen enkele manier de woede van Kalisstra en de eeuwige zee op de hals hadden gehaald.

Lorin had minder vertrouwen in die bulderende, schuimende golven. Hij gaf de voorkeur aan een vriendelijk kabbelende zee.

Toen hij door de regenbuien tuurde, herkende hij in het licht van de snel opeenvolgende bliksemflitsen de omtrekken van een reusachtig schip. 'Bij Kalisstra, wat is dát?'

Rantsila, die nog hielp een boot het woelige water in te duwen, keek op en volgde de verbaasde blik van zijn luitenant. 'Bij de heilige vissen van de Bleke Godin!' riep hij tegen de storm in. 'Wat komt daar nou aan? Dat is veel te groot voor een schip!'

Een gigantische zwarte boeg, voorzien van een stormram, schoof vanaf de donkere zee het zwakke schijnsel van de havenlichten in.

'Het is toch echt een schip.' Lorin hield zijn adem in. 'Maar minstens vier keer zo groot als onze eigen zeilschepen.' Hij telde drie masten, waaraan geen enkel zeil meer hing; ze waren óf gereefd, óf door de storm weggerukt. Maar even later zag hij zijn vergissing. De onbekende bemanning voer met zwarte zeilen!

Boven de loeiende storm en het gebulder van de golven uit klonk het koppige ritme van een stel trommels. Lange riemen staken aan weerskanten van de romp in het opspattende water en dreven het schip voort. Lorin kon zijn ogen niet geloven: het voer dwars over de zandbank, zonder zelfs maar vaart te minderen!

'Wat doen we nu, Rantsila?' riep hij, terwijl de regen in zijn gezicht sloeg.

'Hebben de Tzulandriërs zulke schepen?' brulde de commandant terug.

Lorin schudde zijn hoofd. 'Nee, zoiets heb ik nog nooit gezien.'

'Laten we dan maar afwachten en de katapulten bemannen.'

Lorin ging ervandoor om de mannen bij de sloepen weg te halen. Al die tijd hield hij de driemaster in de gaten, op weg naar de haven, die opeens wel heel erg klein leek.

Pas op het laatste ogenblik liet de kapitein de riemen inhalen, anders waren ze tegen de muur afgebroken. Maar meteen kwamen ze weer tevoorschijn om het schip af te remmen. Pas toen het stillag, zwegen de trommels.

'Wat ter wereld kan het zijn?' De jongeman tuurde langs de onvoorstelbaar hoge romp omhoog en betwijfelde of er ooit een steen of speer door die dikke planken heen zou dringen. Waren het dan toch Tzulandriërs, die een invasie voorbereidden omdat ze uit Ulldart waren verdreven?

Hij schrok toen er gelijktijdig vanaf de boeg en de achtersteven twee grote ankers ratelend werden neergelaten. Met een luide plons verdwenen ze in het water.

Daarna bleef het rustig. Niemand liet zich zien, er gingen geen luiken open en de riemen lagen stil. Alleen de golven beukten tegen de romp alsof ze toegang zochten tot het ruim.

Rantsila dook naast Lorin op. 'Zie jij iets?'

'Het is een dodenschip,' fluisterde een van de soldaten. 'Met de zielen van verdronken zeelui aan boord.'

'Wat heeft het dan hier bij de levenden te zoeken? Hou toch op met die onzin; straks geloof je het zelf nog,' wees Rantsila de man terecht.

Lorin ontdekte een gedaante aan stuurboord. Even later hoorden ze het geluid van een lier en zwaaide de arm van een kraan over de reling, met een platform aan kabels, waarop tien mensen stonden. Ze droegen dikke jassen en capuchons tegen het slechte weer, zodat ze niet te herkennen waren. 'In elk geval zijn ze niet gewapend,' zei hij tegen Rantsila.

Langzaam daalde het platform, heen en weer zwaaiend in de harde wind, voordat het met een klap op de kade landde.

De tien mensen zetten voet op Kalisstronische bodem, keken onderzoekend om zich heen en wachtten blijkbaar tot iemand hen kwam begroeten.

'Laten we ze maar welkom heten,' zei Rantsila tegen Lorin. Samen stapten ze op de nieuwkomers toe, totdat ze door de hinderlijke regen heen wat meer van de zandkleurige gezichten konden zien.

Haren als helmgras en ogen als barnsteen, constateerde Lorin, verbaasd en verheugd tegelijk, omdat er van dit schip geen gevaar te duchten viel voor Bardhasdronda. 'Het zijn Kensustrianen! Ze komen van Ulldart,' fluisterde hij de aanvoerder van de militie geruststellend toe voordat ze bleven staan.

Rantsila knikte tegen de onbekenden, die twee koppen boven hem uitstaken en in hun dikke jassen veel breder leken dan hij. De Kensustrianen beantwoordden de groet. 'De Bleke Godin Kalisstra heeft uw schip de veilige haven van Bardhasdronda binnengeloodst,' zei Rantsila langzaam en duidelijk.

De voorste Kensustriaan liet zijn blik over de loodsen en de gevels van de huizen glijden. 'Ulldart?' vroeg hij hakkelend in de handelstaal van het aangrenzende continent, terwijl hij met zijn vinger naar de grond wees.

Rantsila keek Lorin aan. 'Waarom weet hij niet dat dit Ulldart niet is?' vroeg hij zacht en met enig wantrouwen tegenover de bezoekers. 'Praat jij maar met hem. Hij zal jou beter verstaan.'

Lorin knikte en richtte zich tot de Kensustriaan. 'Ik ben Lorin Seskahin,' stelde hij zich voor, en hij wees op zijn commandant. 'Dit is Rantsila, en u bent op Kalisstron, niet op Ulldart.' Hij zag iets van begrip dagen in de honingkleurige ogen. 'Kalisstron, niet Ulldart,' herhaalde hij voor alle zekerheid, en een beetje verbaasd. 'Wie zoekt u? Waar komt u vandaan?'

'Ulldart,' sprak de Kensustriaan. 'Wij zoeken Ulldart. Wij horen bij...' – hij zocht naar woorden – '... versterkingen.' Hij wees naar het schip. 'Deel van de Zwarte Vloot. De Zwarte Vloot voor Kensustria.'

'Dit hier is de stad Bardhasdronda, op het continent Kalisstron,' legde Lorin nog maar eens uit.

'Veel pech.' Zuchtend haalde de Kensustriaan zijn schouders op. 'Zeker verdwaald.'

VIII

Continent Ulldart, zuidwestkust van Tûris, late herfst van het jaar 1 Ulldraels (460 n.S.)

'Dat is de laatste Tzulandriër.' Puaggi volgde door zijn verrekijker hoe het schip de zeilen hees en koers zette naar het westen. 'Ze zijn iets van plan,' zei hij tegen Torben, zonder de schepen uit het oog te verliezen. 'Ik kan me niet voorstellen dat ze zomaar zonder strijd het veld ruimen – niet na alles wat ik over ze heb gehoord.'

'En niet na alles wat ik de afgelopen jaren van ze heb gezíén, nee.' Torben gaf een schop tegen de reling, een bescheiden manier om zijn woede te luchten, bij gebrek aan een Tzulandriër om zich op af te reageren. 'Dat is ook de reden waarom we ze zullen volgen.' Dat en Varla. Hij zag haar knappe gezicht weer voor zich en voelde de pijn in zijn hart vanwege haar onzekere lot.

Het gesprek van de vorige dag met de Dă'kay bij de overdracht van het geld op het strand had niet veel opgeleverd. 'Wij hebben geen gevangenen gemaakt,' had de Tzulandriër nors herhaald, en niemand had het tegendeel kunnen bewijzen. De waardevolle kisten waren snel met roeiboten overgezet en in het ruim van de schepen geladen. De Dă'kay had iedereen nog een geringschattende blik toegeworpen voordat hij zich omdraaide en aan boord van het laatste schip ging.

Torben zou hem het liefst bij zijn haren hebben gegrepen en hem met zijn gezicht door het zand hebben gesleept totdat hij de waarheid over Varla eruit had gekregen, maar zijn verstand had gezegevierd.

Ik zweer je dat ik ze zal achtervolgen totdat ik weet wat ze met je hebben gedaan, beloofde hij zijn vriendin in gedachten. 'Alle zeilen bijzetten voor een westelijke koers,' beval hij luid. 'We varen een eindje met de vijand mee.' En tegen Puaggi: 'Ga maar naar je schip terug en blijf in mijn kielzog. Ik ken een route door een rif, die ons een dag dichter bij de Tzulandriërs kan brengen.'

De Palestaan bleef roerloos op de boeg staan. 'U wilt in de nacht het achterste schip enteren, of vergis ik me?'

Torben grijnsde. Zijn gouden tanden blikkerden in de herfstzonnen. 'U denkt alweer als een kaper, commodore.' En hij klopte hem op de schouder. 'Dat is het plan, ja. En met jullie snelle schip mag je voor dekking zorgen en mij de andere Tzulandriërs van het lijf houden.'

'Met genoegen, kapitein.' Nu pas borg Puaggi zijn kijker weg en liep naar het hoofddek, waar een valreep naar de waterlijn hing. De boot lag al klaar. 'U zult het niet geloven, maar ik moet u de groeten van de koning van Palestan overbrengen. Probeer zo veel mogelijk schepen tot zinken te brengen, luidt de boodschap, zonder dat het opvalt en zonder dat de Tzulandriërs een goede reden hebben om een nieuwe oorlog te beginnen. Dat zijn zijn woorden.' Als bewijs zocht hij onder zijn jas en haalde een brief uit zijn binnenzak.

'Het wordt steeds mooier,' lachte Torben, en zijn oorringen rinkelden zacht. 'Als het zo doorgaat, zullen Rogogard en Palestan zich nog hun gemeenschappelijke wortels herinneren en een verenigd koninkrijk vormen.' Toen werd hij weer ernstig. 'Heeft zijn verzoek een bepaalde reden?'

Puaggi knikte kort. 'In die hoek van Palestan die ze nog bezet houden hebben de Tzulandriërs geen steen op de andere gelaten. En onze mannen zijn van hun vrouwen en dochters beroofd, die nu ergens' – hij wees over het water naar de Tzulandrische vloot – 'op deze schepen gevangenzitten om te worden verkracht of verkocht.'

Het was voor het eerst dat Torben daarvan hoorde. Toch voelde hij geen leedvermaak dat de Palestanen nu moesten boeten voor hun rol in de afgelopen oorlogen en hun verbond met de Bardri¢s. 'We zullen zien hoeveel we er kunnen redden,' was zijn vage antwoord. 'Misschien zijn de goden met ons en krijgen we het schip te pakken waarop jouw landgenotes zitten.'

'Eén schip? Nee, kapitein. Er zijn meer dan drieduizend meisjes en vrouwen ontvoerd. Zo'n groot schip bestaat niet.' Hij liet zich langs de valreep zakken en werd naar *De Verheffing* gevaren.

De achtervolging begon.

Puaggi en Torben hielden zo veel mogelijk afstand, zodat de uitkijk in het kraaiennest nog net het achterste vijandelijke schip aan de horizon kon onderscheiden. Voorlopig wees niets erop dat de Tzulandriërs de beide achtervolgers in de gaten hadden.

Die avond begon de *Varla* aan de gevaarlijke route door het rif, terwijl *De Verheffing* elke manoeuvre nauwgezet volgde, om exact dezelfde weg te nemen en niet op de scherpe rotsen te lopen.

De wind had het goed voor met de achtervolgers en ging 's nachts niet liggen, zodat ze bij zonsopgang vlak bij het achterste schip van de Tzulandrische vloot moesten opduiken.

Maar het morgenrood had een verrassing in petto voor Torben.

'Geen zeilen, kapitein!' riep de uitkijk naar beneden.

Torben fronste zijn wenkbrauwen. 'Heb je de slaap nog in je ogen? Kijk eens wat beter,' brulde hij terug, terwijl hij zelf ook een verrekijker pakte. 'Weg? Dat kan niet!' Geïrriteerd klom hij het want in tot hij naast de man in het kraaiennest stond en nog hoger over het water kon turen. Maar de zee was zo leeg als een buffet na een bezoekje van Perdór.

'Dat Tzulandrische tuig...' mompelde hij geërgerd en hij daalde weer af naar het dek.

'Hebben ze ons afgeschud?' vroeg zijn bootsman weifelend.

'Nee, dat lukt ze niet. Ze hebben wel snelle schepen, maar wij zijn met volle zeilen door dat rif gevaren. We hadden al voor zonsopgang de achtersteven van hun laatste schip moeten rammen, zo snel ging het. Ze moeten een andere koers hebben genomen.' Met seinvlaggen meldde hij Puaggi het slechte nieuws.

Prompt kreeg hij antwoord. 'Mijn uitkijk heeft een uur geleden een masttop naar het noordoosten zien verdwijnen, twintig mijl van het punt waar we toen lagen,' deelde de Palestaan hem mee. 'Ik dacht dat hij spoken zag.'

Rogogard! ging het door Torben heen, en de angst greep hem bij de keel. In gedachten zag hij zijn vaderland, dat zich net van de bezetting door Sinured begon te herstellen, weer door een vijandelijke troepenmacht bezet.

En nu begreep hij ook de reden voor Varla's ontvoering. Zij kende de verdedigingslinies en vestingen van het Rogogardische eilandenrijk, en als de Tzulandriërs haar die informatie hadden ontfutseld, stond niets hun vijandige plannen nog in de weg. Alles wat de aanvallen van Sinured had weerstaan, zou nu in handen van de Tzulandriërs vallen. Torben vroeg zich ernstig af of het piratenrijk die klap ooit te boven zou komen.

'Erachteraan,' beval Torben ongerust. 'We moeten die vloot inhalen en Rogogard waarschuwen voor een aanval.'

De zeilschepen sneden door de golven en begonnen aan een wedstrijd. Daarin bleek dat *De Verheffing* net iets sneller was en dankzij haar smallere romp het water efficiënter kliefde dan de *Varla*. Daarom besloten ze uiteen te gaan. Puaggi voer Torben voorbij om als eerste alarm te kunnen slaan voor de aanstormende oorlogsvloot.

De Rogogarder besloot in plaats daarvan de Tzulandriërs te volgen en de eilanden te helpen waar de vijand het eerst zou toeslaan. De bombardes van de *Varla* waren sterk genoeg om een schip met één salvo te vernietigen, zolang het niet van die zware Tûritische modellen waren.

Aan de overmacht die hij het hoofd moest bieden dacht hij liever niet. Torben vertrouwde volledig op zijn aangeboren listigheid, het voordeel van de verrassing en de hulp van de goden, die hem al eens eerder hadden geholpen.

Tegen de avond had de uitkijk de masten van *De Verheffing* allang uit het oog verloren. Maar de Tzulandriërs kwamen steeds dichterbij.

De zonnen gingen onder, de sterren namen hun plaatsen aan de hemel in en gaven genoeg licht om de vijandelijke schepen als schaduwen op het water te kunnen zien. Maar de bewolking vanuit het westen verduisterde de manen en sterren steeds meer.

Opeens knalde de boeg van de *Varla* op ronddrijvende wrakstukken. Blijkbaar had de Dă'kay korte metten gemaakt met een Palestaanse handelskogge en niet eens halt gehouden om de lading te bergen. Kisten, balen stof en vaten dobberden op de golven, tussen de lijken van de matrozen. Ze vonden geen overlevenden.

'Ze hebben haast.' Hankson, de bootsman, dook naast hem op met een natte brokaatlap in zijn handen. 'Dit hebben we opgevist. Het was een kostbare lading.'

'Waarom zouden ze zich met dure stoffen bezighouden als ze op mensenjacht zijn?' Inmiddels had hij bedacht wat de Tzulandriërs in Rogogard te zoeken hadden. Als ze uit Palestan slaven hadden meegenomen, vermoedde hij dat er in hun scheepsruimen nog plaats was voor een grotere vracht aan mensen. Anders dan Palestan lag Rogogard nogal afgelegen. De eilanden waren gemakkelijk te overvallen, zeker met de informatie van Varla.

Torben liet zich de zeekaart uit de kapiteinshut brengen en analyseerde de koers bij het schijnsel van een lamp. 'Ze zijn op weg naar Faralt,' vermoedde hij.

Het doelwit was goed gekozen: kleiner dan de andere eilanden, ver genoeg van de kust van Tarpol om niet gezien te worden, en met maar twee vestingen, die ook zonder Varla's hulp door de Tzulandrische bombardeboten konden worden verwoest. De buit bij zo'n eerste aanval op Faralt zou ongeveer vijftienhonderd Rogogarders bedragen.

Torbens blik gleed over de ingetekende eilanden. 'Dat is het. Ze varen de kleine eilanden langs en plukken ze allemaal kaal voordat wij het verzet kunnen organiseren.' Woedend sloeg hij tegen het stuurrad. 'Verdomme, we hadden ze moeten vernietigen in plaats van met ze te onderhandelen!' Zijn grijsgroene ogen tuurden over de donkere, nachtelijke zee naar het punt waar hij de Tzulandriërs vermoedde. 'Hoe konden we denken dat ze zich aan de afspraak zouden houden?'

'Kapitein,' riep de uitkijk, 'we krijgen bezoek!'

De Tzulandriërs hadden de Rogogarder opgemerkt en onmiddellijk drie schepen laten terugzakken om de kaper op te vangen. Beide partijen doofden hun boordlichten om geen makkelijk doelwit te vormen. Er diende zich een ongebruikelijke zeeslag aan, midden in de nacht, zoals Torben op die manier nog nooit had meegemaakt.

'Geen woord!' beval hij. 'Elk geluid kan onze positie verraden.' Hij liet bekers over de lonten zetten om de rode gloed te verbergen. 'Laad de wapens met metaalsplinters en kogels, en richt op de zeilen en masten. We moeten ze vleugellam maken.'

De wolken schoven voor de manen, maar zo nu en dan schenen sterren er vaag tussendoor, zodat de omtrekken van de naderende schepen te herkennen waren. Torben zag dat als een voordeel.

Toen verduisterde een zwarte onweerswolk het laatste restje licht. Het was opeens pikdonker.

'De ene komt van bakboord, de andere van stuurboord, de derde vaart ergens recht voor ons uit,' fluisterde Torben zijn bombardier de laatst bekende posities van de vijand toe. 'Luister naar het klotsen van de kiel en het klapperen van de zeilen. Vuur pas als je helemaal zeker bent, en sluit meteen weer de luiken, zodat de gloeiende kruitresten in de geschutslopen niet te zien zijn.'

Het wachten begon.

Torben stak zijn hoofd over de reling, sloot zijn ogen en luisterde naar het breken van de golven en het fluiten van de wind door zijn eigen zeilen. *Waar zitten ze?*

Aan stuurboord, niet ver bij hen vandaan, was opeens het geluid van krakend hout te horen. Een golf brak tegen een obstakel.

'Stuurboord, vuur!' fluisterde hij, en hij tuurde door de duisternis. Die werd een fractie van een seconde later verscheurd door de explosies en de fel rode en oranje vuurflitsen van de bombardes.

De salvo's verlichtten de naderende Tzulandrische schepen.

In het felle schijnsel waren de geschrokken gezichten van de matrozen goed te zien. Een van hen werd compleet in tweeën gesneden door een lading metaalsplinters. De bloederige resten werden bedolven onder de neerstortende zeilen en ra's.

Binnen enkele ogenblikken was de aanval voorbij. Het vijandelijke zeilschip verdween in het duister alsof het nooit had bestaan.

'Hard stuurboord,' beval Torben, en hij voelde hoe het schip opzij helde toen het aan het roer gehoorzaamde.

Het antwoord op de beschieting kregen de Rogogarders vanaf bakboord.

De bombardes van de tweede Tzulandriër veranderden de nacht heel even in een dag. Kogels scheerden over het dek en sloegen een deel van de opbouw aan splinters. Twee matrozen werden overboord geslingerd, maar meer schade bracht het slecht gerichte salvo dankzij de koerswending van de *Varla* niet toe.

'Niet vuren,' beval Torben onmiddellijk. 'Anders verraden we het derde schip onze positie.'

Het zenuwslopende kat-en-muisspel begon opnieuw.

Torben hoorde het zachte geplons van lichte roeiriemen die hun kant op kwamen. 'Ze hebben sloepen uitgezet,' fluisterde hij tegen zijn bootsman. 'Waarschijnlijk vanaf het schip dat wij zonet hebben afgestopt. Daarmee willen ze een keten vormen om ons sneller te vinden. Wij...'

Aan stuurboord vlamde op enige afstand een lichtje op, gevolgd door een felle zon, die in een steile halve boog langs de donkere hemel klom en op het hoogste punt uiteenspatte. Vloeibaar vuur regende op de zee neer en zette de omgeving van het derde zeilschip in een hel schijnsel.

Ook de *Varla.*

'Verdomme!' vloekte Hankson, die met een angstig voorgevoel naar bakboord stond te turen. 'Ze zitten achter ons. Die tweede Tzulandriër is...'

Zijn woorden gingen verloren in het gedreun van het geschut. De vijand lag nu dichtbij en richtte ook veel beter.

Torben hoorde een gezoem om zich heen als van een zwerm bijen. Houtsplinters vlogen hem om de oren en sneden in zijn armen en zijn gezicht. Een bombardekogel floot zo rakelings langs hem heen dat hij de luchtstroom voelde voordat het projectiel zich midden in het roer boorde en de dharka stuurloos maakte.

Hij liet zich vallen en wachtte met zijn armen over zijn hoofd het einde van de beschieting af voordat hij weer overeind sprong. Het hoofddek lag bezaaid met wrakstukken, lappen zeildoek en levenloze lichamen. Scheepstouwen en kabels hingen als doorgeknipte navelstrengen aan de masten.

'Bombardier, vuren naar eigen goeddunken!' riep hij. 'Neem zoveel Tzulandriërs mee als je te pakken kunt krijgen.'

Hun eigen geschut blafte. Het tweede Tzulandrische schip kreeg een paar voltreffers en explodeerde in een glinsterende vuurbol. Rondspattende vonken hadden de kruitkamer diep in het ruim gevonden en de vijand opgeblazen terwijl hij de overwinning voor het grijpen had. Zo snel konden de kansen keren op volle zee.

'Ik zal jullie laten zien hoe Rogogarders vechten.' Torben lachte luid en wiste het bloed van een wond in zijn voorhoofd uit zijn linkeroog. Het opgeluchte gejubel van zijn mannen gaf hem weer hoop.

Maar het koppige vertrouwen in de goede afloop van het gevecht liep in het flakkerende schijnsel van de brandende Tzulandriër een flinke domper op. Onopgemerkt was een vierde tegenstander, een bombardeboot, naderbij geslopen, die nu achter de *Varla* in stelling lag. De vijandelijke sloepen naderden snel en ook het overgebleven Tzulandrische zeilschip kwam op hen af. De strop begon zich te sluiten.

'Stoppen met vuren!' riep iemand vanuit de sloepen. 'Geef u over!'

Torben merkte dat de dharka stuurloos om zijn eigen as draaide. Het zou niet lang duren voordat ze een niet te missen doelwit zouden vormen voor de bombardeboot en het naderende zeilschip.

'Niet vuren!' beval hij. 'Laat die sloepen maar komen. Als we hun eigen mensen hier aan boord hebben, zullen ze misschien niet meer op ons schieten.' Torben trok zijn sabel en wachtte op de vijandelijke entermacht. 'Iedereen verstopt zich en wacht op mijn bevel. Die schermutseling zal ons de tijd geven die we nodig hebben. Zodra we de twee grote schepen voor de loop hebben, vuren we. Kalisstra zij onze zielen genadig.'

Zijn mensen verborgen zich onder de verspreide wrakstukken, deden zich voor als lijk of trokken flarden zeildoek over zich heen. Zelf dook Torben op het achterdek weg en volgde de gebeurtenissen.

Enterhaken vlogen over het gangboord en beten zich vast, en algauw verschenen de eerste Tzulandrische gezichten boven de reling. De ene vijand na de andere sprong aan dek en keek spiedend om zich heen, voorbereid op een aanval door de overgebleven kapers.

Torben stond op en toonde zich onbevreesd aan de tegenstanders. 'Verdwijn van mijn schip,' riep hij met vaste stem. 'Ik heb jullie niet uitgenodigd.'

Een Tzulandriër met de rang van Magodan keek zijn kant op. 'Hoezo? We konden zelf de weg wel vinden.' Hij stak zijn hand op naar zijn mannen, die zich verspreidden. 'Heel verstandig om je over te geven.'

Torben grijnsde boosaardig. 'Wie zegt dat ik dat doe?' Hij tilde zijn wapen op en sloeg luid tegen het vernielde roer. 'Kom maar op, Magodan.'

Continent Ulldart, koninkrijk Tarpol, hoofdstad Ulsar, late herfst van het jaar 1 Ulldraels (460 n.S.)

Voor Lodrik verdween de wereld in een witte stofwolk die hem aan het hoesten bracht toen hij bliksemsnel naar beneden stortte. Zijn handen en voeten vonden geen houvast tussen de kiezels. Hij gleed over het puin alsof het met olie was ingesmeerd.

Het volgende moment verdween hij over de rand van het gat.

In een vrije val tuimelde hij door de schacht waarin zijn zoon Govan mensen van alle leeftijden omlaag had gesmeten, als een offer aan Tzulan en voedsel voor het schepsel dat daar leefde.

Een warme wind streek langs hem heen. Het rook er naar vochtige aarde en verrotting. Lodrik wist nog hoe de grond zich hier had geopend en de verraderlijke overste van de Ulldrael-orde had opgeslokt. Daarmee waren de offers ooit begonnen.

Opeens werd zijn val gestuit.

Wortels die vanuit de aarde de schacht in groeiden vormden een vlechtwerk dat langs hem heen zwiepte, zijn kleren aan flarden scheurde en zijn val brak, op weg naar de met beenderen bezaaide bodem van de schacht. Een dikke wortel sloeg tegen zijn hoofd, zodat het hem duizelde. Heel even meende hij een reusachtige schaduw te zien voordat hij tegen de grond sloeg.

Lodrik kwam terecht op een berg van rottende knoken en schedels, die zelfs onder zijn geringe gewicht als twijgen braken. Sommige verbrokkelden, andere vlogen met een boog de lucht in. Hij verloor het bewustzijn.

Toen hij weer bijkwam, had hij geen idee hoe lang hij al in die stinkende hoop had gelegen. Vloekend werkte hij zich omhoog en bleef op de wiebelende berg staan. Met een geluid als van dorre takken vielen een paar gebroken botjes van hem af en kletterden tegen de stapel. Zijn hele lijf deed pijn en hij bloedde uit tientallen kleine snijwonden en schrammen, maar dat deerde hem niet.

Gespannen wachtte hij op de aanval van de bewoner van dit hol, dat hij zo ongewild was binnengedrongen.

Ondanks de duisternis stelde hij vast dat hij zich in een reusachtige grot bevond, half gevuld met de stoffelijke resten van duizenden mensen. Aan het einde van de spelonk zag hij een bocht, die in een gang leek uit te komen. Boven zijn hoofd, onbereikbaar ver weg, ontdekte hij een klein lichtpuntje – de opening van de schacht.

'Bardri¢!' hoorde hij zijn naam roepen. 'Eindelijk heb ik je gevonden.'

Lodrik keek op en zag tot zijn verwondering het bleekblauwe licht van een ziel door de schacht naar beneden zweven.

'Wie ben je?' Hij stak zijn hand uit en zond haar een zwijgend bevel om zijn vingers te grijpen voordat hij haar weer toestemming gaf haar weg te vervolgen. 'En waarom ben je me juist hierheen gevolgd?' Een vage gedachte kwam bij hem op. 'Zabranskoi?'

'Ja,' siste de ziel woedend. 'Ik ben Soscha Zabranskoi, en iemand van jouw soort heeft me vermoord!'

Lodrik trok de ziel wat dichter naar zich toe. 'Je vergist je. Ik heb je niets...'

'Ik zeg ook niet dat jij het was!' viel ze hem in de rede, ongewoon bits. 'Het was een vrouw. Ze was in het zwart gekleed en reed in een koets met het wapen van Borasgotan.' De ziel probeerde zich uit Lodriks greep te bevrijden, maar dat lukte niet. 'Ze was een necromante, en ze heeft me vermoord omdat ik haar geheim had ontdekt. Tenminste, dat neem ik aan.'

Hij fronste zijn voorhoofd. 'Dat kan alleen Elenja zijn geweest. Dus de Kabcara van Borasgotan zou een necromante zijn?'

'Een heel machtige necromante zelfs,' voegde ze eraan toe.

'Maar wie op Ulldart beheerst nog de necromantie?' vroeg Lodrik verbaasd. 'Er zijn op dit continent bijna geen mensen meer die zich met de traditionele magie bezighouden.' In gedachten ging hij het lijstje na. Govan was onherroepelijk dood, en een paar dagen na de slag bij Taromeel had hij bericht gekregen over de dood van Zvatochna. Alleen Lorin was nog springlevend, maar hij bevond zich op Kalisstron.

'In elk geval ben je niet meer de enige met zulke gruwelijke gaven, Bardri¢. Hoewel dat geen reden tot blijdschap is.' Soscha draaide zich om. 'En laat me nou eindelijk los!'

'Waarom ben je naar me toe gekomen?' Hij tilde haar dichter voor zijn ogen. 'Je wilt dat ik je help,' begreep hij de reden van haar komst. 'Maar ik kan niets meer voor je doen, Soscha Zabranskoi. Je bent dood.'

'Kun je een ziel niet meer in het lichaam terugbrengen?' vroeg ze hem. 'Ik wil weer leven! Er is nog zoveel te doen, en ik wil afrekenen met de vrouw die mij heeft vermoord.'

'Ja, dat is de reden waarom je ziel hier nog rondzweeft,' verklaarde hij kort. 'Je zint op wraak. Eerder zul je geen rust vinden, Zabranskoi. Maar hoe langer je ziel aan deze zijde blijft, des te moeilijker het voor je wordt.' Lodrik schepte er genoegen in om haar angst aan te jagen met een blik op haar toekomst. 'Je zult helse pijnen lijden en naar verlossing verlangen, zo hevig dat je bereid bent daar alles voor te doen.' Zijn vingers sloten zich om de zwevende lichtkogel en vormden een gevangenis uit gestorven vlees en dode botten. 'Ten slotte zul je me smeken je te vernietigen, zodat er een eind komt aan je kwellingen.'

'Laat me met rust, Bardri¢!' riep ze gepijnigd, en hij liet haar gaan.

'Of we zouden elkaar kunnen helpen,' stelde hij haar voor, op kille toon. 'Als ik jou help om wraak te nemen, kun jij me steunen tegen die necromante. Wie weet, misschien is jouw ziel tot meer in staat dan die van iemand die geen magie bezat. En misschien' – hij glimlachte sluw – 'is het op die manier nog mogelijk je ziel weer in je lichaam terug te brengen.'

Soscha zweefde woedend om hem heen. 'Ik zou je het liefst vermoorden, Bardri¢,' siste ze.

'De goden hebben anders beslist. Mijn oudste zoon is je voor geweest,' zei hij zacht en verbitterd.

Soscha had het verstaan en deinsde terug. 'Dus dát is het! Dat zijn die zwarte slierten in haar aura en de jouwe!' riep ze uit. 'Jullie zijn dood! Elenja en jij, jullie zijn allebei al dood.'

Lodrik ging er niet op in. Opeens kreeg hij een vermoeden. Heimelijk vroeg hij zich af of Zvatochna misschien, net als hij, door haar magie van de dood was gered.

'Vintera wilde je geen rust gunnen, Bardri¢,' concludeerde Soscha voldaan, en ze cirkelde weer om hem heen. 'Zij heeft je ertoe veroordeeld op Ulldart te blijven, zodat iedereen zou kunnen zien...' Ze aarzelde. 'Nee, het was de magie!' zei ze toen. 'Die heeft je van de dood gered en je tot een necromant gemaakt.'

Soscha herinnerde zich dat de magie hetzelfde bij haar had geprobeerd. In gedachten zag ze nog de banden die zich om haar ziel hadden geslingerd om hem terug te trekken in haar lichaam. Bijna was ze zelf een necromante geworden! *De magie staat boven het leven en de dood. Magie kan zelfs de goddelijke wetten trotseren*, dacht Soscha als een wetenschapper. Normaal zou ze die ontdekking onmiddellijk hebben genoteerd. Normaal...

'Het kan me weinig schelen wie er schuld aan heeft,' antwoordde Lodrik, en hij liep naar de rand van de knekelberg. 'We moeten dat monster vinden waaraan Govan zijn mensenoffers bracht, voordat het ons te grazen neemt. Ik heb liever het voordeel van de verrassing aan mijn kant.'

'Vader!' galmde het vanuit de hoogte. Het kleine lichtpuntje boven in de schacht werd geblokkeerd en even later was de oranje vlam van een fakkel te zien.

Lodrik had de stem meteen herkend. Krutor had blijkbaar van het ongeluk gehoord en zich door niemand laten tegenhouden om zelf naar hem op zoek te gaan. 'Alles in orde!' riep hij terug. 'Ik kom straks weer omhoog. Ga jij maar terug!' Hij wilde zijn mismaakte zoon hier vandaan houden.

'Vader! Gaat het goed met je?' riep Krutor blij. 'Ik kom naar beneden om je te helpen tegen het monster. Ik ben sterk genoeg.'

Uit de opening van de gang waar Lodrik en Soscha stonden was een zacht gesis te horen, gevolgd door een rochelend gegrom.

'Er zijn hier geen monsters, Krutor. Dat is maar een sprookje.'

Zand regende omlaag op de skeletten. 'Wel waar!' hield Krutor vol. 'En dat monster zal je doden als ik je niet help.'

'Ga kijken wat er op ons afkomt,' beval Lodrik Soscha's ziel, die gehoorzaam de gang in zweefde om het gevaar te verkennen. Lodriks donkerblauwe ogen staarden naar de knekelberg en er speelde

een lachje om zijn mondhoeken.

Het licht van de fakkel werd feller. 'Ik ben zo bij je, vader!'

Na nog wat gestommel en gekraak landde Krutors grote, brede gestalte op de stapel botten, waar hij tot aan zijn borst in wegzakte. Maar die lugubere ontvangst maakte hem weinig uit. Hij deed een paar stappen en duwde de beenderen gewoon opzij. Hij zag geen bedreiging in de dood.

'Vader!' Verheugd kwam hij naar Lodrik toe en omhelsde hem voorzichtig. 'Je mankeert niets,' stelde hij opgelucht vast, terwijl hij een tweehandig zwaard trok dat hij dankzij zijn enorme kracht gemakkelijk met één arm kon hanteren. Hij droeg een zware wapenrusting. 'Toen ik hoorde wat er was gebeurd en dat niemand je durfde te gaan zoeken, heb ik me meteen in dat gat laten zakken.' Strijdlustig keek hij om zich heen. 'Waar is dat monster van Tzulan?'

Soscha kwam uit de gang terug. *'Het komt eraan!'* zei ze tegen Lodrik. *'En het is erger dan alles wat je je maar kunt voorstellen, Bardriç.'* Krutor kon haar niet zien en haar woorden niet horen. Die gave bezat hij niet.

Lodrik bleef er rustig onder. *'Je onderschat me. Ik heb al te veel gezien, Zabranskoi.'* Tegen Krutor zei hij: 'Klim snel weer naar boven, jongen. Ik kom er zo aan...'

Krutor boog zijn grote hoofd. 'Het komt dichterbij. Ik heb het heus wel gehoord, vader. Zullen we ertegen vechten?'

'Nee,' loog Lodrik. 'We gaan nu naar boven en we gieten de schacht vol met kokende olie.' Hij wees omhoog. 'Klimmen!'

'Jij eerst, vader.'

'Krutor!'

'Jij hebt geen wapen om je te verdedigen,' hield hij stug vol.

Lodrik gaf het op. 'Ik zal je mijn wapen laten zien, Krutor. Doe een stap naar achteren.' Hij sloot zijn ogen, concentreerde zich, dwong de magie hem te gehoorzamen en alles wat allang dood en verrot op de bodem van de schacht lag weer tot leven... ondood leven... te brengen.

Botten hechtten zich met een klik aan elkaar en vormden menselijke skeletten, maar ook nieuwe, griezelige wezens met meer dan één romp, verschillende hoofden en een woud van armen. Hun vergeelde kaken klapperden open en dicht, op zoek naar vlees om hun afgebrokkelde tanden in te zetten.

'Het lijken wel notenkrakers,' zei Krutor zacht. Hij was naar de wand teruggeweken en staarde bij het licht van de fakkel naar het leger dat Lodrik met zijn onheilspellende krachten op de been had gebracht.

'Maar jij bent er niet bang voor, jongen?'

'Nee. Ze gehoorzamen toch aan jou?' antwoordde Krutor, maar hij klonk niet overtuigd. Hij was te trots om toe te geven dat hij toch even was geschrokken van die griezelige krijgers.

Als een zwerm insecten stroomden ze, bestuurd door Lodriks wil, de gang in, op zoek naar de vijand die hun meester had aangewezen. Even later hoorden ze een dof gebrul. De skeletten en het monster waren op elkaar gestuit.

Lodrik concentreerde zich opnieuw, en in de schacht vormden de beenderen een serie treden, steeds hoger en hoger, als een wenteltrap waarlangs hun meester rustig naar boven kon lopen.

'Kom, Krutor, we gaan,' zei Lodrik. Hij pakte zijn zoon bij de mouw en trok hem bij de gang met het monster vandaan.

'Hij maait je knechten opzij, Bardri¢,' zei Soscha met grote voldoening. *'Ze worden tussen zijn tanden vermalen. Maar bij elke machteloze klap die hij na al die eeuwen te verduren krijgt, neemt zijn woede nog toe. Hij is de pijn niet meer gewend.'*

Lodrik duwde zijn zoon haastig de eerste tree op. 'Vooruit, opschieten.'

Weer trok Krutor met zijn koppigheid een streep door de rekening. 'Jij eerst, vader.' Nu wachtte hij niet, maar tilde zijn vader met twee handen voorzichtig van de grond en zette hem op de benen traptree. 'Ga maar. Ik...'

Achter hen klonk een soort zweepslag, een lange, zwarte staart schoot uit de gang tevoorschijn en sloeg de onderkant van de skelettrap aan stukken. De constructie begon te wankelen en bij de volgende aanval stortte de hele trap in. Vader en zoon werden onder een regen van botten bedolven.

'Daar is hij!' riep Soscha opgewonden. *'Bardri¢, daar is hij!'*

Lodrik lag tussen de beenderen bekneld en hoorde de strijdkreet van zijn zoon, gevolgd door het gesis van het monster en het gerinkel van een zwaard dat in tweeën brak. Krutor stiet een gebrul uit.

Laat me los, beval Lodrik de botten, en ze gehoorzaamden. *Val het monster aan.*

Hij kwam overeind en staarde als verstijfd naar het schepsel, zo groot als een dwangburcht, dat uit de gang tevoorschijn kwam.

In een van zijn vele klauwen hield het Krutor geklemd, die bloedde uit een diepe schouderwond.

Continent Ulldart, Kensustria, Khòmalîn, late herfst van het jaar 1 Ulldraels (460 n.S.)

Tokaro keek hoe het licht van de zonnen in smalle gouden banen door het kleine venster van zijn cel viel en langzaam over de vloer kroop. Hij zat op zijn brits, enkel in zijn maliënkolder, nadat hij zijn met bloed besmeurde wapenrusting had uitgetrokken om wat lucht te krijgen. Alleen Angor wist hoe lang de Groenharen hem nog wilden vasthouden.

Hij stond op, pakte de kan met water en scheurde een stuk van het grove laken af om het bloed van de Kensustriaan van zijn harnas te wassen. Nog erger dan de onzekerheid over zijn eigen toekomst was dat hij niet wist of de reis naar Khòmalîn iets had opgeleverd of dat dit incident de ondergang van Ammtára juist had bezegeld.

De vochtige doek in zijn rechterhand gleed over de gegraveerde symbolen in het harnas. 'Angor, ik smeek u om het leven van de anderen te sparen en alleen mij ter verantwoording te roepen,' zei hij hardop.

De grendels werden weggeschoven, zijn celdeur ging open en Pashtak kwam binnen met een mand met eten in zijn linkerhand. 'Blij je te zien,' begroette hij de ridder, en hij stak hem zijn hand toe, die Tokaro opgelucht schudde.

'Kom je om mijn cel te delen, of breng je me mijn galgenmaal?'

'Geen van beide, Tokaro. Gàn en ik kunnen Khòmalîn in alle vrijheid verlaten om terug te reizen naar Ammtára, dat binnenkort een andere naam zal krijgen.' Haastig vatte hij de ontmoeting met de priesterraad samen. 'Na de bespreking hebben ze besloten ons tot de jaarwisseling de tijd te geven om de stad te verbouwen en de naam te veranderen. Ik heb het vandaag van een bode gehoord.'

'Dan zou mijn dood niet voor niets zijn,' zei Tokaro, deels opgelucht, deels bedroefd.

Pashtak bromde. 'Wees gerust, jij hoeft nog niet voor Angor te verschijnen. Maar je hebt wel een lange beproeving voor je. Je hebt Kensustriaans krijgersbloed vergoten, en de familie van het slachtoffer mag een straf voor je bedenken. Die familie woont in het zuidoosten, dus het kan even duren voordat ze op de hoogte zijn gebracht en met een antwoord komen.'

'Waarom word ik niet ter plekke terechtgesteld wegens moord?' Hij haalde het brood uit de mand, met iets wat op ham leek, en nam een hap. 'Niet dat ik daarom vraag, maar ik ben gewoon nieuwsgierig.'

'Omdat het geen moord was. Dat hebben de poortwachters verklaard,' legde Pashtak uit. 'Als je een Kensustriaan was geweest, zou je zelfs zijn vrijgekomen. Maar voor buitenlanders gelden andere wetten. Zelfs als het een vorm van noodweer was, heeft de familie recht op vergelding.' Hij stapte bij de goot in de vloer vandaan, die hem te veel naar bloed rook. 'In het ergste geval zul je een duel moeten uitvechten met een vriend van de gedode krijger. In het gunstigste geval kom je ervan af met smartengeld en een publieke spijtbetuiging.'

Tokaro begreep het. 'Maar zolang die familie zich niet heeft gemeld, blijf ik hier.' Hij voelde zich toch wat geruster door dit nieuws. 'Ik hoop dat de familie van die krijger snel reageert, voordat ik een zure oude man ben geworden.' Het viel hem op dat Pashtak niets over Estra had gezegd, dus vroeg hij naar haar.

'Zij moet ook blijven,' antwoordde hij kalm. 'Ze heeft bekend dat ze Belkala's dochter is, en nu wil de priesterraad zich met haar onderhouden.'

'Zich met haar "onderhouden"?' herhaalde de ridder. 'Wat betekent dat? Ze is de dochter van een paria, die blijkbaar de grootste zonde heeft begaan die je als lid van de priesterkaste kunt plegen.' Opeens maakte hij zich grote zorgen. Hij schoof zijn eten opzij. 'Is ze hier wel veilig, Pashtak?'

'Ze hebben me bezworen dat haar leven geen gevaar loopt,' antwoordde hij. Aan Pashtaks duistere gebrom hoorde Tokaro dat het de leider van Ammtára ook niet beviel zijn inquisiteur in Khòmalîn achter te laten. 'Maar ik heb geen idee wat ze van haar willen.'

'Je moet haar meenemen, hoe dan ook,' drong Tokaro aan.

'Dat gaat niet. Wie weet hoe de priesters op zo'n eis zouden reageren. Straks geven ze hun troepen nog bevel onze stad aan te vallen,' gromde hij, en hij sloeg zijn gele ogen neer. De rode pupillen staarden naar een punt op de vloer, om de blik van de ridder te ontwijken. 'Ze wist zelf wat de gevolgen zouden zijn toen ze de naam van haar moeder onthulde.'

'Je laat haar in de steek,' stelde Tokaro woedend vast.

'Nee. Ze heeft gekozen voor de toekomst van haar stad,' hield Pashtak koppig vol, en eindelijk keek hij Tokaro aan. Hij voelde zich geprovoceerd, en zijn wilde inborst als moerasmonster verzette zich tegen die onterechte beschuldiging. 'Je moet accepteren wat ze heeft gedaan, hoeveel pijn het je ook doet. Ik vind het net zo erg als jij.' Hij ving een geur op die de reactie van de jonge ridder verklaarde. 'Door je liefde voor haar verlies je de redelijkheid uit het oog, Tokaro. Dat kan ik begrijpen.' Hij stond op en legde zijn hand op de schouder van de jongeman. 'Ik krijg bericht zodra ze weten hoe het met jullie tweeën verdergaat. Ik probeer te regelen dat Estra en jij elkaar mogen zien.' Hij glimlachte, wat met zijn imposante gebit eerder dreigend dan vriendelijk overkwam, maar de ridder wist hoe het bedoeld was.

'Dank je,' zei hij, een stuk rustiger nu, en hij zwaaide toen Pashtak naar de deur liep en zich nog eens omdraaide. 'Nog één ding,' riep hij hem na. 'Zeg tegen Gàn dat hij zeker een goede dienaar van Angor kan worden. En schrijf Kaleíman van Attabo een brief om hem mijn waardering voor Gàn over te brengen.'

Pashtak snorde. 'Hij zal blij zijn het te horen.'

De deur viel met een klap dicht en de grendels schoven op hun plaats. Vluchten was uitgesloten.

Maar Tokaro wilde ook niet vluchten, zelfs als de deur wagenwijd open zou hebben gestaan. Niet zolang het antwoord van de familie nog niet binnen was en Estra nog in Kensustria zat. Hij zou het land niet eerder verlaten dan zij, bezwoer hij.

Voor het eerst wist hij nu zeker dat hij diepere gevoelens voor haar koesterde, en hij vroeg zich heimelijk af of dat wederzijds was. En hoe het zou aflopen. Het voorbeeld van Nerestro en Belkala gaf weinig hoop.

Continent Kalisstron, Bardhasdronda, late herfst van het jaar 1 Ulldraels (460 n.S.)

Toegegeven, het zag er nogal merkwaardig uit.

Aan de ene kant van de grote, gedekte tafel in de feestzaal van de stad zaten de tien Kensustrianen, aan de andere kant stonden Lorin, de burgemeester, Rantsila en nog minstens vierhonderd bewoners die als toeschouwers de eerste bijeenkomst tussen de vertegenwoordigers van deze twee continenten niet wilden missen.

Iedere beweging van de vreemdelingen werd door de burgers van Bardhasdronda met grote ogen en gefluisterd commentaar gevolgd. De Kalisstri leken hun aangeboren en vereiste ingetogenheid bijna vergeten. De gasten waren gewoon té interessant.

'Zit er niets bij wat u smaakt?' informeerde Lorin beleefd.

De Kensustrianen wierpen een kritische blik op de aangeboden heerlijkheden. Geen van hen had nog iets gekozen uit alle gerechten die in grote haast, maar ook met grote zorg waren klaargemaakt.

'We kennen dit niet,' antwoordde Simar – zoals hij bleek te heten – zo beleefd mogelijk. 'We zijn geen vreemd eten gewend. En niet...' Hulpeloos wees hij op de dampende schotels en schalen.

'We moeten ze niet zo aanstaren. En ik heb honger,' verklaarde de burgemeester, en onverschrokken nam hij de stoel tegenover Simar. 'Kom, dames en heren,' maande hij de anderen. 'Ga zitten en geniet van het eten, voordat het koud wordt.'

Aarzelend volgden de raadsleden zijn voorbeeld. Achter hen werden hun plaatsen onmiddellijk opgevuld. Lorin had iedereen verzekerd dat de Kensustrianen ondanks hun vreemde uiterlijk geen gevaar vormden. Toch vertrouwden de Kalisstri deze mensen met hun groene haar, hun barnsteenkleurige ogen en hun gebronsde, zandgele huid niet helemaal – áls het al mensen waren.

'Wilt u misschien liever in de keuken kijken of er iets van uw gading bij is?' opperde Lorin, en hij wenkte een dienster.

Simar knikte en gaf een van de Kensustrianen een teken haar te volgen. 'Dank u.' Hij schonk zich een glas water in. 'Het was noodweer,' probeerde hij hakkelend een gesprek te beginnen. 'We waren onze kaarten kwijt; we moesten vertrouwen op de zee en de sterren. Maar alles is hier anders dan bij ons, daarom zijn we verdwaald. Geen Ulldart, geen Kensustria.'

Lorin zag dat Sintjøp naar de duidelijk zichtbare hoektanden van de Kensustriaan zat te staren. Uit het zachte gemompel achter hem leidde hij af dat de andere burgers het krachtige gebit ook al hadden opgemerkt.

'U bent wel ver uit de koers geraakt, Simar,' zei Fatja, die opeens naast Lorin opdook.

'Ja, heel ver,' zuchtte hij. 'Dat wordt een lange omweg.' Hij keek Lorin aan. 'Hebt u een kaart voor ons?'

'Natuurlijk hebben we die...' begon hij, maar Fatja viel hem met een charmant lachje in de rede.

'... of anders laten we er een tekenen, Simar. Wij zijn geen zeelui, maar kustvaarders,' legde ze uit, nog steeds stralend. 'Begrijpt u? Maar het kan even duren om zo'n kaart te tekenen.'

'Ja, ja,' knikte de Kensustriaan begrijpend. 'Desnoods vertrekken we zonder kaart.'

Fatja trok Lorin mee en liet het moeizame gesprek verder aan burgemeester Sintjøp over. 'Let nou op, broertje,' fluisterde ze, nog altijd met die lach op haar gezicht zolang de Kensustrianen haar konden zien. Pas toen ze achter een paar toeschouwers waren verdwenen, liet ze haar glimlach vallen als een masker. Opeens keek ze bezorgd.

'Wat is er, Fatja?' vroeg hij verbaasd.

'Er deugt iets niet aan dit stel.'

‘Hoezo? Ik begrijp je niet. Het zijn Kensustrianen...’

Ze tilde een hand op en wees tussen een paar mensen door naar de tafel met de vreemdelingen. ‘Kijk nog eens goed en vertel me wat je ziet.’

‘Ben je in de war?’ Lorin had genoeg van dit geheimzinnige gedoe. ‘Heb je soms een visioen gehad, Fatja?’ Maar hij deed wat ze zei en keek nog eens naar de vreemde krijgers. ‘Ze zijn groot, ze dragen wapens, kleren en een wapenrusting,’ somde hij onwillig op.

‘Nee, broertje, je ziet alleen wat je wílt zien.’ Fatja’s stem klonk beheerst en ongerust tegelijk. ‘Dat zijn niet dezelfde wapenrustingen die ik van de Kensustrianen op Ulldart ken of zoals Matuc ze altijd heeft beschreven. Er zit veel meer metaal in verwerkt en hun zwaarden zijn krommer.’

‘Wat maakt het uit? Een andere mode, misschien. Bij onze militie draagt ook niet iedereen hetzelfde.’

‘Lorin, open je ogen en denk na,’ drong ze aan. ‘Je herinnert je toch dat er een machtswisseling was in Kensustria? Deze mannen behoren tot de krijgerkaste, maar waar is de priester of de geleerde die het bevel zou moeten hebben? Waar zit hij, aan die tafel?’

‘Dat is waar. Er was een machtswisseling in *Kensustria*!’ hield hij koppig vol. ‘Fatja, deze Kensustrianen komen uit hun thuisland om de Kensustrianen iets te brengen – wat dan ook – zoals ze dat al eeuwen hebben gedaan.’ Hij keek haar onderzoekend aan. ‘Jij hebt me die legende over de Zwarte Vloot zelf verteld.’

‘Begrijp je het dan niet?’ Fatja zuchtte nijdig. ‘De Zwarte Vloot kwam altijd uit het zuiden. Als het schip dat nu in onze haven ligt, uit het zuiden komt, moet het wel de slechtste kapitein aller tijden hebben. Zo ver kan niemand uit de koers raken!’

Arnarvaten stapte naar hen toe. Hij kwam van buiten; zijn jas was kletsnat van de regen en zijn zwarte haar plakte tegen zijn hoofd. ‘Ik heb het gecontroleerd, zoals je had gevraagd. Geen mosselen en geen zeepokken tegen de romp,’ fluisterde hij buiten adem.

Fatja keek Lorin triomfantelijk aan. ‘Zoals ik al zei, broertje: ze komen dus niet uit het zuiden. Anders hadden er mosselen aan de romp gekleefd.’

Nu aarzelde Lorin toch. ‘Simar spreekt onze taal niet goed. Misschien bedoelde hij wel heel iets anders.’

Ze kneep haar ogen tot spleetjes. 'Nou heb ik er genoeg van! Waarom probeer je ze voortdurend in bescherming te nemen?'

Hij wilde net iets terugzeggen toen de Kensustriaan en de dienster weer uit de keuken kwamen met een grote schaal.

Het vlees dat erop lag, droop van het bloed.

Het kon maar kort gebraden zijn, maar blijkbaar was dat de bedoeling. De gasten vielen er meteen op aan. De vis aten ze zelfs volkomen rauw, wat bij veel Kalisstri een goede indruk maakte.

'En wat dacht je daarvan?' siste Fatja. 'Je bent bij het feest geweest na de slag bij Taromeel. Heb je ook maar één Kensustriaan rauw vlees zien eten?'

'Nee,' beaamde hij afwezig, terwijl hij keek hoe Simar het donkerrode bloed met een zwierig gebaar uit zijn mondhoeken veegde voordat hij het gesprek met de burgemeester voortzette.

'Matuc kende een Kensustriaanse die wel rauw vlees at,' hoorde hij Fatja's onheilspellende stem.

De deur vloog open en een opgewonden soldaat van de militie stormde naar binnen en verstoorde de maaltijd. 'Rantsila, we hebben iets gezien! Het sluipt om de stad heen en' – hij hapte naar adem – 'het schijnsel op de open plek is terug!'

Lorin vloekte. Haastig liep hij naar de tafel terug omdat hij zag dat de Kensustrianen, die het niet begrepen, hun handen op het gevest van hun zwaard legden, klaar om zich te verdedigen. 'Nee, Simar, het gaat niet om jullie,' stelde hij de vreemdelingen gerust.

'Een schijnsel?' vroeg Simar. 'Blauw?'

'Het is... wilde magie. Daar hebben we problemen mee,' gaf hij toe, en in een opwelling besloot hij de gasten vanaf de stadsmuren het teken van de stenen te laten zien. 'Kom, dan zal ik het uitleggen.'

Het gezelschap ging uiteen. De bewoners verdwenen naar huis en wachtten achter hun veilige deuren totdat de omroeper met berichten kwam.

De Kensustrianen liepen achter Lorin aan door de straten van Bardhasdronda. Bij de poort klommen ze naar de weergang voor een beter uitzicht.

Als verklaring wees de jongeman door de regen naar de duistere vlek van het bos. Vanuit het midden priemde een blauw licht recht omhoog naar het laaghangende wolkendek, alsof het er nog meer water uit wilde halen.

'Blauw licht.' Gespannen keek hij naar Simars gezicht, waarin hij iets dierlijks ontdekte dat hij bij de Kensustrianen van Ulldart nooit had gezien. Of liet hij zich nu beïnvloeden door Fatja's woorden?

Tot Lorins verrassing bleef Simar de rust zelf. Hij draaide zich om naar een van zijn kameraden en zei iets in zijn eigen taal, waarop de ander knikte en uitvoerig antwoord gaf. 'U hebt daar een' – hij zocht naar de juiste uitdrukking – 'een worp.'

'Een worp?' herhaalde Lorin.

'Een worp. In het bos. Het zijn qwor.' Hij trok zijn mes, bukte zich en kraste een tekening in de planken van de weergang. 'Hebt u sporen gevonden? Zoiets?' Hij wees met zijn mes op de lijnen, die Lorin erg bekend voorkwamen.

'Ja,' beaamde hij verbluft. Ze kwamen ongeveer overeen met de afdrukken die hij op de open plek gezien had. 'Maar dan groter,' voegde hij eraan toe, wijzend op zijn onderarm. 'Zo lang.'

'Zo lang?' Nu was Simar toch onder de indruk. 'Niet zo best voor Bardhasdronda.' Hij richtte zich op en keek over de muur. 'Hoe groot is de worp? En hoe oud?'

'Wat bedoelt hij met "worp"?' mompelde Rantsila, die ook de trap op was gekomen en nu naast hen stond. 'Een nest, misschien? Die stenen lijken inderdaad op eieren.'

'Negen,' zei Lorin, en hij stak het juiste aantal vingers op. 'Geen idee hoe oud. Heel oud, dat wel.'

'Niet alleen slecht voor de stad,' herstelde de Kensustriaan ernstig, 'maar voor de hele omgeving. Veel doden. Straks nog meer worpen en nog meer doden.'

Lorin verwenste het feit dat hij geen Kensustriaans sprak en de vreemdelingen geen goed Ulldarts of Kalisstronisch spraken. In elk geval wisten ze waar hij en de militie mee te maken hadden. Het zou nog beter zijn geweest als ze het gevaar hadden kunnen benoemen.

'Wat is het dan?' probeerde hij, zonder zich er iets van aan te trekken dat hij kletsnat werd en het water in zijn laarzen liep.

'Lastig, in een andere taal,' verontschuldigde Simar zich. 'Maar we zullen u helpen.' Hij liet een veelzeggende stilte vallen. 'Uw zeekaart?'

Als die vraag niet was gekomen, zou Lorins wantrouwen tegenover de Kensustrianen na de woorden van zijn grote zus weer zijn verdwenen. Dan had hij er geen aandacht meer aan besteed.

'O, die zeekaart kunt u wel krijgen,' zei Rantsila opgelucht, voordat Lorin had kunnen antwoorden.

'We willen u niet dwingen,' zei Simar met een glimlach, en hij ontblootte zijn krachtige hoektanden. 'We vragen alleen te helpen.' Met zijn barnsteenkleurige ogen tuurde hij naar het oplichtende kreupelhout langs de weg. 'Daar zijn qwor. We zullen ze voor u doden.' Hij draaide zich om naar Rantsila. 'Uw magie? Iemand van u?'

Weer was Lorin te laat. De aanvoerder van de militie schudde al zijn hoofd. 'Nee, dan moet u niet bij mij zijn. Alleen Seskahin heeft magie.'

Lorin hief bezwerend zijn handen. 'Hij overdrijft. Het grootste deel ben ik al verloren.'

'Verloren?' De Kensustriaan lachte verwonderd. 'Ander continent, andere gewoonten.' Hij daalde de trappen af en wenkte Lorin om hem en zijn mensen te volgen. Tot ontzetting van de militie schoven ze de grendels van de stadspoort open.

'Gaan liggen,' zei Simar tegen Lorin. 'Dood houden. En uw magie gereedhouden. Verzamelen...' Weer zocht hij naar woorden. 'Gaan liggen,' herhaalde hij maar weer, terwijl hij zich naast de poort opstelde. Hij trok zijn wapen en bracht zijn hand omhoog.

Lorin aarzelde. Het was één ding om zijn leven toe te vertrouwen aan een goede vriend als Waljakov of Rantsila. Maar het leek nogal een waagstuk om zich uit te leveren aan een onbekende Kensustriaan, die hij dankzij zijn grote zuster niet meer echt vertrouwde.

Toch deed hij dat.

De grond was nat en koud. Lang zou hij dit niet uithouden. De Kensustrianen openden de zware deuren en nodigden het onzichtbare gevaar uit om Lorin te grijpen.

Een van de vreemdelingen slenterde naar buiten, stapte na een paar passen van de weg af en deed alsof hij naar bessen zocht. Luidruchtig wrong hij zich door het struikgewas, terwijl hij een liedje zong en steeds verder bukte om de vruchtjes te plukken.

Zonder aanwijsbare reden dook hij tussen de takken weg en verdween voor Lorins ogen, totdat hij luid roepend weer terug kwam rennen. Duidelijk hoorde Lorin het geritsel in het kreupelhout, dat van zijn achtervolger afkomstig moest zijn. Het naderde snel, maar behalve een groot, vaag silhouet kon Lorin niets onderscheiden.

De Kensustriaan stormde hem voorbij, wierp hem een bemoedigende blik toe en sloeg af naar een zijweg, terwijl de schim – zo groot als een paard – met een geweldige sprong uit het struikgewas kwam en zich plat tegen de grond drukte als een roofdier op jacht.

Voor het eerst zag Lorin nu het schepsel dat Simar een qwor had genoemd, het monster dat de priesters op de open plek had verslonden.

De qwor had enorme klauwen, een gespierd lijf met zwarte schubben en een lange schedel met twee ogen die glinsterden als diamanten. Hij leek een bizarre kruising tussen een hagedis, zoals die op schaarse warme dagen in Kalisstron op de rotsen lagen te zonnen, en een wilde kat – maar dan veel groter, helaas.

Nauwelijks had de qwor zich op de weg gewaagd of zijn schubben namen de kleur van de omgeving aan, waardoor hij voor het ongeoefende oog onzichtbaar was.

Van onder zijn halfgesloten oogleden zag Lorin dat het schepsel aarzelde. Zijn instinct waarschuwde hem kennelijk voor een valstrik, maar zijn gulzigheid stond hem niet toe zich om te draaien en op een minder riskante prooi te wachten.

Toen werd het allemaal nog vreemder.

Onzichtbare handen betastten Lorin, gleden over zijn gezicht en zijn lichaam, en tilden hem zachtjes op. Hij bleef een pas boven de grond zweven en werd voorzichtig naar het lugubere wezen toe gedragen. Vol verwachting opende de qwor zijn kaken en ontblootte twee rijen tanden, terwijl melkachtig speeksel uit zijn bek op de natte grond droop.

Lorin hield het niet langer uit, viel de qwor met zijn eigen magische krachten aan en kneep hem zijn keel dicht.

Je bent zwak, siste een doorrookte stem in zijn hoofd. *Ik heb je al een keer gespaard, maar nu kun je je straf niet meer ontlopen. En daarna pak ik die vrouw...*

De qwor had hem losgelaten. Lorin viel in de modder en sprong met getrokken zwaard weer overeind. 'Welke vrouw?'

De vrouw op de open plek. Ze is ergens in dit stenen labyrint. Ik ruik haar. Jij ruikt naar haar. De qwor tilde zijn kop op. *Dacht je dat ik bang was voor die lui bij de poort?* Hij stortte zich op Lorin, die met tegenwoordigheid van geest de punt van zijn zwaard naar voren richtte. Het metaal schampte langs de taaie schubben en veroorzaakte niet meer dan een lichte kras. De rijen tanden groeven zich door Lorins leren wapenrusting heen, tot in zijn vlees. Hij schreeuwde het uit en slingerde instinctief zijn magie naar het schepsel.

Maar er gebeurde niets.

Ik zei toch dat je te zwak was, mens? Maar in elk geval geef je me je kracht uit vrije wil, siste de qwor hees.

Zijn hete adem naderde Lorins keel. 'Simar!' schreeuwde hij, en opnieuw stak hij op zijn tegenstander in. Maar weer ketste zijn wapen af.

Het wachten was op de Kensustrianen. Opeens stormden ze van alle kanten tegelijk op het monster toe en gingen in de aanval.

Het zwarte bloed van het schepsel spatte door de lucht. De wapens van de vreemdelingen waren harder en scherper dan een Kalisstronisch zwaard en sneden door de hoornplaten heen.

Dat besefte ook het monster zelf.

Hij sloeg op de vlucht, wist met een krachtige sprong aan de omsingeling te ontkomen, rende de poort binnen en verdween in de straten van de stad.

'Jullie zeiden toch dat je dat beest kon doden?' hijgde Lorin. Hij greep de hand van Simar, die hem overeind hielp.

'Hij is groter dan de vorige,' gaf de Kensustriaan bedremmeld toe. 'En sterker. Meer magie.' Hij gaf een teken aan zijn mensen, die onmiddellijk de achtervolging inzetten voordat de regen het zwarte bloedspoor kon wegspoelen. Toen haalde hij een buidel onder zijn wapenrusting vandaan en schudde de inhoud over de wond in Lorins schouder uit; het brandde als vloeibaar vuur. 'Dit helpt tegen...' Weer kon hij het woord niet vinden.

'Infecties,' vulde Lorin aan. Hij klemde zijn tanden op elkaar en dacht terug aan zijn korte confrontatie met het monster. 'Bij de Bleke Godin! Ik weet waar hij naartoe is!' Hij greep Simar bij zijn arm. 'Roep uw mannen en kom achter me aan.'

Rantsila en een paar onverschrokken soldaten renden met hem mee. 'Waar gaan we heen, Seskahin?'

'Naar de vrouw die het monster wil grijpen,' antwoordde hij duister.

'Maar wie...'

Lorin rende uit alle macht. De angst gaf hem vleugels en kracht. 'Er was maar één vrouw op de open plek die door dat ei... of wat het ook mag zijn... is aangevallen.'

Rantsila kon hem niet bijhouden. 'Jarevrån!' begreep hij ontzet.

Maar Lorin hoorde het al niet meer. Samen met Simar stormde hij door de verlaten straten van de stad.

IX

Continent Ulldart, zuidwestkust van Tûris, late herfst van het jaar 1 Ulldraels (460 n.S.)

De Magodan trok de twee gekartelde bijlen achter zijn riem vandaan en rende de trap op naar het achterdek, recht op Torben af.

Een Rogogarder die van achter een rol touw tevoorschijn sprong om zich voor zijn kapitein te werpen, kreeg niet de kans iets tegen de Tzulandriër te ondernemen. De bijl boorde zich schuin in de hals van de kaper, de Magodan rukte zijn wapen weer los en vervolgde zijn weg over het bovendek alsof er niets gebeurd was, terwijl de zeeman stervend ineenzakte.

'Val aan!' brulde Torben, en zijn mannen sprongen vanuit hun schuilplaatsen om zich met de moed der wanhoop op de vijand te storten.

De Magodan had Torben nu bereikt en sloeg toe. De kaperkapitein kon niets anders doen dan proberen de slagen te ontwijken. Al het andere zou te lang hebben geduurd. Als hij zich met zijn entersabel had verdedigd, als hij maar één moment zou hebben stilgestaan, had zijn vijand hem met zijn tweede bijl kunnen klieven.

Hij haatte die koortsachtige strijdwijze van de Tzulandriërs, die te veel kracht en adem kostte. Algauw werd hij in een hoek gedrongen, met zijn heupen tegen de reling.

'Zul je nou vechten, in plaats van weg te duiken?' grijnsde de Magodan, maar op hetzelfde moment kwamen de bombardes in de buik van de zwaargehavende dharka tot leven en spuwden vuur naar bakboord en stuurboord tegelijk.

De kogels troffen het zeilschip onder de waterlijn en sloegen een groot gat in zee, waarin het schip gorgelend en proestend wegzonk. Het zou geen gevaar meer vormen.

De gepantserde bombardeboot aan de andere kant van de *Varla* was een te geduchte tegenstander om zich door één salvo tot zinken te laten brengen. Een gelukstreffer bleef uit. Wel werden er een paar roeiriemen versplinterd, maar de meeste schoten veroorzaakten slechts een onschuldige deuk in de dikke ijzeren platen.

'Hé, het feest gaat beginnen,' lachte Torben. 'Wat nu, Magodan? Zullen we samen het loodje leggen in een spervuur vanaf uw eigen schepen?'

De Tzulandriër vloekte en schopte in zijn richting.

Torben week uit, sloeg naar de laarzen van zijn tegenstander en trapte naar zijn scheenbeen – helaas tegen de beenbeschermer.

Meteen besefte hij zijn fout. Hij had zijn dekking aan de linkerkant verwaarloosd, en juist daar viel de Magodan nu aan.

De eerste bijl raakte Torben in zijn bovenarm. Een brandende pijn sloeg door zijn hele arm, tot in zijn pink. Onmiddellijk boorde de andere bijl zich in zijn schouder, met nog meer geweld.

De pijn schakelde zijn bewustzijn uit, Torben zakte door zijn knieën, terwijl het bloed uit zijn schouder gutste. Met een klap viel zijn wapen op de planken.

Bijna bewusteloos draaide hij zich op zijn rechterzij. Hij wilde zijn laatste gedachten aan Varla zenden, maar in plaats daarvan zag hij het verwrongen gezicht van de Tzulandriër boven zich zweven. De hand van zijn vijand kwam steeds dichterbij, als een reusachtige klauw, die hem bij zijn kraag greep en hem overeind sleurde.

'Hij leeft nog. Roep de genezer!' schreeuwde de Magodan. 'En geef de bombardeboot een teken om niet te vuren. Wij hebben het schip in handen.'

'Genade voor mijn mannen,' kreunde Torben.

'Natuurlijk, Rudgass. Daar staan wij om bekend,' bulderde de man, en hij liet zijn kraag los. Met een dreun viel Torbens bovenlichaam op het dek terug.

Hoe de kapitein ook naar vergetelheid verlangde, de verlossing bleef uit. Dus hoorde hij het gekerm van zijn mensen, als van heel ver weg, toen ze door de Tzulandrische overvallers werden afgeslacht. Pas toen die kreten verstomden en de lucht van warm bloed om hem heen walmde, verloor hij definitief het bewustzijn.

Ergens klonk het zachte, doffe geluid van trommels, die een snel en monotoon ritme sloegen.

Een doordringende stem sneed door zijn nachtmerries en bood hem een uitweg uit zijn gruwelijke visioen over de toekomst. Het brandende gevoel op de plaats waar ooit zijn schouder had gezeten herinnerde hem aan zijn verloren tweegevecht met de Magodan. Zijn hoofd bonsde en voelde heet als gloeiende kolen. Torben overwoog of hij liever bewusteloos bleef dan die verlammende pijn te moeten verdragen.

Er trok iets aan de wond, en iemand vloekte. 'Pas toch op, idioot. We hebben maar één draad.'

'In uw brokaatjas zit genoeg draad verwerkt om het hele schip te hechten,' luidde het niet minder vriendelijke antwoord.

Torben probeerde zijn ogen op te slaan. Trillend gehoorzaamden zijn oogleden, en opeens staarde hij in Puaggi's vuile, ongeschoren gezicht, dat oplichtte zodra de Palestaan zag dat hij wakker was. Blijkbaar lag hij op de vloer van een lage kajuit, ergens in het vooronder, vermoedde hij. 'Wat doet ú hier, commodore?' vroeg hij moeizaam.

'Uw wonden schoonmaken en hechten, kapitein. Blij dat u weer bij kennis bent.' Hij ondersteunde Torbens hoofd en gaf hem wat water, dat een beetje zilt smaakte. Toen hield hij een stuk hout omhoog. 'Hebt u dat nodig om op te bijten?'

'Nee, het gaat wel,' knarsetandde Rudgass, maar het volgende moment nam hij het dankbaar aan toen Puaggi zich weer over de gapende wond boog. 'Toch wel verstandig,' hijgde hij, terwijl hij zijn echte en valse tanden in het hout boorde.

'Neem me niet kwalijk als ik geen monogram kan hechten, kapitein. Borduren is niet mijn sterkste kant,' excuseerde Puaggi zich. Achter hem volgde een man in het uniform van een commodore al zijn bewegingen. 'Hier achter mij zit de onfortuinlijke commodore Dulendo Imansi. Hij maakte deel uit van de troepen die de dorpen tegen de terugtrekkende Tzulandriërs moesten beschermen,' verklaarde hij onverstoorbaar. 'Zoals u ziet, is hem dat niet gelukt.'

'Pas op met wat je zegt, Puaggi,' dreigde de man.

'Wat wil je dan, Imansi? Dacht je dat ik onder de indruk was?' Doodkalm drukte hij de randen van de wond naar elkaar toe en maakte zijn laatste steken. 'Klaar. U mag die arm voorlopig niet bewegen. De bijlen hebben heel wat schade aangericht. Wat er allemaal kapot is, kan ik niet zeggen, want ik ben geen genezer. U voelt het zelf wel, neem ik aan?'

Torben voelde zijn hele linkerarm niet meer, laat staan dat hij hem kon bewegen. Zelfs zijn vingers waren verdoofd. Hij spuwde het stuk hout weer uit. 'Nou, dat is een gelukje voor jullie. Het zal even duren voordat ik me weer aan een touw naar een Palestaanse kogge kan slingeren,' grijnsde hij moeizaam. Hij probeerde overeind te komen, maar de helse pijn in zijn schouder dwong hem te blijven liggen. 'Wat doet u hier, commodore? Had ik u niet gezegd dat u Rogogard moest waarschuwen?'

'Dat was ik ook van plan, maar de Tzulandriërs gooiden roet in het eten,' antwoordde Puaggi bezorgd. 'Ze kregen me in de gaten en kwamen achter me aan. In een mistbank hebben ze me overrompeld en mijn schip aan splinters geschoten. Drie bombardeboten waren me echt te veel.'

'Mogen de pest en alle andere ziekten uit het arsenaal van de goden over de Tzulandriërs komen!' gromde Torben. 'Zo is het mij ook vergaan, beste vriend.' Hij probeerde om zich heen te kijken. 'Is er nog iemand van mijn mannen in leven?'

'Nee, kapitein. Er zijn hier geen matrozen meer. De Tzulandriërs hebben alleen de hoogste officieren gespaard, als gijzelaars.' Puaggi klopte tegen de houten wand. 'We zitten in het achterruim van een bombardeboot, op weg naar het noordoosten.'

'Dus niemand heeft enig idee dat de Tzulandriërs eraan komen?' De Rogogarder zweeg geschokt.

Puaggi kwam overeind uit zijn ongemakkelijke hurkzit en maakte de spieren van zijn benen los. 'Nee. Tenzij een visser toevallig de vijandelijke vloot ontdekt en snel genoeg de thuishaven weet te bereiken.'

Torben had een geweldige honger. 'Hoe lang ben ik bewusteloos geweest?'

'U bent hier pas een paar uur, maar dat gevecht was al een week geleden. Ik heb geen idee wat ze in de tussentijd met u hebben gedaan. Ze hebben wel uw verwondingen behandeld – niet erg zorgzaam, maar vooruit.' Puaggi ging op een vat zitten. 'Dit is ons drinkwater, daar moeten we zuinig op zijn. Meer krijgen we niet, tot de aankomst.'

'Een week?' Hij schatte de snelheid. 'Wij hadden die vloot een tijdje gevolgd. Dat betekent dat we morgen al bij de eerste Rogogardische eilanden kunnen aankomen.'

'Jammer dat ik niet kan zien hoe die eilanden voorgoed vernietigd zullen worden,' zei commodore Imansi verachtelijk, en zo zacht alsof hij in zichzelf sprak.

Torben probeerde hem te schoppen. 'Ach, loop naar Tzulan, waardeloze sjacheraar!' Hij keek Puaggi aan. 'Ik heb het niet tegen jou, maar tegen deze idioot. Die begrijpt niet dat er onschuldige slachtoffers gaan vallen.'

Imansi lachte arrogant. 'Kostelijk, Rudgass! Er zijn helemaal geen onschuldige Rogogarders, want jullie leven allemaal van de piraterij! Vooral van de buit van onze schepen. De nieuwe vrede, praat me er niet van!' Hij pakte zijn zakdoek en veegde zijn gezicht af. 'Rogogarders zijn tuig. Jullie hebben je weer bij Agarsië aangesloten, net als voor de oorlog. Het zal je dus niet verbazen dat ik de plannen van die Tzulandriërs van harte toejuich. Ik wens ze alle succes.'

'Hou je kop,' beet Puaggi hem toe.

'Jij luistert niet naar mij, en ik niet naar jou. Zo blijft het keurig in evenwicht.' Imansi haalde zijn schouders op.

'Ik zou maar oppassen, in het belang van je eigen neus, voordat het bloed eruit spuit,' antwoordde Puaggi koel.

'Ik spuug op je, Puaggi!' Imansi wapperde met zijn zakdoek. 'Ik spuug op jou, op je hele familie en vooral' – hij boog zich woedend naar voren – 'op heel Rogogard! Ik spuug en ik schijt erop! En bij het geluid van de eerste bombardes zal ik dansen van vreugde.'

Puaggi zuchtte, kwam overeind en raakte de commodore met zijn gebalde vuist in het gezicht. De man tuimelde jammerend achterover, sloeg met zijn hoofd tegen de wand en was toen stil. 'Jammer dat hij de bombardes niet zal horen,' was Puaggi's enige commentaar.

Torben moest grijnzen, ondanks de pijn. 'Als iemand ooit nog twijfelt aan de gemeenschappelijke afstamming van onze twee volkeren, ben jij het doorslaande bewijs daarvoor. Een Rogogarder had het niet anders gedaan.' Hij wiste het zweet van zijn voorhoofd. 'Wondkoorts,' mompelde hij somber. 'Dat ontbrak er nog maar aan. Aan de andere kant, wat kan het leven mij schelen als mijn hele land straks wordt verwoest en ik mijn lief nooit meer zal zien?'

Puaggi ging weer zitten en koelde de knokkels van zijn hand in het zoute water dat zich op het diepste punt van het ruim had verzameld. 'Kapitein, misschien vergis ik me, maar ik denk dat ik uw Varla heb gezien.'

'Dan heb je betere ogen dan ik. We lagen een heel eind uit elkaar...'

'Nee, nee, niet uw dharka,' hielp hij dat misverstand uit de wereld. 'Ik bedoel uw vriendin, de pirate uit Tarvin.'

Het hart van de Rogogarder sloeg een slag over. 'Waar dan?'

'Toen ze me uit het water visten, werd ik eerst aan boord van een zeilschip gebracht, waar ik door een luik een heel laadruim vol vrouwen zag. Eentje viel me op, omdat ze beantwoordde aan de beschrijving die u van haar gaf.'

'Weet u het zeker, commodore?'

Puaggi grijnsde. 'U hebt zo vaak over haar verteld dat ik haar kan uittekenen, kapitein, afgezien van bepaalde intieme details die u alleen kent en die u wijselijk voor me verzwegen hebt.'

'Varla leeft!' Opeens had hij weer een hele scheepslading hoop. De moedeloosheid die hem na de dood van zijn mannen had overvallen, begon te wijken. Hij zou alles doorstaan, uit deze gevangenis ontsnappen en Varla bevrijden. En Rogogard redden. 'Daar maak je me heel gelukkig mee,' zei hij met tranen in zijn ogen. 'Je had niets beters kunnen zeggen om mij uit het dal te halen.' Hij droogde zijn wangen. 'Zie je? Ik zit te grienen als een wijf. Ik ben een sentimentele ouwe vent geworden.'

Puaggi knikte. 'Dat geeft niet. Ik ben er om u te helpen, kapitein.' Hij zag met vreugde hoe Torben van het ene moment op het andere opleefde. Hij had nieuwe energie gekregen, waarmee hij het meest gewaagde plan zou aandurven, ongeacht de kans van slagen of zijn pijnlijke schouderwond.

Maar hij vreesde ook het ogenblik waarop zou blijken dat hij Torben had voorgelogen, om hem in leven te houden.

Continent Ulldart, koninkrijk Tarpol, hoofdstad Ulsar, late herfst van het jaar 1 Ulldraels (460 n.S.)

Lodrik liet zijn skeletten met verhevigde kracht in de aanval gaan om het wanstaltige monster af te leiden, zodat het zich in zijn woede niet op Krutor zou storten en hem zou verbrijzelen.

Maar zijn knokige leger had niet veel in te brengen tegen deze onbeschrijflijke tegenstander, die in al zijn gruwelijkheid door Tzulan zelf moest zijn geschapen. Met zijn klauwen en zijn zwiepende gesel sloeg hij de skeletten uiteen. In elk geval was aan zijn bewegingen te zien dat hij het lastig vond om zich van al die indringers – hoe machteloos ook – te ontdoen. Hij wilde eindelijk vreten.

Zwaarden en andere traditionele wapens waren hier nutteloos. Angst moest met angst worden bestreden. 'Laten we eens zien of zo'n monster echt geen vrees kent,' mompelde Lodrik. Hij concentreerde zijn macht tot een enkele, zwarte bol van angst. Uit zijn ooghoeken zag hij dat Soscha's ziel al op de vlucht sloeg, terwijl ze nog maar een kleine tentakel bespeurde van de gruwelijke energie die hij hier samenbalde.

Het monster, dat zich nog altijd half in de schaduw van de gang bevond, tilde zijn onuitsprekelijk grote kop op, opende zijn muil en stak brullend zijn vier tongen uit. De trillende uiteinden wikkelden zich om de razende Krutor, die weinig anders kon doen dan spartelen.

'Hier komt je grootste angst!' En Lodrik stuurde de bal op het monster af.

Met een schril geluid deinsde het gedrocht terug. Toen zakte het sidderend in elkaar en bleef stervend liggen, terwijl de skeletten als woedende wolven op het schepsel aanvielen en grote stukken uit het warme lijf scheurden. Er bestond nu eenmaal geen sterker wapen dan de angst. Zelfs de gedrochten van het Kwaad waren daar niet immuun voor.

'Krutor!' riep Lodrik, en hij rende naar de plek waar hij de kop van het overwonnen monster vermoedde. 'Zoek hem!' beval hij zijn knokige dienaren, en onmiddellijk staken ze hun benige vingers uit, totdat ze zijn zoon hadden gevonden en geborgen.

De tongen van het schepsel hadden Krutors wapenrusting ingedeukt, en zijn rechterarm leek gebroken, maar Krutor had zijn ogen open en leek voornamelijk opgelucht dat hij zijn vader weer zag.

'Zeg maar niets,' zei Lodrik, en hij streelde zijn misvormde hoofd. 'Je bent een dappere zoon, Krutor. Niemand zou hebben gedurfd wat jij deed.'

Lodrik gaf de botten bevel zich weer tot een wenteltrap te voegen, waarlangs hij naar boven klom. Zijn knokige helpers droegen de gewonde Krutor voor hem uit.

Toen er niet voldoende stoffelijke resten meer waren om een trap te vormen, sloten de resterende beenderen zich op Lodriks bevel aaneen tot een reusachtige spin, die met zijn twintig lange poten de doorsnee van de schacht kon overbruggen. Op zijn rug had hij een platform, waarop Lodrik stond en Krutor lag. Razendsnel klom de spin door de krater omhoog.

'We zijn er zo,' sprak hij zijn zoon, die pijn had, bemoedigend toe. 'Dan zal een cerêler je behandelen.'

Krutor lachte slaperig; hij viel voortdurend in slaap.

Normaal zou Lodrik kort voordat ze uit de schacht kwamen een andere weg hebben gekozen om minder opvallend en spectaculair de krater te verlaten. Maar de toestand van zijn zoon duldde geen oponthoud. Lodrik kon nu geen rekening houden met de buitenwereld.

Dus kwamen ze in de vroege avond als een vleesgeworden nachtmerrie uit de schacht omhoog. De soldaten die de wacht hielden sloegen op de vlucht uit angst voor die gruwelijke spin uit menselijke beenderen.

Lodrik maakte van de gelegenheid gebruik en gaf twee haastig gevormde bottenschepsels bevel om Krutor in veiligheid te brengen. Daarna liet hij alle beenderen weer uiteenvallen en in het zwarte gat verdwijnen.

Een ruisend geluid waarschuwde hem voor de regen van pijlen die de soldaten van veilige afstand op het vermeende monster hadden afgeschoten.

Lodrik wierp zich over zijn zoon heen om hem te beschermen –

in elk geval zijn hoofd en bovenlijf. Zelf voelde hij weinig meer dan wat speldenprikken, geen echte pijn.

'Hou op!' schreeuwde hij. 'Jullie schieten op de Tadc van Tarpol!' Zodra het weer stil was, richtte hij zich op en trok de pijlen uit zijn lichaam. Er kleefde bijna geen bloed aan.

Rennende voetstappen kwamen zijn kant op. De kapitein van de wacht was de eerste die hem bereikte. De man werd lijkbleek. 'Heer Bardri¢, hoogheid. U...' Hij kon geen woord meer uitbrengen. 'U bent getroffen,' stamelde hij ten slotte overbodig. 'Bij Ulldrael...'

'Wees zo vriendelijk om de rest van de pijlen uit mijn lijf te trekken,' zei Lodrik. 'Het zijn maar schrammen. Mijn kleren hebben het grootste deel opgevangen.'

De kapitein staarde naar de vijf pijlen die aan Lodriks voeten lagen, toen naar de gaten in zijn jas en de geringe hoeveelheid bloed. 'Hoogheid, het is toch niet mogelijk dat...'

'Doe wat ik zeg!' snauwde Lodrik. Zijn gezicht verduisterde en er gleed een schaduw over zijn trekken.

'Zoals u wilt.' De man trok de vier overige pijlen met een ruk uit Lodriks rug en zag heel goed hoe diep ze in zijn lichaam waren gedrongen. Maar hij zei niets. Uit angst.

'Dank je.' Lodrik draaide zich naar hem om en richtte zijn blauwe ogen op het bleke gelaat. 'Je zegt tegen geen mens dat ik getroffen ben.' De kilte in zijn stem had kokend water ter plekke doen bevriezen. 'En haal nu eindelijk een cerêler om mijn zoon te behandelen. De Tadc is dapperder dan jullie allemaal bij elkaar.'

'Natuurlijk, hoogheid,' hijgde de kapitein, die terugdeinsde omdat zijn hart dreigde stil te staan in de nabijheid van de lugubere man, zo hevig werd het samengeperst. 'Waar... is het monster gebleven?'

Lodrik hurkte bij Krutor neer. 'Dood. Hij heeft het met één klap aan stukken gehakt,' antwoordde hij. 'Jij en je mensen hoeven niet meer bang te zijn. Roep ze erbij, ze moeten Krutor naar een genezer brengen. Dat gaat sneller dan een cerêler hierheen te halen.'

De officier salueerde, draaide zich om en riep zijn mannen. Toen hij weer omkeek naar Lodrik, lag alleen de bewusteloze Krutor nog op de grond. De voormalige heerser van Tarpol was nergens meer te bekennen. De man haalde opgelucht adem. Hij kwam Lodrik liever niet meer tegen; zijn heer joeg hem de stuipen op het lijf.

Hoe Bardri¢ al die pijlen had overleefd, vroeg hij zich maar niet af. Eén dosis van het gif waarin de pijlpunten waren gedoopt was voldoende om honderd man te doden.

Bardri¢ was er door negen geraakt...

Lodrik zou graag bij zijn gewonde zoon zijn gebleven, maar hij mocht de necromante die Soscha had gedood en haar magie had geroofd niet laten ontsnappen. Waar Soscha's ziel was gebleven, wist hij niet.

Hij beschreef een boog om de soldaten heen die over het puinveld kwamen aanrennen om Krutor weg te dragen, en liep terug naar het paleis. Daar hoopte hij Elenja nog te vinden.

Zijn vage vermoeden wie de onbekende Kabcara van Borasgotan in werkelijkheid kon zijn, was bijna een zekerheid geworden. Er kwam niemand anders in aanmerking dan zijn eigen dochter!

Onmiddellijk na haar vertrek uit Taromeel was in de hoofdstad Ulsar het bericht binnengekomen van haar dood. Maar Lodrik wist niets over een begrafenis of wat er anders met het lijk van de jonge vrouw kon zijn gebeurd. Hij had zich er ook niet in verdiept. Dat was een fout, besefte hij nu.

De magie had Lodrik na zijn dood tot necromant gemaakt. Waarom zou dat bij zijn dochter anders zijn gegaan? Wat hem meer verbaasde was dat ze macht over zielen had zonder een formule of necromantische bezwering te hoeven uitspreken.

Als hij de sluier voor het gezicht van de Kabcara van Borasgotan zou wegtrekken, had hij zekerheid. Het maakte Lodrik weinig uit om op die manier tegen de goede zeden en gebruiken te zondigen. Wat kon hem nog gebeuren? Hij was al dood.

Hij trok de linkermouw van zijn mantel omhoog en betastte een van de schotwonden in zijn onderarm, die zich niet wilde sluiten. Hij zou die wonden – en de verwondingen van zijn val – snel moeten hechten, om niet zijn laatste restje bloed te verspelen.

Niet dat zijn lichaam zoveel last had van dat gebrek, maar Lodrik had zijn bloed nodig om de zielen die hij in zijn macht had voor hun diensten te belonen. Dat was het nadeel van deze veranderde vorm van magie: de prijs werd in bloed betaald.

De ingang van het tot een vesting versterkte paleis doemde voor hem op. Hij liep de poort door, recht naar de stallen.

De koets met het koninklijke symbool van Borasgotan was verdwenen. Elenja de Eerste was al afgereisd, waarschijnlijk omdat ze dacht dat hij de val in de schacht had overleefd en Soscha's ziel hem het geheim had verraden.

Lodrik liep door de gangen van het reusachtige gebouw, op zoek naar Norina.

Hij vond haar in de kleedkamer. Ze had een stevig leren pak aangetrokken, met een lichte wapenrusting eroverheen. Met de bijbehorende handschoenen en laarzen leek ze een dappere avonturierster die op het punt stond haar eerste reis te ondernemen.

Ze wilde net de helm over haar zwarte haar drukken en keek verrast op toen hij binnenkwam. 'Lodrik!' Haar bruine ogen fonkelden.

'Luister naar me. Ik heb Soscha niets gedaan,' zei hij meteen.

'Wie dan wel?'

Hij zag het als een positief teken dat ze hem liet uitpraten. 'Elenja. Ik heb het van Soscha's eigen ziel gehoord.'

'En dát moet ik geloven?'

'Je kent mijn macht over de zielen van de doden. Ik lieg niet. Daar is het te ernstig voor.'

Natuurlijk vielen haar onderzoekende amandelvormige ogen op zijn verwondingen. 'Je bent gewond!' Haar hand ging naar het schelkoord. Blijkbaar geloofde ze hem toch. 'Wacht, dan zal ik...'

Hij kwam naar haar toe en pakte haar hand. 'Nee, dat is niet nodig,' stelde hij haar gerust. 'Ik mankeer niets, en het monster ligt dood op de bodem van de schacht. Krutor heeft me geholpen het te vernietigen.' Zijn hand gleed over haar wapenrusting. 'Was je zelf van plan naar ons af te dalen?'

'Ja. Dan zouden de soldaten me wel zijn gevolgd.' Zijn leugen over de dood van het monster had ze onmiddellijk door. 'Ik weet wat je bedoeling is. Je wilt dat de mensen in Ulsar en Tarpol Krutor als een held zullen vereren. Heel verstandig.'

Lodrik glimlachte vreugdeloos. 'Wat schieten we ermee op als ze mij vereren? Ik wil geen rol meer in de geschiedenis van dit land. Mijn aandeel ligt achter de schermen van wat het volk te zien krijgt.' Hij keek haar bezorgd aan. 'Elenja is vertrokken?'

Norina knikte. 'Ik heb het haar zelf gevraagd, omdat ik me wilde omkleden om het monster te confronteren.'

'Het is mooi om te zien dat je nog hetzelfde vuur in je aderen hebt als zestien jaar geleden... het vuur waarmee je mij verwarmde.'

Ze keek hem droevig aan. 'Ik zou er alles voor overhebben als dat nu nog kon.' Ze vermande zich. 'Hoe staat het met Soscha's ziel? En wat heeft Elenja daarmee te maken?'

'Soscha is vermoord, maar niet door mij,' legde hij uit, en hij vertelde wat hij van Soscha's ziel had gehoord. 'Ik ben bang dat Zvatochna hetzelfde lot heeft getroffen als ik. Ze is een necromante geworden.' Lodrik keek de vrouw aan voor wie hij nog altijd iets voelde – heel veel zelfs, hoewel hij dat niet goed kon tonen. 'Geloof je me, Norina?' vroeg hij nog eens, en hij deed een stap naar haar toe.

Ze herinnerde zich het onheilspellende gesprek met de Kabcara van Borasgotan en de kilte die de vrouw had uitgestraald. 'Ja,' zei ze zonder aarzelen. 'Maar wat wil ze?'

'Ze heeft Soscha's magie gestolen en is sterker dan ooit.' Lodrik kuste Norina verlegen op haar mond en genoot van de warmte van haar lippen. 'Zvatochna wil wat zij, Govan en hun moeder altijd hebben gewild: macht. Ik moet haar achterna om haar tegen te houden. In het diepste geheim. Het mag niet bekend worden wie de Kabcara werkelijk is. Dat zou de Tzulani weer hoop kunnen geven.'

Norina stak haar hand naar hem uit, maar hij draaide zich om en liep naar de deur. 'Wat ben je van plan?'

'Ja, wat, Norina?' antwoordde hij, op killere toon dan zijn bedoeling was. 'Ik zal ervoor zorgen dat ik de enige necromant op Ulldart blijf. Elenja zal op weg naar huis een ongeluk krijgen of onder vreemde omstandigheden om het leven komen. Haar lijk zal nooit gevonden worden. En Borasgotan kan een betere leider kiezen.' Hij opende de deur.

'Lodrik,' riep Norina. Ze rende op hem toe, sloeg haar armen om hem heen en drukte hem tegen zich aan.

Na een aarzeling beantwoordde hij haar liefkozing, die hem alles deed en toch ook niets. Het vuur van de liefde laaide hoog op, om onmiddellijk door een andere macht tot ijs te worden verstard. 'Zeg tegen Krutor dat ik naar het zuiden ben om met Perdór te praten,' vroeg hij haar. 'Ik wil niet dat hij meegaat. Als het tot vechten komt, zou hij me voor de voeten lopen. Zijn lichaamskracht is nutteloos tegenover een tegenstandster als Zvatochna.'

Ze knikte. 'Ik zal Perdór laten weten wat er in Ulsar is gebeurd. Het zal een klap voor hem zijn als hij weet dat hij de vrouw heeft verloren op wie hij al zijn hoop voor het onderzoek naar de magie had gevestigd.'

'Er komt wel een nieuwe Soscha,' zei Lodrik onverschillig, en hij verliet de kamer.

Norina verruilde haar wapenrusting en het leren pak weer voor de koningsmantel van de Kabcara en bad tot Ulldrael dat de gebeurtenissen van die dag iets goeds zouden opleveren voor de bevolking van het continent.

Zonder dat ze het wilde, vroeg ze zich af wat er uit Lodrik zou worden als hij Elenja – of wie er ook achter die sluier stak – zou overwinnen en haar magie zou overnemen.

Ze dacht aan de veranderingen die hij had doorgemaakt en nog altijd doormaakte. Niemand wist wat een necromant werkelijk bewoog.

Of hoe je hem tegenhield.

Continent Kalisstron, Bardhasdronda, late herfst van het jaar 1 Ulldraels (460 n.S.)

Samen met de Kensustrianen kwam Lorin bij zijn huis aan. Al van verre zagen ze dat de deur met geweld was opengebroken en scheef in zijn hengsels hing. De qwor had Jarevrån eerder bereikt dan zij.

'Nee!' In blinde paniek verloor Lorin zijn hele omgeving uit het oog. Het enige wat er nog toe deed was wat recht voor hem lag.

Hij onderging het in een vreemde roes. Vaag zag hij de houten vloer van de hal onder zijn laarzen door glijden, en daarna de treden van de trap naar boven. Zijn voetstappen dreunden onmogelijk luid.

Opeens werd alles overstemd door het afschuwelijke kermen van zijn vrouw. Lorin stormde op het geluid van haar wanhopige stem af en stond even later in hun slaapkamer, die voor meer dan een derde door het zwartkoppige monster werd gevuld. Jarevrån zat weggedoken achter het bed. Er kleefde bloed aan de zoom van haar jurk, en voor haar voeten lag een grote plas.

Lorin wist nog dat hij zich op de qwor stortte en zijn zwaard omhoogbracht. Een enorme warmte spoelde over hem heen, een wit licht verblindde hem, en toen zag hij niets meer...

'Lorin? Hoor je me?'

Hij werd gestreeld en gekust. Langzaam opende hij zijn ogen en keek in het lieve gezicht van Jarevrån, die in tranen uitbarstte en zich aan zijn borst wierp.

Hij lag naast het bed. Boven zich zag hij de deken en het gehavende groepje Kensustrianen, dat wanhopig om hem heen stond. Hun wapenrustingen zaten onder de krassen en deuken, en ze bloedden hier en daar uit schrammen en bijtwonden.

'Is de qwor dood?' vroeg hij schor, terwijl hij het zwarte haar van zijn vrouw streelde.

Simars arm leek wel een lap rauw vlees, met wat flarden stof. De Kensustriaan boog zich naar hem toe en liet zich op een knie zakken. 'U had hem al zwaar verwond. Wij hebben de rest gedaan.' Hij beet zijn tanden op elkaar. 'Het viel niet mee. We hebben vier doden.' Hij dreigde naar achteren te vallen en werd nog net door een van zijn mensen opgevangen. 'Een genezer?' vroeg hij.

'Ik zal ervoor zorgen, Simar.' Lorin kwam versuft overeind en onderzocht zichzelf, zonder een verwonding te ontdekken. In plaats daarvan was zijn zwaard, dat naast hem in de planken stak, van de punt tot het gevest besmeurd met zwart bloed. 'Jarevrån, alles in orde?' vroeg hij haar behoedzaam.

Ze snikte. 'Hij heeft ons kind genomen,' fluisterde ze hees. 'Hij kwam binnen en besprong me. Ik zag vonken en bliksemflitsen uit mijn lichaam slaan, en toen begon ik te bloeden. Dat hield niet meer op, en...' Ze begon heftig te huilen.

Onmiddellijk begreep hij waarom Jarevrån op de open plek door de steen was aangevallen. Het ging niet om haar, maar om de magie van het ongeboren leven dat ze zonder het te weten in haar schoot droeg.

Brullend van woede sprong hij overeind, rukte het zwaard uit de houten vloer en liep op het kadaver van het monster af. Hij liet zijn haat de vrije loop en hield pas op toen hij geen kracht meer in zijn armen had. Huilend liep hij naar zijn vrouw terug.

Zo zaten ze nog toen burgemeester Sintjøp verscheen, die zich eerst om Jarevrån en toen om de Kensustrianen bekommerde.

De genezende kracht van de cerêler verlichtte het lichamelijke lijden van de vrouw, maar de psychische schade kon alleen door de tijd worden geheeld – als dat ooit gebeurde. Lorin nam haar mee naar de badkamer en hielp haar bij het uitkleden. Hij bracht haar water en zeep, zodat ze zich kon wassen.

Toen hij terugkwam, had ze een handdoek om zich heen geslagen. Haar bebloede kleren lagen op de grond. 'Hij was in mijn hoofd gedrongen,' zei ze afwezig. 'Ik hoorde hem, alsof hij met me sprak. En hij zei dat hij zelden in één keer zoveel macht tegelijk gekregen had.' Ze keek hem aan met een verdrietige blik in haar groene ogen, en Lorin begreep hoe rakelings ze aan de waanzin was ontkomen. 'Ik heb ons kind in mijn buik horen huilen,' fluisterde ze. 'Je mag niet toelaten dat andere moeders hetzelfde moeten doormaken als ik,' smeekte ze hem. 'Vernietig die wezens! Roei ze uit!' Ze zweeg een hele tijd, totdat hij knikte. Toen gaf ze hem een kus. 'Laat me nu maar alleen,' zei ze. 'Het heeft tijd nodig.'

Lorin streelde teder haar gezicht en liep de kamer uit. De Kensustrianen wachtten in de keuken, waar de cerêler de lichte verwondingen reinigde en verbanden aanlegde. 'Ik ben jullie dankbaar dat jullie mijn vrouw van de kaken van dat monster hebben gered,' zei hij emotioneel tegen Simar. 'Ik ben jullie heel wat meer schuldig dan een zeekaart.'

'Het was onze schuld dat het monster de stad binnenkwam. We zullen nooit meer rustig slapen.' De Kensustriaan was zichtbaar aangedaan en wilde Lorins dankbaarheid niet accepteren. 'U hebt het recht ons te doden. Als straf. Niemand van het schip zal wraak nemen.'

Lorin schudde zijn hoofd. 'Nee, Simar. Daar heeft niemand iets aan. Het monster had ook op een andere manier de stad kunnen binnendringen om Jarevrån te grijpen. Nu waren we voorbereid en hebben we in elk geval haar leven kunnen redden.' Hij wees naar de stoelen. 'Vertel me hoe je die schepsels kent.'

Simar ging zitten, op het moment dat Fatja naar binnen stormde. 'Is alles in orde?' hijgde ze, met een nijdige blik naar de vreemdelingen. Rantsila en de rest van de militie volgden haar op de hielen.

Lorin wees naar boven. 'Ga maar bij haar kijken. Ze zal blij zijn dat je er bent.' Hij draaide zich weer om naar de Kensustriaan, terwijl zijn grote zus naar de bovenverdieping rende. 'Vertel me alles.' Sintjøp en Rantsila bleven erbij en luisterden mee, net als Arnarvaten.

'Thuis hebben wij veel worpen. De qwor doden magiërs, wie of wat dan ook... voor magie en met magie. Zo komen er meer. En ze worden groter en sneller.' Hij wees door de deur naar de trap. 'Dit was maar een kleine qwor, een jong. Toch heel machtig, in een oud lijf. Heel geniepig, lang gerijpt.'

'Hoe groot kunnen ze worden?'

'Ze vreten en groeien.'

'Hoe groot?'

Simar dacht na. 'Ze vreten en groeien. Altijd. Dat gaat door tot je ze doodt.'

'Kalisstra sta ons bij,' fluisterde Rantsila.

'En ze roven magie?' vroeg Lorin.

'Ja. Ze hadden bijna al het magische vernietigd. Maar we hebben gevochten, en nu zijn ze dood. Dat heeft lang geduurd. Veel slachtoffers.' Simars blik gleed ernstig over de gezichten van de Kalisstri. 'Dus goed opletten en de worpen vernietigen. Als ze genoeg magie hebben, hou je ze niet meer tegen, zelfs niet met een heel leger.'

Lorin spitste zijn oren. 'Dan is er nog hoop. Hoe doe je dat? Hoe kunnen we ze vernietigen?'

'Koken. In een ketel gooien of verbranden en...' Hij zocht naar woorden. 'Zeven zonnen laten branden. Dan wordt het lijf week en kun je er een speer in steken. Veel speren.'

De burgemeester stopte een pijp, blies een rookwolk uit en dacht na. 'En jullie wisten dat ze onoverwinnelijk waren, Simar? Hoe?'

De Kensustriaan knikte. 'Wij hadden er nog twee.'

Rantsila trok zijn wenkbrauwen op. 'Maar wat heb je ertegen gedaan?'

'Onoverwinnelijk,' herhaalde Simar en hij zuchtte diep. 'We zijn uit ons land vertrokken en hebben het teruggegeven aan de qwor. Het is van hen.'

'Hoe groot worden ze dan?' wilde Lorin weten, en hij boog zich gespannen naar voren.

'Heel groot.'

'Simar, bij alle goden, geef eens een voorbeeld!' vroeg de burgemeester, die zich maar met moeite beheerste. 'Als een huis? Of zo hoog als de masten van jullie schip?'

'Door de achterblijvers worden ze vereerd als een berg,' antwoordde hij. 'Een wandelende berg. Als ze lopen, beeft de aarde. De speren van de sterkste katapult bereiken niet eens hun rug en ketsen af tegen hun onderbuik.' Het geluid van een gedempte klaroenstoot drong door het gesloten raam. Simar keek zijn metgezellen aan. 'We moeten gaan. Het schip vaart verder. Bevoorrading.' Hij stond op en stak Lorin zijn hand toe.

'Bedankt dat jullie ons hebben laten zien hoe je ze kunt vernietigen.' Lorin schudde Simar de hand. 'Ik zal jullie naar de haven brengen, dan gaan we langs een goede vriend die zeker een kaart voor jullie heeft.'

Samen liepen ze door de stromende regen naar de aanlegplaats van het kolossale schip. De dode Kensustrianen werden op een kar meegevoerd. Onderweg klopte Lorin bij de walvisjager Blafjoll aan en vroeg hem om een van zijn zee- en sterrenkaarten. Even later had Simar de waterdichte hoes in zijn handen.

De Kensustrianen tilden hun doden op het laadplatform, sprongen ernaast en wachtten tot ze aan boord werden gehesen.

'Ik ben blij jullie te hebben leren kennen,' zei Simar als afscheid.

'Jullie zijn altijd welkom,' nodigde Sintjøp hen uit. 'Leg op de terugreis hier weer aan als het geen al te grote omweg is.'

De Kensustriaan lachte vriendelijk en klopte op de hoes van de kaart. 'We hebben de route al gemarkeerd.' De kabels spanden zich, het platform kwam omhoog en zweefde door de lucht. Voordat het achter de reling verdween, staken de vreemdelingen hun hand op in een groet.

De storm was gaan liggen. De zee was geen bedreiging meer, en algauw werden de riemen door de luiken in de romp gestoken om het schip naar volle zee te roeien.

'We hebben geen tijd te verliezen. Naar de open plek!' beval Rantsila, terwijl het silhouet van het schip steeds kleiner werd. 'We mogen die qwors niet de kans geven Kalisstron te onderwerpen.'

Hij had de militie al opgetrommeld. De mannen hadden pek en teer bij zich, zoals hun was opgedragen, met petroleum en droog hout, afkomstig uit de loodsen bij de haven. In een lange stoet gingen ze op weg naar de open plek, waar voorlopig geen blauw licht te zien was als teken dat het volgende monster was ontwaakt.

Ze bouwden een brandstapel rond de overgebleven eieren, goten er petroleum overheen en besmeurden de stenen met pek, zodat ze zouden branden. Zelfs de zwaarste regenbui zou deze vlammen niet meer doven.

Het maakte Lorin en de bewoners van Bardhasdronda niets uit waar de monsters vandaan kwamen of door welke god ze waren geschapen. De soldaten vormden een kring rond de eieren toen Rantsila met een fakkel de brandstapel aanstak en keek hoe de eerste vlammen algauw tot een vuurzee aanwakkerden.

'Hak een paar kleine bomen om,' beval hij, zonder de stenen – die zo onschuldig hadden geleken met hun fascinerende muziek – uit het oog te verliezen. 'We hebben hout nodig.'

'Het ziet er goed uit,' mompelde Lorin, die zich schuldig voelde omdat zijn concerten de schepsels uit hun slaap hadden gewekt. Dat besef zou hij nooit meer kwijtraken, zeker niet na de dood van zijn eigen kind. 'De Kensustrianen kwamen net op tijd.'

'Het was een geluk dat ze waren verdwaald. De Bleke Godin heeft ze op de wind hierheen gebracht. Zo moet het wel zijn gegaan,' zei Rantsila, die er nog altijd niet gerust op was. Pas als alle eieren met speren waren doorboord en de monsters dood aan zijn voeten lagen, zou hij een zucht van verlichting slaken. Zeven dagen was een hele tijd.

Op dat moment begon de grootste steen blauw te flakkeren, onmiddellijk gevolgd door de op een na grootste. Tegelijk spatten ze uit elkaar. Twee kleine monsters met zwarte, vochtig glinsterende schubben en woedende ogen als geslepen diamanten staarden in de vlammen. Zelfs nu al waren ze twee keer zo groot als een paard.

'Schieten!' schreeuwde Rantsila in paniek. Hij greep zijn boog en richtte.

De pijl siste op het grootste van de twee monsters af, maar vlak voordat de punt zich in het gruwelijke lijf boorde leek het schepsel opeens verdwenen.

Toch moest de qwor zijn geraakt, want de soldaten hoorden hem brullen. Maar dankzij zijn camouflerende schubben versmolt hij met de omgeving, onzichtbaar voor de schutters van de militie. De pijlen en haastig geworpen speren kwamen in de vlammen terecht en verbrandden. Ook de tweede qwor leek in het niets te zijn opgelost.

Twee passen achter de oostkant van het kordon van soldaten was een luid gekraak te horen in het kreupelhout. Struiken werden neergemaaid en kleine stammen braken onder het gewicht van de zware, onzichtbare lijven. In plaats van de zwakkere vijand aan te vallen, kozen de twee schepsels voor de vlucht. Blijkbaar waren ze flink geschrokken van hun ontvangst toen ze uit het ei kwamen.

'Nog meer hout op het vuur!' brulde Rantsila. 'Breng elke druppel traan die je kunt vinden. Die vervloekte stenen moeten morgen al zacht genoeg zijn.' Hij laadde zijn boog en keek naar Lorin. 'Wat doen we nu, Seskahin? Zag je hoe groot die qwor al waren?'

Lorin probeerde koortsachtig te bedenken wat ze tegen dit nieuwe gevaar konden uitrichten. Slechts één oplossing diende zich aan. 'Ze zijn magisch, en ze hebben zich volgezogen met mijn krachten. Dus moeten we ze mijn magie weer afnemen,' zei hij langzaam. 'Dan zullen ze hopelijk sterven.'

'Kun je dat dan, je magie weer terugnemen?'

Hij schudde zijn hoofd. 'Ik niet,' zei hij, terwijl er een vertrouwd gezicht voor zijn ogen opdoemde. 'Maar mijn halfbroer Tokaro wel.'

Continent Ulldart, koninkrijk Tarpol, provinciehoofdstad Granburg, late herfst van het jaar 1 Ulldraels (460 n.S.)

Lodrik was met behulp van zijn krachten de stad binnengeslopen en had de wachters bij de poort enkele ogenblikken teruggedreven in hun wachtlokaal. Dat gaf hem tijd genoeg om Granburg binnen te komen. Het ondode paard had hij een halve warst eerder in een greppel achtergelaten. In de toestand waarin het dier zich bevond zou het te veel opzien hebben gebaard.

Hij slenterde de straten door die hij zich zo goed herinnerde uit zijn onbekommerde jeugd. Hier had hij onder een schuilnaam de functie van gouverneur bekleed en Norina leren kennen. Hier had hij in haar vader een echte vriend en mentor gevonden.

Maar hier had hij zich ook voor het eerst overgeleverd aan de diensten van de Duistere God.

Als vanzelf sloeg hij de weg in naar het marktplein, waar hij de opstandige edelen die tegen hem hadden samengespannen eigenhandig had geëxecuteerd.

Toen Lodrik op het lege plein stond, kwamen alle bijzonderheden weer bij hem boven. Hoe hij een van hen had onthoofd, en hoe de bliksem in zijn eigen lijf was geslagen om hem de magie te brengen. Een geschenk van Tzulan, wiens marionet hij zo lang was geweest. *Hier is het allemaal begonnen. Goed en kwaad, geluk en verdriet, liggen zo dicht bij elkaar.*

Zijn blauwe ogen gleden over de verlaten markt. De ijzige kou had de Granburgers naar binnen verdreven, in hun huizen en kroegen. Er was geen enkele reden om in de koude straten rond te hangen.

Het was ooit zo mooi geweest. Zijn vingers in de zwarte handschoen gleden langs de muur van een huis. *Wat was ik onnozel. Nog altijd hebben de mensen te lijden onder de gevolgen van mijn gedrag.* Nu was hij naar de stad gekomen om af te rekenen met een van die gevolgen van zijn bewind: Zvatochna.

Voor Lodrik stond het wel vast dat hij jacht maakte op zijn eigen dochter. In haar nieuwe gedaante van Kabcara van Borasgotan was ze naar Granburg gekomen om de nacht binnen de veilige stadsmuren door te brengen en de volgende morgen door te reizen naar Amskwa, zoals hij had gehoord. Lodrik zou ervoor zorgen dat ze dood in haar bed zou worden aangetroffen, bezweken aan de afschuwelijke ziekte waaraan ze leed. De beste manier om een eind te maken aan een mythe.

Hij wist precies welke ziekte haar kwelde. Het was de prijs van de necromantie, de overgang naar het dodenrijk zonder dood te zijn. Zelfs haar oogverblindende schoonheid bleef daarvoor niet immuun. Ook Zvatochna was nu weerzinwekkend en angstaanjagend. Door de magie die ze jarenlang had toegepast was ze opgebrand en vroeg oud geworden, als een door brand zwartgeblakerd huis.

Maar voordat hij haar kon vernietigen, zou hij haar eerst moeten vinden. Soscha's ziel had hij niet meer gezien. Sinds haar vlucht in Ulsar – voor het monster of voor zijn eigen duistere aura – was ze niet meer verschenen.

Daarom had hij andere zielen nodig om naar Zvatochna op zoek te gaan.

Lodrik wist waar de armoedzaaiers van de stad te vinden waren. Daar waren genoeg zielen bij waarvan hij zich kon bedienen. Voor hen zou het afscheid van het leven een verlossing uit hun lijden betekenen, en een opluchting voor de andere bewoners, die de ellende op straat niet meer hoefden te zien.

Hij vond hen in de noordelijke wijk, waar de vervallen, haveloze krotten stonden van de dagloners die naar de rand van de maatschappij waren verdrongen. Lodrik liep op een van de verlichte ramen toe, wreef een kijkgat in de ijsbloemen op de ruit en ontdekte zeven in lompen geklede gestalten die zich aan een klein, flakkerend vuurtje warmden.

Hij hoefde niet veel van zijn macht te gebruiken. Ze stierven een snelle, onverwachte dood. De angst beroofde hen van het leven en hun geschrokken zielen maakten zich in paniek van de stuiptrekkende lijven los en vlogen Lodrik in de armen.

'Jullie behoren mij toe en krijgen daarvoor een loon dat jullie zal bevallen. Als ik tevreden ben, laat ik jullie gaan naar het paradijs,' verklaarde hij onverschillig. 'Als jullie weigeren, worden jullie voorgoed vernietigd.' Hij beschreef Zvatochna, haar koets en haar kleren, en stuurde zijn geesten de nacht in. 'Zoek eerst maar in het paleis van de gouverneur.'

De turkooiskleurige, voor gewone mensen onzichtbare lichtjes zwermden uit. Ze durfden zich niet te verzetten.

'Je bent nog steeds een monster, Bardri¢,' hoorde hij een verachtelijke stem achter hem. 'Ik zweer bij Ulldrael de Rechtvaardige dat ik een manier zal vinden om je kapot te maken.'

'Blij je weer te zien, Soscha,' begroette hij haar onverstoorbaar. 'Waar zat je?'

Ze zweefde om hem heen en bleef voor zijn gezicht hangen. 'Niet bij jou, Bardri¢, en verder gaat het je niet aan.'

'Dat is waar,' knikte hij. 'En je mag proberen me te vermoorden, Soscha. Dat zou geen straf voor me zijn. Maar eerst...' – zijn hand schoot bliksemsnel naar voren en greep de oplichtende ziel in het midden vast, zodat Soscha niet kon ontsnappen – '... zul je me helpen tegen mijn dochter!' Hij gaf haar een kleine demonstratie van zijn krachten, en ze gilde van pijn. Pas toen haar licht begon te flakkeren en dreigde te doven, liet hij haar weer los. 'Waag het niet om nog eens te verdwijnen zonder mijn toestemming, Soscha. En als je wel verdwijnt, bid dan dat we elkaar niet bij toeval tegenkomen.'

Ze voelde hoe de duisternis, die bezit van haar had genomen om haar te overweldigen, weer verdween. Haar angst maakte plaats voor een geweldige vreugde, het leven zelf, dat weer opvlamde en zich woedend op die zwarte leegte in haar binnenste stortte. 'Je bent te gevaarlijk om te kunnen bestaan,' siste ze, nog krimpend van pijn. 'Vintera moet buiten zinnen zijn geweest toen ze een gedrocht zoals jij op de wereld zette!'

'Op een dag zal Vintera haar sikkel ook tegen mij gebruiken, wees maar niet bang,' antwoordde hij. 'En ze zal niet blij zijn dat je zo over haar spreekt.' Lodrik draaide zich bij het raam vandaan en wees naar de binnenstad. 'We gaan naar de toren van de kerk en wachten daarboven tot de zielen van hun zoektocht terugkomen. Daarna kun je me laten zien tot wat voor wonderen de ziel van een magiër in staat is.' Hij vertrok, in de zekerheid dat ze hem zou volgen.

De angst voor hem zat te diep. Iets ergers dan wat hij haar had laten voelen bestond er niet.

'Denk je dat het Zvatochna is?' vroeg Soscha. 'Haar aura kwam me wel bekend voor. Misschien heb je gelijk, Bardriç.'

Een schaduw gleed over de keitjes en verduisterde een moment de door sterren verlichte straat.

Lodrik hoorde het ruisen van vleugels. Snel keek hij op en herkende een vertrouwd silhouet tegen de kleinste van de vier manen. Het landde ergens op een dak en vouwde geruisloos zijn grote vleugels op. Het roerloze, gehurkte wezen was nauwelijks meer te onderscheiden van de vele stenen beelden en waterspuwers waarmee de mooiste gebouwen waren versierd.

'Een Modrak! Ze zijn terug,' mompelde hij.

Het was ook in Granburg dat hij de Modrak voor het eerst had ontmoet. Algauw hadden ze beseft wat hij voor het continent zou gaan betekenen en hem hun hulp aangeboden. Lange tijd hadden ze hem gediend, totdat ze zich van hem afkeerden. Dat hij ze uitgerekend nu weer terugzag op de plek waar hij ze voor het eerst was tegengekomen kon geen toeval zijn.

Ik wil weten wat voor spelletje jullie spelen en in dienst van wie, dacht Lodrik. *Zou Zvatochna zich van hun hulp hebben verzekerd?*

Hij liep verder, maar verloor de Modrak niet uit het oog. Even later sloegen ze de straat in waar dat levende standbeeld op het dak zat.

Toen hij scherp om zich heen keek, telde hij op de omliggende gebouwen nog vijf Modrak, die zich als loerende roofdieren boven de gevels hadden geïnstalleerd.

Een deur ging open en een jonge vrouw kwam naar buiten. In haar rechterhand had ze een kleine emmer met een dampende inhoud. Ze deed een stap naar voren om hem leeg te gooien in de goot.

Op een onhoorbaar bevel stortten de Modrak zich als valken omlaag en scheerden op haar af.

Het meisje werd volledig verrast door de aanval. Ze gilde toen ze door de scherpe klauwen tegen de stenen werd gedrukt, haar emmer kletterde tegen de grond en rolde weg. Urine golfde eruit.

Niemand kwam haar te hulp.

'Waar blijft de stadswacht?' vroeg Soscha opgewonden. 'Ze schreeuwt hard genoeg om de doden tot leven te wekken.'

Lodrik maakte zich uit de schaduw los, klaar om te vechten. 'Dan ben ik de aangewezen persoon,' mompelde hij bitter.

Maar hij was de enige niet.

Twee gedaanten kwamen vanuit een zijstraat aan gerend. Een zwaard en een brede sabel, glinsterend in het sterrenlicht, boorden zich in het vlees van de twee Modrak. De schepsels vlogen krijsend op en keerden zich tegen hun aanvallers.

Als verstijfd bleef Lodrik staan. Hij had het kale hoofd van de sterkste van de twee mannen onmiddellijk herkend, evenals de onmiskenbare pantserhandschoen waarin hij de sabel hield. *Waljakov!* Ook de andere man die de vrouw te hulp was gekomen had een bekend gezicht: zijn oude mentor Stoiko, die hem van jongs af aan als raadsman en vriend terzijde had gestaan. *Wat doen zij hier?*

Ondertussen ging het gevecht tussen de twee mannen en de Modrak door.

Stoiko was nooit een geweldige vechtersbaas geweest, maar hij weerde zich energiek om de vrouw uit de klauwen van de wezens te bevrijden.

Waljakov daarentegen sloeg om zich heen alsof de afgelopen zestien jaar ongemerkt aan hem voorbij waren gegaan. Algauw had hij zijn eigen Modrak-tegenstander uitgeschakeld en schoot hij Stoiko te hulp, die allang niet meer zo snel was als vroeger. Een oude strijder.

Lodrik stond nog altijd als aan de grond genageld.

Hij had zijn beste vrienden niet meer willen zien, hen opzettelijk gemeden en verlicht ademgehaald toen hij hoorde dat ze in opdracht van Norina door Tarpol zouden reizen om te zien hoe het ervoor stond met de hervormingen. Hij mocht hen graag, maar hij wilde hun zijn veranderde uiterlijk besparen.

Bovendien voelde hij zich veel te schuldig.

Dat was de voornaamste reden. Hij schaamde zich om hen onder ogen te komen. Deze confrontatie kwam hard aan, en herinnerde hem maar al te goed aan de schandalige manier waarop hij hen had behandeld.

Stoiko had hij op het hoogtepunt van zijn grootheidswaan in de gevangenis van Ulsar laten werpen. Waljakov was op het nippertje ontsnapt en had jaren in ballingschap op Kalisstron doorgebracht.

Beide mannen hadden hem na hun weerzien verzekerd dat ze hem hadden vergeven en dat het allemaal de schuld van zijn adviseur Mortva Nesreca was geweest. Lodrik geloofde hen, maar zo eenvoudig wilde hij zich er niet vanaf maken. Het stoorde hem niet dat hij vannacht een paar onbekende mensen van het leven had beroofd. Zijn wandaden uit het verleden drukten veel zwaarder op zijn geweten.

Een Modrak sloeg Stoiko neer en schopte hem met zijn klauwvoet in zijn zij. De man kreunde en zakte in elkaar. Sissend drongen de schepsels nu op Waljakov toe.

'Wat is er, Bardri¢?' siste Soscha. 'Wil je hun zielen voor je verzameling, of waar wacht je anders op?'

Haar woorden wekten hem uit zijn verdoving. Hij mocht de twee mannen niet opnieuw in de steek laten. Zonder aarzelen wierp hij zich in de strijd.

Twee van de Modrak kregen hem in de gaten en wilden hem tegenhouden. Hij smeet hun zijn angst tegemoet. Fladderend en krijsend zochten ze het luchtruim om te ontkomen aan de nachtmerrie die hun van het leven dreigde te beroven.

Maar tevergeefs. Dood stortten ze uit de nachthemel omlaag en sloegen met een klap tegen de daken. De een gleed omlaag tot op de straat, de ander bleef achter een schoorsteen haken.

'Heer!' riep Waljakov verrast. Hij boorde een andere Modrak zijn sabel in de buik, sneed hem open en schopte hem tegen zijn knokige borst, totdat hij stervend achteroverviel en Waljakov zijn wapen weer vrij had. Het volgende wezen hakte hij een poot af, waardoor hij Stoiko tegen een nieuwe aanval beschermde. Grommend deinsde het schepsel terug, met een woedende glinstering in zijn purperen ogen.

De derde Modrak besefte dat de kansen waren gekeerd. In plaats van opnieuw naar de kaalhoofdige reus op te dringen deed hij een stap naar voren om het hoofd van de vrouw, die nog altijd op de grond lag, te verpletteren.

Lodrik slingerde een hagel van angst op het schepsel af en verlamde zijn hart.

De spanning week uit het magere lijf, dat veranderde in een wervelend blad in plaats van een vallende steen. Levenloos zeilde het lichte schepsel over de vrouw heen en sloeg tegen het plaveisel. De vleugels vouwden zich als een geplooide mantel om de Modrak heen.

'Wat willen jullie van die vrouw?' gromde Waljakov, terwijl hij zijn sabel in zijn rechterhand nam en de laatste Modrak met zijn ijzeren vuist onbevreesd bij de keel greep. 'Waarom duiken jullie weer op?' Zijn staalgrijze ogen gingen even naar Lodrik. 'Heer, weet u iets meer?'

Ik zeg niets, fluisterde de Modrak in hun hoofd, zonder dat de dunne lippen zich bewogen. De grote kop van het schepsel sloeg heen en weer.

'O, jawel,' antwoordde Lodrik met een stem van ijskoud metaal. 'Werk je voor de Kabcara van Borasgotan?' Een kleine hoeveelheid angst was al voldoende om het van nature laffe wezen met zijn vleugels te laten klapperen in een wanhopige vluchtpoging. Maar het zat gevangen in de bankschroef van Waljakovs stalen vingers.

Nee, nee, wij dienen de kleine zilvergod! krijste de Modrak, en op zijn afstotelijke, doodskopachtige snuit brak de herkenning door. *Jij bent het! Jij bent het die ze vroeger de hoge heer noemden!*

'Wie is die zilvergod?' vroeg Lodrik onverstoorbaar verder. 'En wat heeft hij jullie nog meer bevolen?'

De gesmolten blokken! De blokken van iurdum die Nesreca van die vervloekte zwaarden heeft gemaakt... De Modrak draaide zich om. *We mogen niemand iets zeggen. Hij...* Weer schopte hij naar Waljakov, klapwiekend met zijn vleugels, met zoveel kracht en luchtdruk dat de oude krijger terugdeinsde.

Zonder zich iets van de pijn aan te trekken rukte de Modrak zich los. Met een half afgescheurde vleugel ging hij ervandoor.

Lodriks magie doodde hem zonder moeite. Als een steen stortte het wezen achter de daken van Granburg tegen de grond.

'Dank u voor uw hulp, heer.' Waljakov veegde het purperen bloed van de Modrak zo goed en zo kwaad als het ging aan de straatstenen af. Zijn ijzeren vingers schraapten over de grond.

Stoiko kwam langzaam overeind, met zijn hand tegen zijn zij gedrukt, waar het schepsel hem had geschopt. 'Zonder die leren wapenrusting zou ik nu een gat in mijn buik hebben gehad waaruit mijn darmen naar buiten puilden,' kreunde hij. 'Heel verstandig, om naar jou te luisteren, Waljakov.' Hij grijnsde tegen Lodrik toen hij opstond en zich samen met de reus over de vrouw boog, die jammerend op de stoep lag. 'Ik ben blij u te zien, heer, maar u begrijpt dat we ons eerst om dit arme meisje moeten bekommeren voordat we kunnen praten.' Ze hielpen haar op de been en brachten haar naar binnen.

Lodrik pakte de nachtspiegel en kwam achter hen aan. Toen hij het kleine huis binnenstapte, wachtte hij bij de deur hoe het zijn vrienden verging.

Na enig zoeken vond Stoiko een fles brandewijn en goot de vrouw wat in haar keel. Ze hoestte en pakte gretig de beker toen hij die wilde wegzetten. 'Ik zal niet zeggen dat alles in orde is, maar voorlopig ben je veilig,' zei hij voorzichtig.

Waljakov liep weer naar buiten, waar nog steeds geen wachter te zien was, en onderzocht drie van de Modrak. Hij kwam terug met een leren buidel. Behoedzaam legde hij de inhoud op tafel. Het warme schijnsel van het talglampje viel over een klompje metaal.

'Iurdum,' zei Lodriks voormalige lijfwacht en wapenmeester. 'Is dat van jou?' vroeg hij kortaf aan de vrouw. 'Heb jij dat gestolen?'

'Nee!' protesteerde ze, terwijl ze de beker leegdronk, zich nog eens inschonk en om zich heen keek. 'Willen jullie ook wat? Het is het enige wat ik jullie kan aanbieden voor het redden van mijn leven.' Stoiko nam het aan, de andere twee mannen bedankten. 'Ik ben Tamuscha.' Haar hand beefde bij het inschenken. 'Wat waren dat voor beesten die me overvielen?'

'Modrak. Je hebt wel eens van ze gehoord als "Waarnemers",' antwoordde Stoiko voorzichtig. 'Heb je zelf enig idee wat ze van je wilden?'

'Ze zaten je op te wachten,' merkte Lodrik op. 'Ik zag ze loeren. Ze wilden je doden in opdracht van de kleine zilvergod. Ken je iemand die zo wordt genoemd?'

'De kleine zilvergod?' Tamuscha's verbazing was oprecht. 'Nee, ik ken niemand die iets met zilver te maken heeft.' Ze keek angstig naar het raam en kromp ineen. 'Zouden ze het nog eens proberen?'

Waljakov trok een grimas, maar zei niets. Stoiko probeerde een geruststellend antwoord te bedenken, maar Lodrik was hem voor.

'Ja, Tamuscha, ze zullen het nog eens proberen. Totdat je dood bent, of wij die zilvergod hebben gevonden en onschadelijk gemaakt. Dus denk goed na,' zei hij kil, en zijn blauwe ogen met de zwarte vlekken keken haar strak aan. 'Een man of een vrouw die zilveren kleren draagt, in zilver handelt, veel zilver bezit...'

'Nee,' riep ze angstig. 'Nee! Die ken ik niet.' Opeens veranderde haar gezicht. 'Nou ja, dat verschrikkelijke kind van Bardri¢ heeft zilverblond haar,' fluisterde ze. 'Ik zag het bij toeval. Zilverblond haar en tanden als een kat.' Ze huiverde.

Lodrik fronste zijn voorhoofd. 'Heb je voor Aljascha gewerkt?'

Tamuscha knikte. 'Ja, heer. Tot een paar maanden geleden, als dienstmeid. Maar toen ontsloeg ze al het personeel, van de ene dag op de andere.'

Stoiko keek naar het klompje op de tafel. 'Heeft nog iemand anders dat kind...'

'Vahidin,' noemde ze de naam van Aljascha's zoon. 'Hij heet Vahidin.'

'... gezien?'

'Nee, ze lette erop dat ze altijd met hem alleen was. Maar bij het schoonmaken heb ik wel eens een blik in zijn bedje geworpen. Hij was heel groot voor een kind van zijn leeftijd.' Ze sloeg haar ogen neer. 'Zijn mutsje zat scheef, en ik zag zijn zilverblonde haar. Toen siste hij tegen me en liet me zijn hoektanden zien. En zijn ogen leken ook heel vreemd, alsof ze gespleten pupillen hadden en een rare kleur, net als lila, maar donkerder en sterker. Ik ben de kamer uit gevlucht.'

Lodrik vermoedde al van wie Vahidin een kind was. Zijn adviseur Mortva Nesreca had met zijn vrouw geslapen en zijn zoon blijkbaar bepaalde lichamelijke kenmerken en griezelige details meegegeven.

Want al had Mortva een aantrekkelijke man geleken, die nooit ouder werd, in werkelijkheid was hij Ischozar, een van de lagere goden van de duisternis, geschapen door Tzulan. In zijn menselijke gedaante als Mortva had hij intriges beraamd, Lodrik tot het Kwaad verleid en het continent bijna in het verderf gestort. Lodrik had wraak genomen en hem in de slag bij Taromeel eigenhandig vernietigd.

Ik had kunnen weten dat hij me met Aljascha bedroog. Lodrik probeerde te bedenken hoe het verder moest. Maar één ding tegelijk. Eerst moest hij Zvatochna tegenhouden. Zij was het grootste gevaar. Daarna zou hij zich wel om zijn voormalige echtgenote bekommeren en haar samen met haar kind van de troon in Kostromo stoten. Als de Modrak deze bastaard als nieuwe hoge heer vereerden, was hij te gevaarlijk om hem in leven te laten.

Hij zag aan Stoiko's gezicht dat zijn oude vriend ook zoiets dacht. 'Tamuscha moet naar Perdór worden gebracht,' besloot hij. 'Ik ken mijn vrouw. Ze zal de Modrak net zo vaak naar Granburg sturen totdat er eentje met het hoofd van dit meisje terugkomt.'

Tamuscha slikte hoorbaar. 'U bent... de oude Kabcar?' Ze wilde voor hem knielen, maar Lodrik weerhield haar met een handgebaar.

'Ik ben de óúde Kabcar, zoals je al zei. Knielen is niet nodig.'

'Ik heb ooit gehoord dat de Aldorelische zwaarden van de Hoge Zwaarden waren gestolen, zonder dat iemand ze ooit heeft teruggezien. Tokaro en de grootmeester hebben er nog een, maar de rest is verdwenen.' Stoiko streek met een hand over het klompje iurdum. 'Nesreca heeft kennelijk een manier gevonden om ze om te smelten.'

'Helemaal vernietigen lukte niet,' bromde Waljakov tevreden.

'Niet zo mooi als Aljascha en haar kind de rest in handen krijgen.' Stoiko wreef over zijn snor, die bijna helemaal wit en grijs geworden was, en glimlachte Tamuscha bemoedigend toe. 'We brengen je hiervandaan, naar Ilfaris, samen met het iurdum. Koning Perdór is een vriendelijke man, die je verhaal graag zal aanhoren. De gouverneur van Granburg regelt een koets en een escorte. Akkoord?'

'Ik heb weinig keus, als het om mijn leven gaat,' zei de vrouw, opgelucht en triest tegelijk.

'Geef ons snel de namen van de andere dienstboden, dan kunnen we hen ook in veiligheid brengen. Pak dan de spullen in die je nodig hebt,' zei Stoiko. 'Wij wachten wel.' Nauwelijks was ze uit de kamer verdwenen of hij draaide zich om naar Lodrik. 'Hoe is het mogelijk dat u hier op het juiste moment opdook? U wist toch niet dat Aljascha de Modrak had gestuurd?'

'Hebben jullie Elenja in Granburg gezien?'

Stoiko liep naar de haard en hield zijn gewonde heup naar het vuur toe om met de warmte de pijn wat te verdrijven. 'De Kabcara van Borasgotan? Die was op doorreis en is niet lang gebleven.'

Waljakov snoof. 'Zit u achter haar aan?'

Hij stond in tweestrijd of hij zijn vrienden de waarheid moest vertellen. 'Ja, ik volg haar,' antwoordde hij ontwijkend.

'Omdat ze uw zwaard heeft?' vermoedde de reus meteen, tot grote verbazing van zowel Lodrik als Stoiko. 'Uw beulszwaard. Dat zag ik toen ze uit de koets stapte. Het lag op de andere bank.' Zijn staalgrijze ogen keken Lodrik aan. 'Ik vergis me niet, heer. Het was uw beulszwaard, waarmee u op het marktplein de executies uitvoerde en dat u in de slag bij Taromeel was kwijtgeraakt.'

'Het is Zvatochna.' Hij zei het zo zacht dat ze hem nauwelijks konden verstaan. 'De Kabcara van Borasgotan is in werkelijkheid mijn dochter. En ze is een necromante geworden.'

Stoiko en Waljakov wisselden een snelle blik. 'Hebt u haar zonder sluier gezien, heer? Hoe kunt u het anders zo zeker weten?'

'In Ulsar heeft ze Soscha Zabranskoi gedood. Haar ziel heeft het me verteld,' antwoordde hij zacht en kil. De ontzetting op Stoiko's gezicht deed hem weinig, hoewel Lodrik wist dat hij van Soscha had gehouden als van een dochter. Het moest een groot verlies voor hem zijn.

'Soscha,' stamelde zijn vriend, met tranen in zijn ogen. 'Is Soscha dood?'

Lodrik gaf de twee mannen een korte samenvatting van de gebeurtenissen in de hoofdstad. 'En sindsdien volg ik Zvatochna. Om ervoor te zorgen dat het nieuws over haar dood nu ook werkelijkheid wordt.' Hij zag Soscha's ziel, die rond de verdrietige Stoiko zweefde maar niet wist hoe ze hem kon troosten. 'Ze is bij je,' zei hij haperend. 'Recht naast je.'

'Houdt u haar ziel gevangen als een hond?' vroeg Stoiko geëmotioneerd. 'Laat haar vrij, heer! Ze moet...'

'Nee, ik hou haar niet gevangen. Ze wil zelf op Ulldart blijven tot we Zvatochna hebben gedood.' Dat was niet waar, maar noch zijn voormalige lijfwacht noch zijn oude raadsman zou dat aan zijn stem kunnen horen.

'Dan ga ik met u mee,' verklaarde Stoiko vastbesloten. 'Ik wil met eigen ogen zien dat de moordenares van Soscha haar gerechte straf ondergaat.'

Waljakov knikte. 'Mijn vrouw Håntra en ik gaan ook mee. We laten Stoiko en u niet alleen tegen uw dochter strijden.'

De necromant lachte welwillend. 'Ik stel jullie steun op prijs, maar wat heb ik eraan?'

Waljakovs mechanische hand ging naar de greep van zijn sabel, het meest karakteristieke gebaar van een krijgsman. 'Wat u aan ons hébt, heer? Voor de verandering hebt u dan een paar vrienden... levende mensen... om u heen, in plaats van die doden en die gevangen zielen!' Hij nam hem onderzoekend op. 'Kijk toch hoe u eruitziet! Straks begint u nog te klepperen onder het lopen, zo mager bent u geworden.' De harde blik in zijn ogen liet geen tegenspraak toe.

Het leek weer als vroeger, toen Lodrik geen betere kerels om zich heen had kunnen hebben dan deze twee mannen, die nu zo'n stuk ouder waren. Maar dat gold nog altijd. Weggestopte emoties kwamen bij hem boven. Hij moest zich beheersen om het tweetal niet in zijn armen te sluiten.

'Kom dan maar mee, als jullie me niet voor de voeten lopen,' zei hij, opzettelijk nors, maar tot zijn opluchting lieten ze zich niet weerhouden.

Nu waren het drie ervaren jagers die zijn dochter achtervolgden.

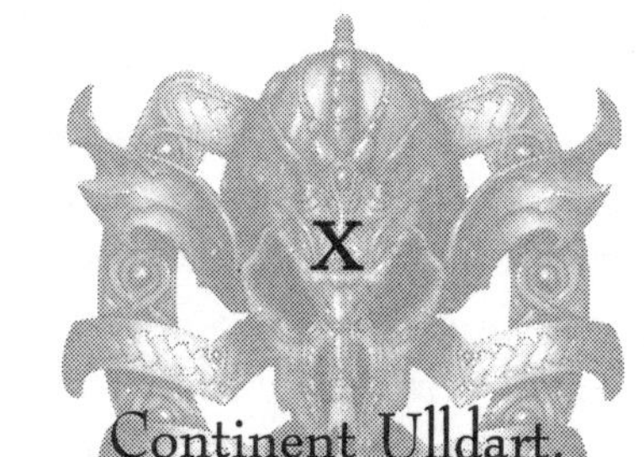

X

Continent Ulldart, Kensustria, Khòmalîn, winter van het jaar 1/2 Ulldraels (460/461 n.S.)

Geruisloos ging de deur van Tokaro's cel open. Het daglicht viel op het gezicht van een bewaker uit de priesterkaste. Hij wenkte de jonge ridder. 'Het is zover. De familie heeft een krijger gestuurd.'

'Eindelijk is het wachten voorbij.' Tokaro trok zijn glinsterende harnas aan en maakte zich gereed, zoals het een volgeling van Angor paste. Toen pas zette hij een voet over de drempel en pakte het zwaard aan dat hij van de Kensustriaan kreeg aangereikt. Hij fronste zijn wenkbrauwen. 'Dat is niet mijn wapen!'

'De priesterraad heeft besloten je niet je Aldorelische zwaard te geven voor dit duel,' zei de bewaarder, terwijl hij voor hem uit liep naar de plek waar over zijn leven zou worden beslist. 'Wij konden er zelf geen maken, daarom hebben we het je afgenomen. De eerlijkheid vereist dat je met hetzelfde wapen vecht als je tegenstander.'

Tokaro knarsetandde. 'Als Angor mijn ziel tot zich zou roepen, geef mijn zwaard dan aan de grootmeester van mijn orde.'

De cipier zei niets, maar daalde de trap af, terug naar Kensustriaanse bodem.

Het was koud geworden. Hun adem vormde witte wolkjes en de bewoners van Khòmalîn droegen dikke kleren. Tokaro maakte het niet veel uit. De winters in dit deel van Ulldart waren zacht vergeleken met de ijzige vlakten van Tarpol waar hij vandaan kwam.

Hij herkende de plek van het duel meteen. Hier had hij de degens gekruist met de Kensustriaan en hem per ongeluk gedood.

Enkele leden van de priesterklasse, zijn uitdager en een priester die als scheidsrechter optrad, stonden al te wachten.

Tokaro nam zijn tegenstander eens op, maar was niet erg onder de indruk. De man, die hij op begin dertig schatte, verborg zijn postuur, zijn wapenrusting en zijn wapen onder een witte mantel.

De priester stak zijn arm op, zei iets in een onverstaanbare taal en herhaalde zijn woorden in de handelstaal van Ulldart: 'Volgens Kensustriaans recht mag de familie voor de dood van hun zoon het leven van de vreemdeling nemen, mits hij dat in een gevecht verliest.' Hij deed een symbolische stap terug.

Dat teken begreep de jonge ridder ook zonder vertaling. Hij greep zijn zwaard, trok het uit de schede en wachtte op de aanval van de Kensustriaan. 'Ik wil wel verklaren dat ik de dood van de man betreur en dat het een ongeluk was,' zei hij. 'En ik zal proberen het leven van de Kensustriaan tegenover me te sparen, als dat kan.'

Een oudere krijgsvrouw, die al boven de zestig moest zijn, sprak een woord. Tokaro's tegenstander gooide zijn witte mantel af, maar hield hem nog vast bij de kraag.

'Dat kan niet waar zijn!' riep Tokaro onwillekeurig, toen hij het naakte, gespierde lichaam zag. De krijger droeg alleen een lendenschort, zachte hoge schoenen en stevige handschoenen. In zijn rechterhand had hij het zwaard, in zijn linkerhand de mantel.

Als antwoord deed de Kensustriaan een uitval, recht naar voren. Terwijl de ridder de slag pareerde, wapperde de mantel omhoog en benam hem een moment het zicht.

Het gaf zijn tegenstander voldoende tijd om opnieuw toe te slaan.

Tokaro hoorde het zwaard op zich toe komen, maar hij kreeg zijn arm niet snel genoeg omhoog en werd pijnlijk tegen zijn schouder geraakt. Zijn harnas voorkwam dat de kling in zijn vlees en botten sneed, maar de klap smeet hem opzij. Heel even zakte hij door zijn knieën. Een hete, stekende pijn verlamde zijn schouder en verdoofde zijn arm.

Maar daar bleef het niet bij.

De Kensustriaan had erop gerekend dat Tokaro opzij zou tuimelen. Hij had de mantel zo neergelegd dat hij zijn ene voet erop zette. Op dat moment trok hij hem weg, zodat Tokaro zijn evenwicht verloor.

De ridder struikelde naar achteren en de Kensustriaan sloeg genadeloos toe, deze keer met zijn wapen op Tokaro's hals gericht. Het was niet langer zijn bedoeling om zijn vijand enkel te verwonden.

Met grote moeite wist Tokaro de slag opnieuw af te weren, maar de punt van het zwaard boorde zich door zijn pantser en trof zijn sleutelbeen. Vloekend sloeg hij van onderen tegen de kling, die luid rinkelend op ongeveer een derde afbrak.

De Kensustriaan deed twee stappen terug en loerde naar de vreemdeling, die nu moest aanvallen.

Tokaro begreep allang waarom hij in het nadeel was. Zijn wapenrusting was gemaakt door de beste smeden van Ulldart en gaf hem een grote bewegingsvrijheid, maar het was niet te vergelijken met de lenigheid van een naakte man.

Omdat hij voor het oog van de krijgers niet laf wilde lijken, drong hij naar zijn tegenstander op, hoewel hij wist dat een rechtstreekse aanval geen kans van slagen had. Hij moest een list verzinnen.

Dus deed hij alsof hij moe werd, waardoor zijn slagen steeds trager gingen. Hij waggelde opzettelijk, om de krijgsman te laten geloven dat hij door zijn gevangenschap uit conditie was geraakt.

Toen de Kensustriaan de truc met de mantel nog eens probeerde en met al zijn kracht een ruk gaf aan de kraag, tilde Tokaro zijn voet op, waardoor de mantel terugschoot en de krijger door zijn eigen beweging in problemen raakte.

Bliksemsnel sneed Tokaro nu de stof door, zodat er slechts een armzalig lapje tussen de vingers van zijn vijand achterbleef. Tokaro negeerde het gewicht van zijn harnas en sprong naar voren met het zwaard in zijn gestrekte arm.

Zijn niet ongevaarlijke plan slaagde wel, maar hij struikelde zelf ook.

Het wapen drong in het been van de Kensustriaan, onder de knie, en trok een bloederig spoor naar de binnenkant van zijn enkel. Kreunend ging hij neer. Tokaro's aanval had hem een hele lap vlees uit zijn been gekost, en het bloed spoot uit de wond.

Maar geen van beiden wisten ze van opgeven. Ze hesen zich overeind, ondanks de verwondingen en de pijn, want wie op de grond lag kon zich nauwelijks verweren. Dus waren ze min of meer tegelijkertijd weer op de been.

Tokaro had eenvoudig kunnen wachten tot de Kensustriaan was doodgebloed, maar dat vond hij een eerloze manier om de strijd te winnen. Aan de andere kant was het ook niet eervol om een zwaargewonde vijand aan te vallen.

'Priester, vraag hem of hij wil opgeven,' stelde hij voor. 'Hij is...'

De Kensustriaan strompelde naar voren en sloeg op hem in, maar Tokaro ving de klap op en ramde de man zijn gepantserde elleboog in het gezicht. Met een bloedende snee in zijn neus zakte de krijgsman voor de tweede keer in elkaar.

'Ik vraag het nog eens: Wilt u opgeven?' Tokaro deed een stap naar voren en ging op het zwaard staan, zodat de Kensustriaan het niet kon optillen om hem in zijn been te steken. De punt van zijn eigen wapen zette hij tegen de bezwete hals van zijn vijand.

De man knipperde met zijn ogen, zijn hoofd zakte naar achteren, en kreunend verloor hij het bewustzijn.

'Daarmee is het wel bekeken,' constateerde de ridder. Hij nam zijn voet van het zwaard en draaide zich om.

Het schrapende geluid achter hem, dat bijna werd overstemd door het gerinkel van zijn harnas, waarschuwde hem. De Kensustriaan had zich bewusteloos gehouden en op zijn laatste kans gewacht om de ridder te verslaan.

Tokaro ramde zijn zwaard omlaag en ving de slag op die van achteren op zijn knieholte was gericht. Hij draaide om zijn eigen as, hurkte neer en gebruikte de kracht van die beweging voor een dodelijke, loodrechte klap. Hij hoorde de oudere Kensustriaanse krijgsvrouw een kreet slaken.

Het wapen was geen Aldorelisch zwaard, maar had toch een vernietigend effect op zijn overeind gekomen tegenstander. De kling scheerde vlak langs zijn hoofd, sneed twee haarlokken en een oor af, gleed door het onbeschermde sleutelbeen en bleef pas steken in de borstkas, ter hoogte van het hart.

Tokaro en de Kensustriaan staarden naar het zwaard en de merkwaardig bloedeloze wond. Maar opeens spoot het bloed eruit en zakte de krijgsman dood opzij. Om hem heen vormde zich een grote plas.

De jonge ridder richtte zich op. Hij liet het wapen in het lichaam zitten en stelde zich op tegenover de geschrokken priester, die zijn blik niet van de dode kon losmaken. Het was waarschijnlijk de eerste verslagen Kensustriaan die hij ooit had gezien.

'Ben ik nu een vrij man?' De priester knikte, ontdekte de bloedspatten op zijn gewaad en mompelde iets voor zich uit. 'En u? Bent u tevreden met wat u hebt aangericht?' vroeg Tokaro aan de krijgsvrouw, die betraande ogen had. 'Zijn dood is úw schuld, niet de mijne. Het was geen opzet toen ik het eerste lid van uw familie doodde, maar dit tweede verlies komt volledig voor uw rekening.'

Niemand vertaalde zijn woorden.

'Kom, we zullen je wonden verzorgen,' zei de bewaarder.

'In mijn cel, neem ik aan?'

De Kensustriaan gaf hem het Aldorelische zwaard. 'Nee. Er wordt een kamer voor je ingericht waar je kunt blijven zolang je wilt. Je bent nu een gast in Khòmalîn, geen gevangene meer.' Met zijn barnsteenkleurige ogen monsterde hij de schouderwond, waarin nog een deel van het zwaard stak. 'Gaat het? Of moet ik een paar dragers roepen?'

'Nee,' antwoordde Tokaro meteen. 'Ik ben lopend naar dit gevecht gekomen en ik ga ook op eigen benen terug.'

Algauw kreeg hij spijt van dat stoere voornemen. De wenteltrap van de toren kostte hem zijn laatste krachten. Het zweet droop van zijn voorhoofd en hij werd een paar keer duizelig. Maar zijn eer als ridder verbood hem om zwakte te tonen; daar had Angor geen begrip voor.

Toen hij eindelijk in zijn kamer kwam en alleen gelaten werd, liet hij zich in zijn wapenrusting op het bed zakken om bij te komen voordat hij zich van de metalen onderdelen kon bevrijden.

Na een tijdje werd er geklopt. Een kleine delegatie Kensustriaanse mannen en vrouwen stapte naar binnen om hem te wassen en zijn wonden te behandelen. Hij had pijn in zijn linker sleutelbeen. De steekwonden werden gehecht en ingesmeerd met een zalf die een snelle genezing moest bevorderen.

Tokaro was moe tot op het bot, en hij viel in slaap terwijl ze nog met hem bezig waren, voordat hij een hap gegeten had.

Midden in de nacht werd hij wakker en merkte dat hij naakt in een heerlijk zacht bed lag, in een halfdonkere kamer. De honger had hem gewekt.

Hij stond op, trok een frisgewassen en naar kruiden geurend nachthemd aan en ging op zoek naar eten.

Op de tafel naast het grote ronde raam, dat een prachtig uitzicht bood op de verlichte tempels van Khòmalîn, stond een ruime keus aan eten en drinken. Tokaro bekeek de maaltijd bij het licht van de manen en sterren. Zijn wonden waren niet pijnlijk meer.

Een deur ging open, zonder dat iemand de moeite nam om te kloppen.

'Wie is daar?' Tokaro stak zijn hand uit naar zijn Aldorelische zwaard, dat op de stoel tegenover hem lag.

'Ik ben het,' zei een zachte vrouwenstem, en een gedaante stapte uit het donker naar het raam.

'Estra!' Hij haalde verlicht adem, legde het brood terug en sprong spontaan overeind om haar te omhelzen. Pas toen hij haar lichaam onder de dunne stof voelde, besefte hij dat hij nu moeilijk nog zijn lang verborgen gevoelens voor haar kon ontkennen. 'Het spijt me,' stamelde hij, en hij liet haar los, maar Estra hield haar armen om hem heen geslagen en keek hem aan.

'Nee, Tokaro. Dat is niet nodig,' zei ze blij, hoewel hij de melancholie in haar karamelkleurige ogen niet verklaren kon. Estra tilde haar hoofd naar hem op, kuste hem op de mond, opende haar lippen een beetje en verleidde hem tot meer dan zomaar een vriendschappelijke zoen.

Zijn hand gleed onder haar jurk en hij streelde haar fluweelzachte huid. 'Mag dat wel, wat wij doen?'

Ze glimlachte en huiverde toen hij haar jurk van haar schouders schoof. 'Wat zou er verkeerd aan zijn?' antwoordde ze, maar toen begreep ze de ware reden voor zijn aarzeling. 'Je denkt aan mijn moeder en Nerestro, waar of niet?' Ze vlijde zich tegen hem aan, in het schijnsel van het zilveren licht. Toen haar vingertoppen zijn lichaam verkenden, liet hij al zijn reserves varen en gaf zich over aan zijn gevoel.

Ze beminden elkaar, en meer dan eens. Heftig en teder tegelijk schonken ze zich aan elkaar, totdat ze uitgeput op bed lagen.

Tokaro hield haar in zijn armen en zag zichzelf al met haar naar Ammtára teruggaan om daar een afdeling van de Hoge Zwaarden te stichten. Beelden van kinderen doemden voor zijn ogen op. Dat was de toekomst waarnaar zijn adoptievader Nerestro van Kurasch-ka en Belkala altijd hadden verlangd. *Ik zal Estra beschermen tegen alles wat haar kwaad wil doen*, zwoer hij in stilte, terwijl hij de geur van de jonge vrouw inademde. Hij rook aan haar haar en streelde haar rug.

'Ik blijf hier.'

Het leek of ze een emmer met ijswater over hem uitstortte. 'Wát zeg je?' Hij zocht haar blik, maar ze had haar ogen gesloten.

'Ik blijf hier. Dat heb ik mijn tante beloofd. Ik zal goedmaken wat Belkala heeft aangericht.' Maar het klonk onzeker, alsof het niet haar vrije keus was, en dat voelde Tokaro haarscherp aan.

'Je tante? O, ik weet wat voor spelletje hier gespeeld wordt. Ze dwingen je gewoon om in Khòmalîn te blijven,' zei hij zonder omwegen. Estra sloeg geschrokken haar ogen op. Er lag wanhoop in haar blik, en angst. 'Ze hebben je gedreigd dat ze mij zouden doden als jij niet blijft,' begreep de ridder kwaad.

'Nee, ik wilde zélf blijven,' bezwoer ze zijn opkomende woede. 'Het is mijn eigen beslissing.'

Hij schudde zijn hoofd. 'Nee, Estra. Ik zie hoe zorgelijk je kijkt. Ze hebben Pashtak beloofd dat ze jou geen haar zouden krenken. Dat is de manier waarop ze eisen kunnen stellen.' Nijdig sprong hij uit bed, zonder op de protesten van zijn schouder te letten. Hij kleedde zich aan en gooide haar jurk op het bed. 'Trek aan. Dat stelletje achterbakse leugenaars! We gaan ervandoor. Laat Angor deze stad verpletteren!'

Estra kwam overeind. 'Nee. Ze zullen je...'

'Ha!' riep hij triomfantelijk. 'Ik wist het!' Hij trok zijn maliënkolder aan, stapte in zijn laarzen en gordde zijn borstharnas om. De rest liet hij liggen. Tegen de Kensustriaanse krijgers had hij meer bewegingsvrijheid nodig. Hij was al klaar toen Estra nog steeds besluiteloos op het bed lag. 'Waar wacht je op?'

'Ik wil je niet dood hebben,' zei ze ernstig. 'Ik ga niet mee.'

'Wat willen ze van je?'

'Dat mag ik niet zeggen,' weerde ze af. 'Ga nou maar, en vergeet mij niet. Op een dag zien we elkaar terug, Tokaro. Doe Pashtak...'

'Jou vergéten? Estra, we hebben samen geslapen! Deze nacht heeft onze liefde bezegeld. En ik weiger je bij deze figuren achter te laten,' vloog hij op. Hij stak zijn gepantserde hand naar haar uit. 'Kom, ik breng je hier vandaan.'

'Maar dat kán niet!' riep ze kwaad. 'Begrijp dat dan, met je onnozele, halsstarrige, arrogante ridderkop! Ze zullen je doden en Ammtára laten verwoesten zodra ik hier vertrokken ben!' Ze klauwde met haar handen in de deken en heel even had hij het gevoel dat haar gezicht veranderde; dat het dierlijker en gevaarlijker werd. 'Hun goden willen dat ik blijf.'

'Ik buig niet voor hun goden. Ik dien alleen Angor,' hield hij koppig vol. 'Hij beschermt mij. Mijn leven voor Angor, en de dood aan mijn vijanden!' Hij kuste de bloedgoot van het Aldorelische zwaard. 'Estra, vertrouw me.'

Bliksemsnel sprong ze uit bed en bleef naakt voor hem staan, met fonkelende ogen. 'Wat heeft vluchten voor zin? Daar sta je nou, net zo zelfvoldaan en aanmatigend als mijn vader, zoals ik hem ken uit de verhalen van mijn moeder, zonder dat je maar één ogenblik aan de gevolgen van je beslissing denkt.' Ze pakte zijn nek, trok hem wild naar zich toe en kuste hem zo hartstochtelijk dat het vuur van zijn verlangen weer oplaaide. 'Ga nou maar.' Ze greep haar jurk en rende naar de deur.

Hij legde zijn hand op haar blote schouder. 'Estra?'

Zuchtend draaide ze zich om. 'Tokaro, maak het me niet nog moeilijker...' Ze zag zijn vuist op zich afkomen, maar was te verbaasd om te reageren. De klap was hard genoeg om haar bewusteloos in zijn armen te doen zakken.

'Vergeef het me, maar ik kan het niet goedvinden dat ze je hier houden,' zei hij tegen de bewusteloze jonge vrouw. Snel kleedde hij haar aan, sloeg een deken om haar heen tegen de kilte en droeg haar naar buiten, de gang door en de trap af naar de stallen, waar zijn schimmel was ondergebracht.

In allerijl zadelde hij Treskor, legde Estra achter het zadel en sjorde zoveel bagage om haar heen dat de poortwachters haar op het eerste gezicht niet zouden ontdekken onder die berg van dekens, pannen en ander gerei.

Kort voor zonsopgang reed hij naar de uitgang van de stad en probeerde een slaperige indruk te wekken. De Kensustriaanse krijgers hadden geen reden meer om hem tegen te houden, dus openden ze de grote poort voor de vreemdeling. Hij reed rustig naar buiten en dankte Angor voor zijn hulp.

Maar opeens klonk er een luid gedreun. Iemand sloeg op een heldere gong, als teken dat er iets aan de hand was in Khòmalîn. De priesters hadden de verdwijning van hun gevangene ontdekt.

'Jullie krijgen ons niet te pakken!' riep Tokaro, en hij drukte zijn hielen in de flanken van zijn hengst.

Treskor ging er hinnikend vandoor en stormde ondanks zijn extra last in hoog tempo de weg af, bij de stad vandaan.

Continent Ulldart, baronie Kostromo, winter van het jaar 1/2 Ulldraels (460/461 n.S.)

De man deinsde terug naar de muur, hijgend van inspanning, sprong toen opzij en dook onder de goed gerichte klap van het zwaard door. Maar daarbij zag hij de dolk over het hoofd die vanaf de andere kant op hem toe kwam en pijnlijk zijn onderlijf raakte. Kreunend zakte hij omlaag langs de muur en bleef op zijn hurken zitten, happend naar adem.

Het zwaard sloeg weer toe en trof hem met een doffe dreun midden op zijn hoofd.

En nog eens.

En nog eens, en...

'Vahidin, hou op!' zei een strenge vrouwenstem.

'Het is maar een houten zwaard,' protesteerde de jongen, terwijl hij de volgende slag afmaakte. Hij droeg een gevechtstenue met een leren helm op zijn hoofd, die zijn zilverblonde haar verborg. 'Ik maak hem niet dood, hoor.'

'Ik wil ook niet dat je hem verwondt en dat er bloed vloeit.' Aljascha was uit de dikke kussens van haar stoel gekomen en liep ruisend in haar donkergroene jurk naar haar zoon, die op onverklaarbare wijze weer was gegroeid en nu wel twaalf leek. Waar hij ook opdook of werd gesignaleerd, mannen en vrouwen vielen voor zijn charme en zijn heldere verstand.

'Dank u, hooggeboren vasruca,' zuchtte de oefenmeester, terwijl hij overeind kwam, met zijn handen tegen zijn bonzende hoofd en de plek in zijn onderbuik geklemd, waar de houten dolk zich met kracht tegen zijn darmen had geramd. Het deed nog altijd pijn. De jongen oogde wel tenger, maar hij was sterker dan hij leek.

Ze lachte arrogant. 'Het gaat me minder om jouw leven dan om de vlekken. Dit zijn dure kleren. Je zou ze niet kunnen vergoeden uit je loon.' Ze kwam naast Vahidin staan en legde een hand op zijn schouder. 'Goed gevochten, lieve knul van me.' Ze wenkte de bediende die bij de deur stond met een langwerpige kist in zijn handen. 'Ik heb een cadeau voor je.'

De jongen opende het deksel, sloeg het zwarte fluweel terug en lachte blij toen hij de kostbare schede met het zwaard zag, dat verleidelijk op hem wachtte.

De kling was gesmeed uit het blok iurdum dat de Modrak hadden gebracht. Hij trok het wapen uit de schede, zwaaide het een paar keer rond en voelde hoe perfect het in zijn hand lag.

'Dank je, mama.' Hij kuste haar op de wang.

'Hij maakt geweldige vorderingen, hooggeboren vasruca,' voelde de oefenmeester zich verplicht de prestaties van de jongen te bevestigen. 'Ik heb geen enkele leerling die binnen twee weken zo goed met het zwaard en een extra wapen heeft leren omgaan.' Hij waagde zichzelf op de borst te kloppen. 'Dat bewijst wel dat hij een uitstekende leraar heeft.'

Vahidin en Aljascha schoten tegelijkertijd in de lach. De oefenmeester keek beledigd. 'Je kunt gaan,' zei ze uit de hoogte, en ze stuurde hem weg.

'Heel goed, hooggeboren vasruca.' Hij maakte een diepe buiging voor haar. 'Morgen om dezelfde tijd, hooggeboren vasruc?' zei hij tegen de jongen.

'Nee. Je bent ontslágen.' Vahidin wierp het oefenwapen achteloos weg. 'Ik heb een betere leraar nodig dan jij. Ik heb van je gewonnen, dus van jou kan ik niets meer leren.'

Aljascha keek de man spottend aan. 'En? Wie van je concurrenten kun je aanbevelen?'

'In heel Kostromo is er geen betere dan ik.'

'Dan moet ik maar een vechtschool openen,' merkte Vahidin spits op, en hij richtte zijn zwaard op de oefenmeester. 'Durf je het met een echt zwaard tegen me op te nemen? Dan kun je je baantje houden.'

'Vahidin, nee! Ik wil niet dat je gewond raakt,' zei Aljascha bezorgd.

Hij grinnikte boosaardig. 'Dat lukt hem niet.' Hij wenkte de leraar uitdagend. 'Nou, oude man? Of ben je bang voor een klein kind?'

De leraar lachte onzeker en keek hulpzoekend naar de bediende, die neutraal voor zich uit staarde, alsof het hem allemaal niet aanging. 'Nee, ik zal mijn zwaard niet tegen u verheffen, hooggeboren vasruc,' zei hij. 'Dan beland ik in de kerker.'

'Ik zweer je dat je niets zal overkomen, zelfs niet als je me verwondt,' beloofde Vahidin hem grootmoedig. 'Als je van me wint, hou je je baan, met een dubbel salaris.'

Dat aanbod kon de oefenmeester niet afslaan. Hij pakte zijn zwaard, dat op de stoel onder zijn mantel lag, en liep naar de mat terug. 'Met uw welnemen, hooggeboren vasruc. Dan zal ik u laten zien dat u nog iets te leren hebt voordat u een meester kunt uitdagen.' Hij liet het initiatief aan zijn jeugdige tegenstander. Die viel zo snel aan, dat de leraar de aanval nog maar net kon ontwijken. Pareren was niet mogelijk.

'Wat is er? Was je in slaap gevallen?' lachte Vahidin. 'Nou jij.'

De man trok zijn tenue recht, ging in de aanval en probeerde een paar schijnbewegingen om de jongen te verlokken tot een opening in zijn dekking. Maar elke manoeuvre werd onmiddellijk doorzien en afgeweerd. Ten slotte liet hij zijn laatste reserve varen en hij viel Vahidin aan alsof zijn leven ervan afhing.

'Eindelijk! Nu begint het erop te lijken,' riep de jongen. Door de concentratie en de inspanning verdween het superieure lachje van zijn gezicht.

Aljascha volgde het duel gespannen. Ze durfde haar blik er niet van los te maken, alsof ze bang was dat haar zoon, haar lieveling en haar garantie voor de terugkeer tot de macht, op een onbewaakt moment de punt van een zwaard in zijn borst zou krijgen. Toen een bediende haar een brief bracht, opende ze de envelop en hield het vel in haar hand zonder het te lezen.

De oefenmeester drong zijn jonge tegenstander met een snelle slagenwisseling naar de rand van de mat. Nog twee stappen en hij zou het gevecht hebben verloren. 'Dus we zien elkaar morgenochtend in alle vroegte, hooggeboren vasruc,' liet hij zich tot een opmerking verleiden, en weer sloeg hij toe.

Vahidin pareerde de slag en week niet verder terug. 'Hoezo?' Hij had verwacht dat het iurdum-zwaard een bijzondere macht zou hebben. De teleurstelling was groot. De Aldorelische zwaarden van de Hoge Zwaarden sneden overal doorheen. Zijn wapen bestond uit hetzelfde metaal, maar gedroeg zich als een gewoon zwaard. De Tzulani hadden bij de vervaardiging een fatale fout gemaakt.

'Om u les te geven,' zei de man, en opnieuw drong hij op om de jongen definitief van de mat te werken.

Vahidin had nog een laatste kans om het zwaard op de proef te stellen. Voorzichtig liet hij een vleugje van zijn magische kracht via zijn vingers in het gevest van het wapen vloeien.

Onmiddellijk werd het zwaard inktzwart. Het raakte het vijandelijke wapen met een krijsend geluid, dat tot diep in de hersenen drong. Het gejank veroorzaakte een stekende pijn die iedereen verlamde die eraan werd blootgesteld.

En dat niet alleen. Het Aldorelische zwaard had het wapen van de oefenmeester verbrijzeld alsof het van breekbaar glas was. De brokstukken kletterden tegen de grond en de man hield enkel nog het gevest met de dwarsstang in zijn hand.

'Wat... hoe doet u dat?' stamelde hij geschrokken. In zijn verbijstering vergat hij zelfs de aanspreektitel van de vasruc.

Vahidin trok zijn magische invloed terug, waardoor het iurdum zijn oude kleur aannam en weer een gewoon zwaard leek. Het bezat dus toch een bijzondere eigenschap. 'Dat zou jij nooit begrijpen,' antwoordde hij koel, en hij stak toe.

Hij richtte op het middenrif van de oefenmeester. Toen het zwaard voor een derde in het lichaam van zijn tegenstander stak, liet Vahidin opnieuw zijn magie in het wapen stromen.

Het metaal werd onmiddellijk zwart. De oefenmeester sperde zijn ogen wijd open toen het wapen hem van binnenuit aan stukken sneed. Het begon met rode lijnen, die zonder duidelijk patroon op zijn huid zichtbaar werden, en het volgende ogenblik stortte hij als een verbrijzelde vaas tegen de vloer van de oefenruimte. Dood.

Vahidin zat onder het bloed van het slachtoffer, maar was heel tevreden over zijn wapen. 'Het spijt me. Ik dacht niet na,' verontschuldigde hij zich bij zijn moeder, die ook met bloed was besproeid door de heftige, onsmakelijke dood van de oefenmeester. 'We kunnen beslag leggen op zijn kapitaal om een nieuwe jurk voor je te laten maken.' Met een handdoek veegde hij het warme bloed van zijn zwaard. Toen wierp hij een blik op de lijkbleke bediende. 'Jij houdt je mond over wat je hier gezien hebt, anders zal het slecht aflopen met je familie,' dreigde hij op niet mis te verstane toon, voordat hij het wapen weer in de kist legde. De man knikte haastig.

Aljascha had nog geen tijd gehad om van het incident te bekomen. Ze drukte een zakdoek tegen haar mond en wendde zich af van de gruwelijke aanblik van het uiteengespatte kadaver. Kreunend ontdekte ze nu pas de twee grote rode vlekken op haar groene jurk.

En ze herinnerde zich de brief, die tussen haar bevende vingers ritselde. Ze boog zich over de regels om haar aandacht af te leiden van haar opkomende misselijkheid:

Geachte Aljascha Radka Bardri¢, vasruca van Kostromo,

Laat mij u zeggen hoezeer ik u bewonder.

U bezit het doorzettingsvermogen dat ik zelf graag zou hebben. U bent vertrouwd met de macht, zoals ik zelf graag zou zijn. U had het absolute gezag en heerste over een rijk dat op Ulldart in die omvang nooit eerder had bestaan.

Mijn ambtsperiode is pas begonnen, en ik heb de raad nodig van een vrouw als u. Wij zouden een nieuw verbond kunnen sluiten, een verbond van vrouwen dat zich tegen de heerszucht van de mannen verzet!

En wij hebben één ding gemeen, waarde vriendin: onze haat tegen Lodrik Bardri¢. Hij heeft u al eens de macht ontnomen en probeert dat nu opnieuw.

Tijdens mijn verblijf in Ulsar heb ik dingen gehoord die ik niet kan opschrijven maar u persoonlijk zou moeten zeggen.

Wees ervan verzekerd dat uw leven en dat van uw zoon groot gevaar loopt! Het gaat om de troon van Tarpol en de aanspraken die u zeker zult laten gelden.

Laat mij u en uw zoon van harte uitnodigen in Amskwa. Ik kan uw veiligheid garanderen.

Hier hebben wij de rust om te spreken over uw ergste vijand, die u in zijn waanzin alweer op de hielen zit met nieuwe krachten.

Wees gewaarschuwd voor hem!

Kom snel naar Amskwa, waarde vriendin, en u zult deze brief begrijpen.

Ik groet u en wens u de bescherming van de goden,

Elenja de Eerste,
Kabcara van Borasgotan

Aljascha keek op naar Vahidin, die zijn met bloed besmeurde gevechtstenue verruilde voor schone kleren. Het zou heel goed bij Lodrik – over wie ze inderdaad al veel vreemde verhalen had gehoord – passen als hij het op haar leven of dat van haar zoon had gemunt. Misschien vermoedde hij wiens zoon Vahidin was.

'We gaan op reis, jongen,' zei ze tegen hem in een vlaag van ongerustheid, en ze scheurde de brief in kleine snippers, die als dwarrelende sneeuw op de grond vielen en zich volzogen met het bloed van de oefenmeester. 'Misschien hebben we een nieuwe vriendin gevonden die ons van nut kan zijn.'

Vahidin knikte, haalde het zwaard weer uit de kist en gordde het aan. Toen zette hij zijn helm af, waardoor zijn lange, zilverblonde haar op zijn schouders viel. De jongen keek haar stralend aan en legde zijn armen op zijn rug.

Aljascha moest aan zijn vader denken.

Continent Ulldart, op volle zee, winter van het jaar 1/2 Ulldraels (460/461 n.S.)

'Begrijp jij het, Puaggi?' Torben stond op en streek met zijn vingers over de kerven in de scheepswand, die in het schemerlicht nauwelijks zichtbaar waren. 'We zitten al een maand op zee, en er is nog geen schot gevallen. In die tijd hadden we om heel Rogogard heen kunnen varen.'

De bombardeboot waarop ze zaten helde sterk naar voren. Een siddering ging door de romp toen de boeg door de hoge golven sneed.

De Palestaan hield een hand in het water, dat enkelhoog in hun cel stond. 'Kouder dan alles wat ik ooit gevoeld heb,' zei hij peinzend. 'Gevoegd bij de ruwe zee van de laatste tijd, zou ik denken dat we de Rogogardische eilanden allang zijn gepasseerd en nu naar het noorden varen.'

'Onzin. In het noorden is niets te vinden. Ze hebben het op Kalisstron voorzien,' zei Imansi vanuit een hoek. 'Ze maken een omweg daarheen om de kuststeden te straffen voor hun deelname aan de strijd op Ulldart.' Hij draaide zich om, zodat hij Torben en Puaggi beter kon zien. 'Ik heb het nagerekend. Ze zijn eerst naar het noorden gevaren en kort voor Rogogard naar het westen afgebogen om in een rechte lijn naar de Kalisstronische steden aan de oostkust te komen. Er is daar een gunstige stroming.' Hij pakte de fles brandewijn die voor hen was achtergelaten, zag dat hij leeg was en smeet hem achteloos weg. Met een klap sloeg hij in het donker tegen de planken. 'Straks zullen we ons comfortabele onderkomen moeten delen met die groenogige visvreters.'

'Ik hoop al een tijdje dat hij aan de koorts zal bezwijken, maar hij werkt niet mee,' fluisterde Puaggi met een knipoog tegen Torben. 'Voorlopig zitten we nog met hem opgescheept.' Hij keek naar het litteken van Torbens wond.

'Die brandewijn heeft me het leven gered,' zei Torben, die zijn blik zag. 'De alcohol heeft het gif bestreden.'

'De brandewijn en je bezorgdheid om Varla,' zei Puaggi. 'Drie weken geleden had ik nog geen heller voor je leven gegeven.'

'Wij kapers zijn niet klein te krijgen,' grijnsde Torben. 'Dank voor je goede zorgen.'

Boven hun hoofd hoorden ze opeens het geluid van rennende voetstappen over het tussendek. Het klonk alsof de Magodan alle hens naar boven had geroepen.

De drie gevangenen zaten in het vage licht van hun laatste kaars en probeerden iets op te maken uit de geluiden aan boord en de bewegingen van het schip.

'Het rolt en stampt niet meer zo hevig. We zijn in rustiger vaarwater,' concludeerde Torben. 'Een weersomslag kan het niet zijn; de zee is hier altijd ruw.' Net als de anderen hoorde hij nu het gedempte geluid van de ankerkettingen. De bombardeboot kwam stil te liggen. 'Een haven?'

'Of een gunstige positie voor een beschieting?' opperde Puaggi.

Weer luisterden ze een tijdje in stilte. De bombardes zwegen, en ze werden niet beschoten.

Voetstappen kwamen naar hun cel, de sleutel knarste in het slot en de deur zwaaide open. Het licht van een lantaarn viel naar binnen, zo helder dat het hen verblindde.

'Meekomen,' luidde het bevel van achter het schijnsel. Een zweep knalde, raakte Puaggi tegen zijn hals en liet een bloederige streep na op zijn huid.

Torben hoorde de Palestaan tandenknarsen. Hij beheerste zich, om de Tzulandriër niet nog verder te provoceren. 'Waar zijn we?'

'Meekomen,' herhaalde de man koppig en hij sloeg weer dreigend met zijn zweep.

Imansi, Puaggi en Torben stapten de cel uit, beklommen een paar smalle trappen en kwamen aan dek, waar ze de rest van de – overwegend vrouwelijke – gevangenen aantroffen.

De Tzulandrische vloot was in een grote baai voor anker gegaan. Voor hen uit zagen ze een gekartelde kustlijn onder een grijze hemel, waaruit gestaag sneeuw viel. De sneeuw lag meer dan manshoog op de rotsen, ongerept en onbetreden.

Dat zou snel veranderen.

De zee wemelde van de grote en kleine sloepen, die volledig bemand op het enige strand afkoersten. Een halve warst achter de vlakke oever verhieven zich de muren van een stad.

'Kalisstron,' zei Imansi triomfantelijk. 'Ik zei het jullie toch?'

De bewakers duwden hen naar voren. Langs de valreep daalden ze af in een grote sloep, waarin de ongeveer honderd gevangenen naar het strand werden geroeid.

'Waarom schieten ze niet?' mompelde Torben. Dat vroeg Puaggi zich ook net af.

'Inderdaad, kapitein. De voorste linie is al binnen het bereik van de bombardes van de stad, en bij dit aantal vijanden' – hij keek over de hoge rand van de boot om te zien of hij zich niet vergiste – 'hoeft een bombardier niet eens te richten. Elke kogel vindt wel een boot.'

Torben herinnerde zich een oude piratentruc. 'Misschien heeft een vooruitgeschoven commando de stad al vanaf de landzijde ingenomen.' Hij tuurde naar de hoge muren, die ondanks de sneeuw nog duidelijk herkenbaar waren, en begon te twijfelen.

De vesting was te sterk. Er was een heel leger nodig om deze stad te bestormen. En het netwerk van vuurtorens maakte een verrassingsaanval onmogelijk. De Kalisstri bewaakten hun kusten veel te scherp, zoals hij uit eigen ervaring wist.

Toen hij nog eens om zich heen keek, besefte hij dat er iets belangrijks ontbrak. 'Dit is Kalisstron niet,' zei hij tegen Puaggi, wijzend naar de kale klippen. 'Nergens op de rotsen zie ik een van die vuurtorens waarmee ze de zee in de gaten houden.'

Knarsend liep de boot op het vlakke zandstrand. De bootsman had de sloep met grote handigheid en een stuurmansoog naar een van de weinige openingen gemanoeuvreerd, terwijl er nog heel wat boten voor de oever lagen te wachten op een vrije plek.

In ijltempo werden ze het strand op gedreven, in de richting van de stad. Onderweg zakten sommige verzwakte gevangenen in elkaar. De Tzulandriërs sloegen op de anderen in als ze de meisjes en vrouwen wilden helpen, totdat niemand meer bij hen in de buurt durfde te komen, ook al jammerden ze om hulp.

Hoe Torben ook om zich heen keek, hij kon Varla nergens ontdekken.

Hun groep werd door de poort de stad binnengeloodst. Op straat zagen ze mannen in dikke uniformjassen met een rode sjerp, die de aanvoerder van de bewakers instructies gaven waar de gevangenen naartoe moesten.

Het was een grote stad, met een bouwstijl die noch bij Kalisstron noch bij Rogogard paste. Ook niet bij Rundopâl, dat Torben als derde mogelijkheid in zijn achterhoofd had gehouden. Ze sjokten door de diepe sneeuw. 'Deze stad is verlaten,' mompelde hij tegen de Palestaan.

Puaggi knikte. Hij klappertandde, omdat hij net als de meeste andere gevangenen veel te dun gekleed was. 'Er brandt nergens licht, en in de sneeuw voor de deuren zijn geen voetsporen te zien,' meldde hij. 'Ik begrijp het niet. Als de bewoners voor de Tzulandriërs zijn gevlucht, moeten daar toch aanwijzingen voor te vinden zijn. Het lijkt alsof die huizen en gebouwen al een hele tijd leegstaan.'

'Vrijwillig overgedragen? In ruil voor de belofte dat de vijand geen verdere verwoestingen in het land zou aanrichten?' Torben begreep er steeds minder van.

'Maar wie heeft ze dan vrijwillig laten landen?' wierp Puaggi tegen. 'Het hele continent heeft zich in één front tegen hen gekeerd, maar hier zetten ze zomaar de poort open?'

Opeens herinnerde Torben zich dat hij die uniformen al eens eerder had gezien. 'Commodore, volgens mij zijn we in Borasgotan.'

'Dat moet dan wel heel, heel ver in het noorden zijn,' zei de jongeman bibberend, en hij sloeg zijn armen om zich heen alsof hij de warmte zo kon vasthouden.

Hun wandeling eindigde bij een grote loods. De Palestaanse officieren werden van de vrouwen en meisjes gescheiden, naar een andere hoek gebracht en aan een Dă'kay voorgeleid.

De man stond met zijn rug naar hen toe, in gesprek met iemand anders. Hij onderbrak zijn conversatie en draaide zich naar hen toe.

Tegenover hen stond een karakteristieke Tzulandriër. Onder zijn dikke, zware bontmantel droeg hij de bekende wapenrusting met de strijdbijlen, en zoals al zijn landgenoten maakte hij de indruk van een half getemd roofdier. Degene met wie hij had staan praten ging schuil achter zijn brede postuur.

'Bijvangst,' zei hij in de Ulldartse handelstaal, na een korte blik op de magere gezichten van de drie mannen. 'Daar zitten we niet op te wachten. Wie heeft opdracht gegeven ze mee te nemen?'

‘Laat maar eens kijken of ik ze kan gebruiken, Dă’kay,’ klonk een doorrookte vrouwenstem. ‘Ik heb jullie een stad gegeven. Daar mogen jullie wel een beetje dankbaar voor zijn.’

‘Hiermee?’ lachte de Tzulandriër. ‘Een paar uitgehongerde kerels, hoge vrouwe?’

Hij deed een stap opzij en Torben zag een vrouw in een prachtige zwarte marterjas op hen toe komen. Een bontmuts beschermde haar hoofd tegen de kou. Haar gezicht was verborgen achter een zwarte sluier.

En hoe dichter ze naderde, des te kouder het werd.

Continent Ulldart, Ammtára, koninkrijk Tûris, winter van het jaar 1/2 Ulldraels (460/461 n.S.)

Pashtak keek toe hoe een groep Veelvraten kabels om een groot blok steen legde en met hun hele gewicht kracht zette.

Knarsend gaf het steenblok mee en kwam in beweging. Toen het eindelijk losbrak, stortte de bijbehorende muur dreunend en met een stofwolk in elkaar.

‘Heel goed,’ prees hij de arbeiders. ‘Ik roep de anderen erbij, dan kunnen we de stenen weghalen. Maar let erop dat er verder niets beschadigd wordt.’ Hij keek naar het huis dat pal naast de ingestorte muur stond. ‘Volgens de tekening mag dit pand blijven staan.’

De Veelvraten knikten en Pashtak vertrok om de vrijwilligers, die op dat moment niets te doen hadden, naar de bouwplaats te halen.

Natuurlijk was de winter niet het ideale jaargetijde voor zo’n onderneming. De bevroren stenen maakten het slopen nog lastiger, omdat ze niet in beweging waren te krijgen of juist verder afbraken dan de bedoeling was.

Maar er zat niets anders op. De jaarwisseling naderde, en daarmee het einde van het uitstel dat de stad van de Kensustriaanse priesterkaste had gekregen. Overal in Ammtára werd gehamerd en gebeiteld. Wat in vele maanden, of soms jaren, was opgebouwd, werd nu door de Veelvraten en andere sterke arbeiders binnen enkele dagen vernietigd. Beter om een deel van de stad te slopen, dan dat er enkel zwarte puinhopen zouden overblijven als herinnering aan de mooie tijden van Ammtára.

Op het marktplein trof hij vijfentwintig uitgeputte vrijwilligers, die net op verhaal kwamen met wat eten en warm drinken. Maar niemand mopperde toen Pashtak hen naar de volgende klus stuurde. Ze wisten wat er op het spel stond.

Ondertussen liep Pashtak naar het raadhuis, waar zijn vrienden wachtten.

De ombouw van de stad was een zware opgave, maar het vinden van een nieuwe naam bleek bijna net zo moeilijk.

Op dat moment lagen er in de Vergadering van Getrouwen negen voorstellen, en niemand wilde het idee van een ander steunen. Opnieuw was hem als voorzitter gevraagd te bemiddelen of desnoods het machtswoord te spreken.

Met kracht gooide hij de deur open. 'Neem me niet kwalijk dat ik te laat ben, maar...' Pashtak zweeg toen hij de Kensustriaanse priester naast zijn stoel zag staan. De man rook naar ergernis in de ware zin van het woord. Aan zijn kleding te zien behoorde hij tot de cultus van Lakastra. 'Wat een verrassing,' zei hij, met een lichte buiging, voordat hij naar zijn plaats liep. 'Ik wist niet dat u hier was.' Hij keek rond en zag uitsluitend bedremmelde gezichten. Blijkbaar was de Kensustriaan al met zijn verhaal begonnen.

'U was vroeg genoeg op de hoogte gebracht.' De priester keek de voorzitter aan. 'Uw stad is verloren.'

Pashtak was net gaan zitten, maar sprong grommend weer overeind. Zijn kleine oren legden zich plat tegen zijn hoofd. 'Dat moet u even uitleggen,' bromde hij. Het kostte hem moeite niet dreigend zijn tanden te ontbloten.

'De ridder is gevlucht, samen met het meisje, uw inquisiteur. Daarmee heeft Belkala's dochter de afspraak geschonden. Ammtára zal morgen bij het krieken van de dag door onze krijgers met de grond gelijk worden gemaakt.' Hij wees door het raam. 'U hebt vannacht nog de tijd om de bewoners te evacueren, zodat er morgen geen slachtoffers zullen vallen.'

'Ik heb de belofte van Iunsa dat de stad tot aan de jaarwisseling ongemoeid zou blijven,' grauwde Pashtak terug.

'Alleen als Estra in Khòmalîn zou zijn gebleven,' sprak de priester hem onmiddellijk tegen.

'Dat is nooit als voorwaarde gesteld!' reageerde Pashtak nijdig. Zijn nekharen kwamen strijdlustig overeind.

'Dan hebt u niet goed geluisterd.' De Kensustriaan had blijkbaar veel vertrouwen in de bescherming van zijn god. Heel wat krijgers zouden bij de dreigende houding van de geduchte voorzitter het hazenpad hebben gekozen. 'De afspraak was dat Estra bij ons zou blijven zolang wíj dat wilden. Dit hebt u uitsluitend aan die ridder te danken.'

Pashtak stapte op de priester toe en verhief zich tot zijn volle lengte. 'Volgens mij was het geen slecht idee van Tokaro om er met Estra vandoor te gaan,' gromde hij. 'Hoe stelt u zich dit voor? Hoe moet ik Ammtára binnen een paar uur ordelijk ontruimen? Hoe moeten de bewoners hun kostbare zaken de stad uit krijgen?'

De Kensustriaan haalde zijn schouders op. 'Er zijn genoeg dorpen en steden in de buurt die u kunnen opnemen totdat u een nieuwe stad hebt gebouwd. U hebt heel wat moerasland drooggelegd. Er is wel een plek te vinden.' Hij bleef rustig staan. Het was duidelijk dat het hem allemaal onverschillig liet en dat hij niet bereid was tot onderhandelen.

'Moet ik nu weer naar Khòmalîn om voor de priesterraad door het stof te gaan?'

'Nee, want daar schiet u niets mee op.' De priester knikte hem toe. 'Ik ga nu naar het kamp terug om het leger mijn bevel te geven.' Hij zag de moordlust in de ogen van de voorzitter. 'En het heeft geen zin om mij te doden, want de troepen zullen de stad toch aanvallen.'

'Dan lijkt het me juist heel zinnig om u te doden. Als ik de aanval niet kan tegenhouden, maakt het niets meer uit,' zei Pashtak, die zich tot een dreigement liet provoceren. Hij werd gesteund door een instemmend geroep en gegrom vanuit de raad.

'Alleen zal mijn instructie om bij de aanval niemand te doden, behalve uit noodweer, de troepen dan niet bereiken,' antwoordde de priester kalm. 'U weet dat ze de hele bevolking zonder moeite kunnen uitroeien. Maar wij willen laten zien dat het ons enkel om de structuur van de stad gaat, niet om de bewoners.' Hij wandelde opzettelijk langzaam naar de deur. 'U mag bidden dat mij niets overkomt, voorzitter.'

De deuren vlogen open. Tien Kensustriaanse krijgers, in een harnas dat zichtbaar verschilde van de bekende wapenrustingen van de Kensustrianen, stonden op de drempel van de vergaderruimte.

Nog voordat iemand van de aanwezigen iets had kunnen zeggen, bracht de leider van de onverwachte bezoekers zijn hand omhoog en slingerde iets in de richting van de priester.

Er klonk een ruisend geluid, de priester slaakte een kreet en greep naar zijn borst. Tussen zijn bebloede vingers stak een dun mes. Hij wankelde, stak hulpzoekend zijn handen naar een stoelleuning uit en sloeg toen tegen de grond, waardoor het mes zich nog dieper in zijn borstkas boorde.

De Kensustriaanse krijger riep een bevel, trok onder het lopen een kromzwaard en hakte de stervende man zijn hoofd af. Hij wierp een blik op het stuiptrekkende, bloederige lijk, dat op zijn teken door vier van zijn mannen werd opgetild en het raam uit gesmeten.

'Bent u krankzinnig geworden?' mompelde Pashtak ontdaan. 'U hebt de Kensustriaan gedood die het leven van de bewoners van Ammtára had kunnen redden! Nu zal hun leger aanvallen en iedereen hier vernietigen.'

De aanvoerder van de groep zette zijn helm af, schudde zijn golvende, donkergroene haar uit en lachte. 'Nee.'

'Een opstand,' riep iemand vanuit de vergadering opgelucht. 'De krijgerkaste heeft de macht in Kensustria heroverd op de priesters en geleerden. De goden zij dank! Wij zijn gered.' Zijn woorden werden begroet met een voorzichtig instemmend gemompel.

Pashtak haalde diep adem en probeerde zich te beheersen. De onaangename lucht van verrotting die de krijgers voor zijn gevoelige neus in een hoge concentratie verspreidden, kwam hem maar al te bekend voor. De afvallige Belkala, die Ammtára haar vervloekte naam had gegeven en zich als Lakastre had voorgesteld, had dezelfde geur gehad. En dat beviel hem allerminst. 'Hoe kunt u dat dan voorkomen?'

'Ik ben Simar.' De Kensustriaanse krijger glimlachte zijn roofdiertanden bloot. Zijn gebit kon wedijveren met dat van Pashtak zelf. 'Geen gevaar,' verklaarde hij in gebrekkig Ulldarts. 'We hebben ze gedood, zoals afvalligen dat verdienen.' Tevreden keek hij naar de bloedsporen op de grond. 'Wij zoeken een land van afvalligen op Ulldart.' Hij richtte zijn barnsteenkleurige ogen op Pashtak. 'Het heet Kensustria. Weet u waar het ligt?'

Epiloog

Schrijvers leven hun duistere kant graag in hun boeken uit.

In mijn geval kan ik het gewoon niet over mijn hart verkrijgen om Ulldart met rust te laten. Onbekende krijgers, die sterk lijken op de bekende Kensustrianen maar het toch op hen hebben gemunt, zijn in het westen van Tûris aangekomen. Zal de rest van het continent bij het conflict tussen de raadselachtige volken worden betrokken? Hoe is de verhouding tussen de koninkrijken? Onverschillig, of komen ze te hulp?

En dat is nog niet alles. Alana II, de voormalige vorstin van Tersion, stelt na haar terugkeer uit haar Angoriaanse ballingschap te hoge eisen. Die brutaliteit kan ze zich veroorloven, omdat haar man de zoon van een keizer is, een heel continent regeert en een groot leger tot zijn beschikking heeft. En dan zijn er nog de gebeurtenissen in het noorden van Borasgotan. Wat is de lugubere necromante van plan met de gevangenen die haar Tzulandrische bondgenoten haar hebben uitgeleverd? Wil ze misschien een leger van geesten scheppen?

Het zijn maar enkele vragen voor het achtste deel, waarin natuurlijk ook Aljascha, Norina, Lodrik, Stoiko, Waljakov en vele anderen een rol zullen spelen.

Alle informatie over Ulldart is te vinden op mijn homepage, *www.ulldart.de.*

Markus Heitz, maart 2005

Verklarende woordenlijst

Plaatsen en begrippen

KALISSTRON: continent, westelijk van Ulldart
TARVIN: continent, ten zuidwesten van Ulldart
ANGOR: 1. oorlogsgod; 2. continent in het zuiden, verbanningsoord van koningin Alana II van Tersion
KHÒMALÎN: Kensustriaanse stad, zetel van de priesterraad
VERBROOG: hoofdeiland van Rogogard
FARALT: derde eiland vanuit het oosten
AMSKWA: hoofdstad van Borasgotan
SAMTENSAND: vissersstad in Tûris
NRUTA: zijrivier van de Repol
REPOL: hoofdrivier van Tarpol
ARKAS EN TULM: dubbelster, ook bekend als de 'ogen van Tzulan'
CERÊLERS: kleine mensen, magisch begaafde genezers
QWOR: monster

HARA¢: hertog
VASRUC: baron
SKAGUC: vorst
TADC: prins
KABCAR: koning
¢ARIJE: keizer
MAGODAN: Tzulandrische officiersrang
DĂ'KAY: Tzulandrische officiersrang

IURDUM: zeldzaamste metaal van Ulldart
TALER: valuta van Agarsië
PARR: valuta van Borasgotan

Personen

RASPOT PUTJOMKIN: Borasgotanische vasruc en kabcar
FJANSKI: Borasgotanische hara¢
SALTAN: Borasgotanische officier
KLEPMOFF: Borasgotanische vasruc
BSCHOI: Borasgotanische vasruc
PADOVAN: burgemeester van de stad Amskwa
VANSLUFZINEK: veroordeelde misdadiger

IJUSCHA MIKLANOWO: brojak uit Granburg en vader van Norina
LODRIK BARDRI¢: voormalige Kabcar van Tarpol, en necromant
GLEB: Lodriks bediende
STOIKO GIJUSCHKA: voormalige raadsman van Lodrik
WALJAKOV: voormalige lijfwacht van Lodrik
NORINA MIKLANOWO: Kabcara van Tarpol en Lodriks vrouw
MATUC: stichter van de herrezen Ulldrael-orde op Ulldart

KALEÍMAN VAN ATTABO: grootmeester van de orde der Hoge Zwaarden
ZAMRADIN VAN DOBOSA: maarschalk van de orde der Hoge Zwaarden
TOKARO VAN KURASCHKA: ridder van de orde der Hoge Zwaarden
MELIK VAN WERBURG: ridder van de orde der Hoge Zwaarden

ALJASCHA RADKA BARDRI¢: voormalige Kabcara en Lodriks ex-echtgenote
TAMUSCHA: dienstbode van Aljascha
GOVAN: Lodriks oudste zoon
ZVATOCHNA: Lodriks dochter
KRUTOR: Lodriks jongste zoon
FJODORA TURANOW: behulpzame geest
DEMSOI LUKASCHUK: priester van Tzulan

SILCZIN: vasruc en vorst van de baronie Kostromo

PERDÓR: koning van Ilfaris
FIORELL: hofnar en vertrouweling van Perdór
KURZEWEYL: hofnar van Perdór
SOSCHA: medium uit Tarpol
TORBEN RUDGASS: Rogogardische kaper
VARLA: kaperkapitein uit Tarvin en Rudgass' vriendin
BRISTEL: koning van Tûris
FROODWIND: Rogogardische kapitein
HANKSON: bootsman van de *Varla*
WALGAR: waard van het *Tapgat*
SOPULKA DĂ'KAY: bevelhebber van het eilandfort

ESTRA: inquisiteur van Ammtára, Belkala's dochter
PASHTAK: voorzitter van Ammtára
KIÌGASS EN NECHKAL: leden van de Vergadering
SHUI: Pashtaks echtgenote
SLRNSCH: bewoner van Ammtára
GÀN: Veelvraat en wachter in Ammtára
RELIO EN KOVAREM: Kensustriaanse gezanten uit de priesterkaste

WAISÛL: Kensustriaanse bevelhebber
SIMAR HÌUBA'SOR: Kensustriaanse krijgsman
IUNSA: leider van de priesterkaste in Kensustria
FIOMA: priesteres van Lakastra

LORIN: zoon van Norina en Lodrik
JAREVRÅN: Lorins vrouw
BLAFJOLL: walvisjager
KALFAFFEL: cerêler en burgemeester van Bardhasdronda
SINTJØP: neef van de burgemeester
FATJA: helderziende en verhalenvertelster uit Borasgotan
ARNARVATEN: verhalenverteller en Fatja's echtgenoot
KIURIKKA: priesteres van Kalisstra
RANTSILA: commandant van de burgermilitie
DRINJE: meisje uit Bardhasdronda

NICENTE ROSCARIO: Palestaanse commodore en commandant van *De Verheffing*
SOTINOS PUAGGI: Roscario's adjudant
DULENDO IMANSI: Palestaanse commodore